EDICIÓN REVISADA Y AMPLIADA

POR EL PROFESOR DE CASTELLANO

RAÚL MUÑOZ CHAUT

Magister en Lingüística
Profesor universitario

DICCIONARIO PRÁCTICO
DE
SINÓNIMOS Y ANTÓNIMOS

Método y selección
Armando Ghio D.

———— o ————

REPRESENTANTE EXCLUSIVO PARA CHILE

LIBRERIA LIBERTAD S. A.

PEDIDOS POR MAYOR
Teléfonos: 672 6314 - 698 8773
Rosas 1281
Santiago - Chile

Impreso en Quebecor World Chile S.A.
Diagramación: Producciones Gráficas C&C

Índice

COMO UTILIZAR ESTE LIBRO

Este libro está dividido en dos partes. La *Primera Parte* es un diccionario que sirve para ver cómo se escriben correctamente las palabras. Además, cada palabra de este diccionario va seguida de un número. Este número se busca en la *SEGUNDA PARTE* (PÁGINA 122), Y ALLÍ SE ENCUENTRA LA MISMA PALABRA CON SUS SINÓNIMOS Y CON SUS ANTÓNIMOS.

Por ejemplo, veamos la palabra "eficaz". El diccionario dice: "Eficaz 41". Ahora buscamos el número 41 en la segunda parte y nos encontramos con:

"41 Activo, enérgico, eficiente, eficaz..." y en el número siguiente están sus antónimos:

"42 Inactivo, holgazán, perezoso, indolente".

En vez de "sinónimos con antónimos", los grupos impresos con letra cursiva, corresponden a "sinónimos con ideas afines"
Ejemplo:

"*125 Orador, conferenciante, disertador...*"

"*126 Elocuente, persuasivo, convincente...*"

Por último, será fácil advertir que las palabras separadas por un guión amplían el concepto que se está tratando o, bien, representan derivaciones sobre el mismo tema.

A

Adelantado 26, 98
Adelantamiento 1649
Adelantar 925, 1729
Adelantarse 98
Adelante 1178
Adelanto 1731, 1774
Adelagazado 693
Adelgazamiento 691
Adelgazar 689
Ademán 1497
Ademanes 1497
Además 1587
Adentrarse 11
Adentro 1383
Adepto 1591
Aderezar 630
Aderezo 629, 1493
Adeudado 1755
Adeudar 1789
Adeudo 1789
Adherencia 855
Adherente 1591
Adherido 733
Adherir 1341
Adhesión 87, 1593
Ad hoc 268
Adición 113
Adicional 1740
Adicionar 111
Adicto 1591
Adiestrador 2145
Adiestramiento 2197
Adiestrar 2145
Adinerado 365
Adiós 1402
Adiposidad 692
Adiposis 692
Adiposo 694
Aditamento 116
Adivinación 2053
Adivinanza 506
Adivinar 2054
Adivino 2052
Adjudicar 385
Adjuntar 1599
Adjunto 1596
Adminículos 1179
Administración 1613
Administrador 1614

Administrar 1255
Admirable 499
Admiración 498
Admirado 496
Admirador 1591
Admirar 1925
Admisible 217
Admisión 759
Admitido 751, 1023
Admitir 749
Admonición 88
Adobar 630
Adobo 629
Adocenado 1912
Adoctrinar 2015
Adolecer 984
Adolescencia 611
Adolescente 605
Adolorido 528
¿Adónde? 1390
Adoptar 749, 1308
Adoquín 1323
Adoquinado 1324
Adoquinar 1323
Adorable 549
Adoración 555
Adorado 560
Adorar 557, 2017
Adormecer 966
Adormecerse 1421
Adormecido 45
Adormecimiento 1403
Adormilado 1423
Adormilarse 1421
Adormitarse 1421
Adornar 1362
Adorno 1493
Adosar 1381
Adquirente 1826
Adquiridor 1826
Adquirir 1828
Adquisición 1830
Adquisidor 1826
Adrede 265
Aduana 870
Aducir 69
Adueñarse 1031
Adulación 339
Adulador 345

Adular 576
Adulón 345
Adulteración 136
Adulterado 137
Adulterador 133
Adulterar 132
Adulto 605
Adustez 518
Adusto 516
Advenedizo 1250
Advenir 1930
Adversario 738
Adversidad 1918
Adverso 362
Advertencia 1654
Advertido 38, 51
Advertir 77, 188
Adyacente 1387
Aeródromo 895
Aerolínea 895
Aerolito 2127
Aeromoza 896
Aeronauta 896
Aeronáutica 891
Aeronave 892
Aeroplano 892
Aeropostal 1971
Aeropuerto 895
Aeróstato 892
Aerovía 895
Afabilidad 291
Afable 297
Afamado 1921
Afán 355
Afanarse 1721
Afanoso 1727
Afeamiento 1456
Afear 1452
Afección 982
Afectación 1508
Afectado 277, 1510
Afectar 993
Afectiva 565
Afectividad 1210
Afectivo 330
Afecto 555
Afectuosa 565
Afectuoso 561
Afeitado 1429

Afeitar 1429
Afeite 1449
Afeminado 779
Aferrado 758
Aferrar 1087
Aferrarse 1721
Afianzar 1800
Afición 555
Aficionado 1665
Aficionarse 747
Afiche 1959
Afiebrado 947
Afilado 1180
Afilar 1180
Afiliado 1581
Afiliar 1583
Afiliarse 1579
Afín 717
Afinar 1889
Afincarse 833
Afinidad 713
Afirmación 162
Afirmar 159, 1325
Afirmativamente 164
Afirmativo 164
Aflicción 526, 991
Aflictivo 997
Afligido 528
Afligimiento 526
Afligir 524
Afligirse 537
Aflojado 320
Aflojamiento 317
Aflojar 1488
Aflojarse 315
Afluencia 1870
Afluir 654
Afondar 887
Afonía 977
Afónico 978
Aforar 1823
Aforismo 1954
Aforrar 1419
Afortunadamente 1564
Afortunado 1756
Afrenta 463
Afrentar 338
Afrentoso 1962
Afrontamiento 1205

Afrontar 408, 746
Afuera 1384
Afueras 803
Afuerino 1250
Afusión 1446
Agachado 704
Agachar 844
Agacharse 701
Agallas 1191
Agape 651
Agarradero 1848
Agarrado 1761
Agarrar 1087
Agarrotado 319
Agarrotar 316
Agasajado 1538
Agasajar 653
Agasajo 1923
Agazaparse 1079
Agencia 1623
Agenda 105
Agente 1614
Agestado 285
Agigantar 467
Ágil 41
Agilidad 39
Agio 1811
Agiotaje 1811
Agiotista 1831
Agitación 311, 1292
Agitado 314
Agitador 1299
Agitar 1685
Agitarse 800
Aglomeración 793
Aglomerar 2229
Aglomerarse 789
Aglutinar 1341
Agobiado 1726
Agobiante 492
Agobiar 502
Agobio 696
Agolpamiento 793
Agolparse 789
Agonía 1001
Agónico 1001
Agonizante 1001
Agonizar 600
Agorar 2054

Agorero 2052
Agostamiento 2174
Agostar 2176
Agotado 1726
Agotador 1727
Agotamiento 696
Agotar 697, 1760
Agotarse 984
Agraciado 1453
Agraciar 1701
Agradable 369, 671
Agradar 485, 545
Agradecer 389
Agradecido 389
Agradecimiento 387
Agrado 367, 533
Agrandar 467
Agranujado 1051
Agrario 1240
Agravación 964
Agravamiento 964
Agravante 1097
Agravar 984
Agravarse 984
Agraviado 285, 1922
Agraviador 342
Agraviar 338
Agravio 463
Agredido 1059
Agredir 1059
Agregación 113
Agregado 116, 1596
Agregar 111, 1599
Agremiarse 1579
Agresión 1061
Agresividad 744
Agresivo 742
Agresor 1057
Agreste 2172
Agriado 687
Agriar 686
Agricultor 2168
Agricultura 2167
Agridulce 687
Agrietado 1337
Agrietar 1475
Agrimensor 2167
Agrio 687
Agro 1240

Agronomía 2167
Agrónomo 2168
Agrupación 1586
Agrupar 478, 1583
Agruparse 789
Agua 647
Aguacero 2110
Aguachar 2145
Aguadero 2152
Aguado 639
Aguafiestas 514
Aguaitar 1167
Aguamanil 1446
Aguantable 761
Aguantado 751
Aguantar 747, 990
Aguantarse 432
Aguante 755
Aguar 508, 647
Aguardar 1399
Aguazal 2121
Agudeza 35, 483
Agudizar 984
Agudo 38
Agüero 2053
Aguijón 403
Aguijonear 399
Aguinaldo 1699
Aguja 1481
Agujercar 1370
Agujero 923, 1367
Agusanarse 642
Aguzar 1180
Aherrojar 1219
Ahí 1387
Ahijar 613
Ahincar 1777
Ahínco 1723
Ahitar 1241
Ahíto 673
Ahogamiento 972
Ahogar 1068
Ahogarse 974
Ahogo 972
Ahondar 11, 1318
Ahora 1513, 1519
Ahorcado 1132
Ahorcar 1132
Ahorrador 1761

Ahorrar 1759
Ahorrativo 1761
Ahorro 1757
Ahuecar 1392
Ahuyentar 553
Airado 288
Airar 289
Aire 2115
Aireación 1444
Aireado 1444
Airear 1444
Airoso 1509
Aislado 1604
Aislamiento 1601
Aislar 1085, 1604
Ajado 1460
Ajamiento 1462
Ajar 1491
Ajarafe 836
Ajarse 608
Ajeno 1250
Ajetreo 801
Ajuar 579
Ajustado 1486
Ajustar 1339
Ajuste 1306
Ajusticiado 1132
Ajusticiar 1132
Ala 2164
Alabable 83, 1040
Alabado 1921
Alabador 341
Alabanza 339, 1923
Alabar 82, 337
Alabarderos 1872
Alabarse 412
Alacena 1356
Alado 2164
Alambrar 1344
Alambre 1326
Alameda 822
Alarde 276
Alardear 412
Alargamiento 482
Alargado 476, 811
Alargar 474
Alargarse 474
Alarido 442
Alarma 1192

Alarmar 310
Alarmado 1194
Alarmante 995
Alarmarse 327
Alarmismo 392
Alarmista 394
Alba 1425
Albacea 1016
Albañal 1335
Albañil 1313
Albedrío 1221
Albergar 749
Albergarse 833
Albergue 829
Albo 2095
Albor 2095
Alborada 1425
Alborear 1425
Albores 611
Alborotado 1558
Alborotador 1299
Alborotar 440
Alboroto 436
Alborozado 527
Alborozar 523
Alborozo 525
Albricias 525
Álbum 105
Albur 2063
Albura 2095
Alcahuete 775
Alcaide 1140
Alcaldía 1260
Alcance 1077, 1934
Alcances 30
Alcantarilla 1335
Alcanzable 255
Alcanzar 144, 1083
Alcazar 1162
Alcoba 825
Alcohol 647
Alcohólico 680
Alcoholismo 681
Alcoholizado 680
Alcurnia 617
Aldaba 1345
Aldabazo 1346
Aldea 1237
Aldeano 1240

Aleación 1338
Alear 2164
Aleccionar 7
Aledaño 1387
Alegación 1116
Alegar 70
Alegato 1116
Alegoría 2044
Alegrador 513
Alegrar 523
Alegrarse 535
Alegre 527
Alegría 395, 525
Alegrón 533
Alejado 572, 1388
Alejamiento 94, 1386
Alejar 1382
Alejarse 94, 1392
Alelado 37, 496
Aleluya 525
Alentar 425
Alerta 1164
Alertar 1168
Aleta 2164
Aletargado 967
Aletargamiento 1403
Aletargar 966
Aletargarse 1421
Aletear 2164
Aleve 1592
Alevosía 1594
Alevoso 1592
Alfabetizar 7
Alfabeto 108
Alfeñique 700
Alfiler 1481
Alfombra 1358
Alfombrar 1358
Alforja 2223
Alforza 1485
Algarabía 436
Algazara 395, 436
Algido 1741, 2100
Algo 380
Alguacil 1140
Alguien 791
Algún 791
Algunos 791
Alhaja 1466

Alharaca 1498
Aliado 1581
Alianza 1577
Aliar 1583
Alias 612
Alicaído 398
Alícates 1326
Aliciente 403
Alienado 1550
Alienar 1019
Alienista 1550
Aliento 971
Aligerar 925, 994
Alijo 881
Alimaña 2141
Alimentación 643
Alimentar 610
Alimenticio 643
Alimento 660
Alimentos 625
Alimentoso 643
Alineación 1156
Alinear 2203
Aliñado 630
Aliñar 630
Aliño 629
Alisar 1492
Alistamiento 90
Alistar 1153
Aliviado 1728
Aliviar 983, 988
Aliviarse 983
Alivio 992
Alma 1999
Almacén 1617
Almacenaje 1811
Almacenamiento 1811
Almacenar 1831
Almacenero 1825
Almácigo 2179
Almanaque 1525
Almena 1163
Almíbar 684
Almibarado 688
Almibarar 685
Almohada 1407
Almohadón 1407
Almoneda 1793
Almorzar 663

Almuerzo 662
Alocado 1558
Alocución 124
Alojado 831
Alojamiento 830
Alojar 824
Alojarse 833
Alopecia 1431
Alpargatas 1484
Alpinista 839
Alquería 828
Alquilado 1373
Alquilar 1372
Alquilar 1374
Alquimia 2029
Alquitranar 1334
Alrededor 2227
Alrededores 1389
Altanería 276
Altanero 280
Altar 2012
Altavoz 1348
Alterable 1646
Alteración 985, 1657
Alterado 314
Alterar 993, 1655
Alterarse 307
Altercado 429
Altercar 1307
Alternado 1711
Alternar 656, 171
Alternativa 260
Alternativo 1711
Alterno 1711
Alteza 1287
Altibajo 923
Altibajos 1750
Altillo 1328
Altiplanicie 836
Altisonante 1348
Altísono 1348
Altitud 861
Altivez 276
Altivo 277
Alto 707, 910
Altoparlante 1348
Altozano 836
Altruismo 351
Altruista 353

Altura 707, 861
Alucinación 2044
Alucinante 2040
Alud 2126
Aludido 1968
Aludir 1981
Alumbrado 2078
Alumbramiento 598
Alumbrar 2079
Alumnado 4
Alumno 2
Alunizaje 894
Alunizar 894
Alusión 181, 1981
Alusivo 1929
Aluvión 2118
Alza 1814
Alzamiento 1296
Alzar 843, 1816
Alzarse 748, 798
Allá 1388
Allanamiento 183
Allanar 241, 1076
Allanarse 1792
Allegado 622, 1387
Allegar 1381
Allende 1390
Allí 1387
Ama 1679
Amabilidad 291
Amable 294, 547
Amablemente 1565
Amado 560
Amaestrado 2143
Amaestrar 2145
Amago 2215
Amainar 468, 2111
Amalgama 1338
Amalgamar 1338
Amamantar 610
Amanecer 1425
Amanecida 1425
Amanerado 1510
Amaneramiento 1508
Amansado 2143
Amansador 2145
Amansar 2145
Amante 561
Amanuense 1976

Amaño 272
Amar 557
Amaraje 894
Amarar 894
Amargado 314
Amargar 524, 686
Amargarse 537, 987
Amargo 687
Amargor 687
Amargoso 687
Amargura 526
Amarillento 2089
Amarillo 2089
Amarra 1844
Amarradero 2156
Amarrado 1845
Amarrar 1845
Amarse 563
Amartelado 563
Amartelamiento 555
Amateur 2194
Amazacotado 858
Amazona 2154
Ambages 1786
Ambarino 2089
Ambición 355
Ambicionar 357
Ambicioso 354
Ambiente 821, 825
Ambigüedad 216, 237
Ambigüedades 1786
Ambiguo 1788
Ámbito 2225
Ambos 1603
Ambrosía 647
Ambulancia 937
Ambulante 783
Amedrentar 426
Amelga 2179
Amenaza 744, 1187
Amenazador 1189
Amenazante 1189
Amenazar 175
Amenguar 468
Amenidad 507
Amenizar 501
Ameno 126, 509
A menudo 1713
Americana 2231

Ametralladora 1181
Ametrallar 1183
Amigable 1591
Amigar 739
Amigo 737
Amigote 737
Amilanado 413
Amilanar 426
Amilanarse 384
Aminoración 470
Aminorado 115
Aminorar 468
Amistad 735
Amistar 739
Amistarse 656
Amistoso 1591
Amnesia 1536
Amnistía 1128
Amnistiar 1129
Amó 1614
Amoblar 1362
Amodorramiento 1403
Amodorrarse 1421
Amojonar 1241
Amolar 1180
Amoldable 990
Amoldarse 747
Amollar 1722
Amonedación 1264
Amonedar 1264
Amonestación 88
Amonestado 85
Amonestar 81
Amontonamiento 793
Amontonar 2229
Amontonarse 789
Amor 555
Amordazar 1087
Amorío 555
Amoroso 561
Amortajar 1004
Amortiguado 2082
Amortiguar 468
Amortización 1774
Amortizar 1764
Amoscarse 307
Amostazarse 307
Amotinado 1297
Amotinador 1299

Antecesores 619
Antedicho 1968
Antediluviano 1523
Antelación 1517
Anteojos 1494
Antepasados 619
Anteponer 1671
Anteproyecto 1314
Anterior 1515
Anterioridad 1517
Anteriormente 1520
Antes 1520
Antesala 825
Anticipación 1517
Anticipado 98
Anticipar 1769, 2054
Anticiparse 98
Anticipo 1774
Anticonceptivo 592
Anticuado 1468
Antideportivo 2206
Antídoto 956
Antiestético 1457
Antifaz 1909
Antigualla 1470
Antiguamente 1520
Antigüedad 1522
Antiguo 1523
Antihigiénico 953
Antinatural 2040
Antiparras 1494
Antipatía 556
Antipático 548
Antipatizar 494
Antipatriota 1208
Antipútrido 952
Antiquísimo 1523
Antirreglamentario 2206
Antirreligioso 2010
Antisepsia 954
Antiséptico 952
Antisudoral 1433
Antitético 718
Antitoxina 956
Antojadizo 1720
Antojo 676
Antología 1952
Antonimia 714
Antónimo 718

Antorcha 2078
Antracita 906
Antro 1082
Antropófago 1215
Anual 1527
Anubarrado 2109
Anudar 1845
Anuencia 406
Anulable 1124
Anulación 580, 1634
Anulado 180
Anular 174, 1632
Anunciar 188
Anuncio 1945
Anverso 1264
Anzuelo 2149
Añadido 116
Añadidura 113
Añadir 111
Añejo 642
Añicos 1476
Añil 2090
Año 1527
Añoranza 1535
Añorar 1533
Años 609
Añoso 606
Apabullar 1268
Apacentar 2148
Apacibilidad 283
Apacible 438, 1552
Apaciguado 313
Apaciguamiento 992
Apaciguar 290, 434
Apaciguarse 308, 1554
Apache 1057
Apadrinar 613
Apagado 2082, 2087
Apagamiento 2080
Apagar 2080, 2190
Apagón 2080
Apalabrar 1308
Apalear 575
Apaleo 574
Apañar 1031
Aparato 903
Aparatoso 373
Aparcamiento 904
Aparcar 916

Aparear 716
Aparecer 1394, 1626
Aparecido 2045
Aparejos 1160
Aparentar 1095
Aparente 2047
Aparición 2045
Apariencia 212, 1496
Apartado 572, 1388
Apartamento 1375
Apartamiento 1375, 1601
Apartar 1382, 1604
Apartarse 582, 1576
Aparte 1588
Apasionado 322
Apasionamiento 555
Apasionante 995
Apasionar 399, 1925
Apasionarse 563
Apatía 40, 324
Apático 329, 495
Apátrida 1284
Apeadero 904
Apear 2156
Apechugar 408
Apegado 1591
Apegarse 503
Apego 555
Apelable 1124
Apelación 1122
Apelar 1131
Apelativo 612
Apelotonar 2229
Apellidar 612
Apellido 612
Apenado 528
Apenar 524
Apenarse 537
Apenas 380
Apéndice 116
Apeñuscar 2229
Apercibido 51
Apercibimiento 1109
Apercibir 1107, 1164
Apercollar 1087
Apergaminado 693
Aperitivo 661
Aperos 1315
Apersonarse 654

Apertura 1630
Apesadumbrado 528
Apesadumbrar 524
Apesarado 1145
Apesarar 524
Apesararse 1000
Apestar 1433
Apestoso 1438
Apetecer 357
Apetecible 998
Apetencia 676
Apetito 676
Apetitoso 671
Apiadarse 1000
Ápice 1744
Apilar 2229
Apiñamiento 793
Apiñar 2229
Apiparse 666
Apisonar 1350
Aplacado 286
Aplacar 290, 538
Aplacarse 308
Aplanar 400
Aplanchar 1492
Aplastante 1727
Aplastar 1350
Aplaudido 64, 1921
Aplaudir 82, 1925
Aplauso 87, 1923
Aplazable 1776
Aplazado 1235
Aplazamiento 1773
Aplazar 1772
Aplicación 14
Aplicado 23
Aplicar 1130
Aplicarse 8
Aplomo 497
Apocado 418
Apocalíptico 2132
Apocamiento 419
Apocar 400
Apocarse 411
Apócrifo 137
Apoderado 1016, 1614
Apoderarse 1031
Apodo 612
Apogeo 1917

Apolillado 1734
Apología 339
Apologista 341
Apólogo 2044
Apoltronarse 1865
Aporrear 575
Aportación 1047
Aportar 1028
Aporte 1047
Aposentado 784
Aposentamiento 830
Aposentar 749
Aposentarse 833
Aposento 825
Apósito 968
Apostar 1053, 1643
Apostasía 2008
Apóstata 2010
Apostatar 1589
Apostilla 1950
Apostrofar 338
Apóstrofe 340
Apotegma 1954
Apoteósico 1923
Apoteosis 1923
Apoyar 458, 1060
Apoyarse 788
Apoyo 1062, 1325
Apreciable 377, 539
Aprciación 459, 1824
Apreciado 543
Apreciar 539, 1823
Aprecio 541
Aprehender 1085
Aprehendido 1092
Aprehensión 1089
Apremiante 1775
Apremiar 175, 1777
Apremio 1785
Aprender 8
Aprendiz 1665
Aprendizaje 6
Aprensar 1487
Aprensión 567
Aprensivo 418
Apresado 1092
Apresamiento 1089
Apresar 1085
Aprestar 1637

Apresuradamente 47
Apresurado 925
Apresuramiento 43
Apresurar 925
Apresurarse 925
Apretado 1486
Apretar 1487
Apretón 794
Apretujar 1487
Apretujón 794
Apretura 794
Aprieto 794
Aprisa 47
Aprisionar 1085
Aprobación 759
Aprobado 64
Aprobar 82
Aprontar 1637
Apropiación 1029
Apropiado 1641
Apropiar 1637
Apropiarse 1031
A propósito 265
Aprovechable 1733
Aprovechado 23
Aprovechador 352
Aprovechamiento 1749
Aprovechar 1735
Aprovecharse 1702
Aprovisionamiento 625
Aprovisionar 625
Aproximación 1381
Aproximadamente 1980
Aproximado 1980
Aproximar 1381
Aproximativo 1980
Aptitud 34
Apto 31
Apuesta 1054
Apuesto 1509
Apuntador 1872
Apuntalar 1325
Apuntar 1183, 1928
Apunte 1898, 1932
Apuñalar 1068
Apuñalear 1068
Apurado 925, 1755
Apurar 925, 1777
Apurarse 925

Apuro 43
Aquelar 524
Aquel 1388
Aquello 1388
Aquende 1383
Aquí 1387
Aquiescencia 759
Aquietado 286
Aquietador 1300
Aquietar 290, 309
Aquietarse 308
Aquilatar 1823
Ara 2012
Arable 2181
Arancel 1262
Araña 1357
Arañar 2162
Arañazo 2161
Arar 2178
Arbitraje 1310
Arbitrar 2205
Arbitrariedad 1026
Arbitrario 1042
Arbitrio 1122, 2061
Árbitro 2193
Árbol 2171
Arbolado 2239
Arboleda 2171
Arbusto 822
Arca 1847
Arcada 675
Arcaico 1523
Arcano 2029
Arcilla 2235
Arco 2217
Archivar 1626
Arder 2189
Ardid 272
Ardiente 2099
Ardor 326, 2101
Ardoroso 322
Arduo 245
Área 2225
Arena 1901, 2235
Arenal 2174
Arenga 124
Arengar 1267
Aretes 1466
Argana 870

Argolla 1466
Argot 1246
Argucia 216
Argüir 69
Argumentación 58
Argumentar 69
Argumento 58, 1929
Aria 1887
Aricar 2178
Aridez 2174
Árido 2174
Arijo 2181
Arisco 293
Aristocracia 1289
Aristócrata 1289
Armada 874
Armadijo 2149
Armadura 1160
Armamento 1179
Armar 1179, 1339
Armario 1356
Armas 1179
Armatoste 1359
Armazón 1317
Armisticio 1152
Armonía 430, 735
Armónico 1885
Armonio 2012
Armonioso 438, 1885
Armonizar 739
Arnés 1160
Aroma 1435
Aromado 1437
Aromar 1434
Aromático 1437
Aromatizado 1437
Aromatizar 1434
Aros 1466
Arpón 2149
Arponear 2150
Arqueado 704
Arquear 705
Arquearse 701
Arqueo 1802
Arquero 2217
Arquetipo 1567
Arquitecto 1313
Arrabal 803
Arraigado 723

Arraigar 729
Arraigarse 833
Arrancar 1084, 1342
Arrancarse 1084
Arranque 893, 2056
Arrapo 1480
Arrasado 1233
Arrasar 1231
Arrastrar 1856
Arrastrarse 2141
Arrastre 1855
Arrear 2142
Arrebatado 288
Arrebatador 549
Arrebatamiento 1029
Arrebatar 1031
Arrebatarse 307
Arrebato 284
Arrebujar 1419
Arreciar 2112
Arredrar 426
Arreglado 1478
Arreglarse 1472, 1637
Arreglar 1450, 1792
Arreglárselas 383
Arreglo 430, 1474
Arrellanarse 1865
Arremeter 1059
Arremetida 1061
Arrendado 1373
Arrendador 1372
Arrendamiento 1374
Arrendar 1372
Arrendatario 1373
Arreos 1160
Arrepentido 1145
Arrepentimiento 1141
Arrepentirse 1143
Arrestado 1092
Arrestar 1085
Arresto 1089, 1191
Arriada 2118
Arriar 1157
Arriba 845
Arribada 1395
Arribar 1391
Arribismo 359
Arribista 354
Arribo 1395

Arriendo 1374
Arriesgado 1189
Arriesgar 1189
Arriesgarse 1196
Arrimar 1381
Arrimarse 789
Arrimo 1381
Arrinconar 1083
Arrobamiento 2007
Arrobarse 2042
Arrodillamiento 2013
Arrodillarse 2013
Arrogancia 276
Arrogante 280
Arrogarse 1031
Arrojado 1193
Arrojar 675, 750
Arrojo 1191
Arrollado 933
Arrollador 1201
Arrollar 928, 2219
Arromadizado 977
Arromadizarse 978
Arropado 1418
Arropar 1419
Arrostrar 408, 746
Arroyo 863
Arruga 1462
Arrugado 1460, 1491
Arrugar 1491
Arrugarse 608
Arruinado 1755
Arruinar 1748
Arruinarse 1754
Arrulla 2166
Arrullar 576
Arrullo 614
Arrumacos 573
Arrumbar 1336
Arsenal 1179
Arte 1873
Artefacto 903
Arteria 786
Artero 1051
Artesano 1313
Ártico 2069
Articulación 2137
Articular 457
Articulista 1927

Artículo 1949
Artífice 1871
Artificial 2047
Artificio 272
Artificioso 213
Artillería 1181
Artimaña 272
Artista 1871
Artístico 1453
As 2195
Asa 1848
A sabiendas 265
Asalariado 1677
Asaltado 1059
Asaltante 1057
Asaltar 1059, 1201
Asalto 1061, 1199
Asamblea 1586
Asar 632
Ascendencia 617
Ascendente 1649
Ascender 843, 1729
Ascendido 64, 1694
Ascendientes 619
Ascensión 841
Ascenso 1731
Ascensor 1349
Asceta 2009
Ascetismo 2005
Asco 675
Ascua 2187
Aseado 1413
Asear 1411
Asearse 1411
Asechanza 1198
Asechar 1592
Asediado 1083
Asediar 1083
Asedio 1197, 2215
Asegurar 159, 1369
Asegurarse 194
Asemejar 716
Asemejarse 711
Asenso 759
Asentaderas 2138
Asentado 784
Asentar 1380
Asentimiento 406, 759
Asentir 753

Aseo 1440
Asepsia 954
Aséptico 952
Asequible 255
Aserción 162
Aserrar 1316
Aserto 162
Asesinar 1068
Asesinato 1069
Asesino 1067
Asesor 1653
Asesoramiento 1654
Asesorar 1651
Asesorarse 1652
Asestar 1183
Aseveración 162
Aseverar 159
Asfaltar 1323
Asfixia 972
Asfixiante 2101
Asfixiar 1068
Asfixiarse 974
Así 232
Asidero 1848
Asiduidad 95
Asiduo 1719
Asiento 90, 1866
Asignación 1699
Asignar 385
Asignatura 102
Asilado 1249
Asilar 749
Asilo 937, 1188
Asimetría 1880
Asimétrico 1457
Asimilación 643
Asimilar 716
Asimismo 1587
Asir 1087
Asistencia 93, 1062
Asistente 93, 1704
Asistentes 1869
Asistir 654, 1060
Asno 2159
Asociación 1615
Asociado 1581
Asociar 1583
Asociarse 1579
Asolador 2131

Asolamiento 1233
Asolar 1231
Asolearse 2103
Asomar 1394
Asombrado 496
Asombrar 310
Asombrarse 2041
Asombro 498
Asombroso 499
Asomo 225
Asonada 1296
Asonancia 1883
Aspaventero 1498
Aspaviento 1498
Aspecto 1303, 1496
Aspereza 292
Asperjar 1443
Aspero 288, 1460
Aspersión 2173
Aspiración 570
Aspiradora 1441
Aspirante 54, 1265
Aspirar 357, 973
Asquear 1438
Asquerosidad 1439
Asqueroso 1454
Asta 1157
Astilla 1476
Astillar 1475
Astro 1871, 2065
Astrofísica 2067
Astronautra 896
Astronáutica 891
Astronave 892
Astronavegación 891
Astronavío 892
Astronomía 2067
Astroso 1414
Astucia 272
Astuto 38
Asueto 815
Asumir 1274
Asunto 1929
Asustadizo 418
Asustado 1194
Asustar 426
Asustarse 327
Atacado 1059
Atacador 1057

Atacar 70, 1059
Atado 1845, 1847
Atadura 404, 1844
Atajar 1686, 2214
Atajo 786
Atalaya 1163
Atañer 1929
Ataque 1061, 1199
Atar 1845
Atarantado 1558
Atardecer 1426
Atareado 145
Atascamiento 921
Atascar 924, 1782
Atasco 921
Ataúd 1004
Ataviar 1451
Ataviarse 1415
Atávico 721
Atavío 1493
Atavismo 721
Ateísmo 2006
Atemorizado 1194
Atemorizar 426
Atemorizarse 327
Atemperar 2107
Atención 14, 291
Atender 15, 988
Atendido 1606
Atenerse 473
Atentado 1061, 1111
Atentamente 1565
Atentar 1097
Atento 51, 294
Atenuación 470
Atenuante 1097
Atenuar 468, 994
Ateo 2010
Aterido 2100
Aterirse 2100
Aterrador 2132
Aterrar 2132
Aterrizaje 894
Aterrizar 894
Atesorar 1759
Atestado 1836
Atestar 1833
Atestuguar 1119
Atiborrar 1833

Atiborrarse 666
Atildado 1509
Atinado 1549, 1641
Atinar 207
Atingencia 1607
Atirantar 706
Atisbar 1167
Atisbo 1074
Atizar 2187
Atlas 2068
Atleta 2194
Atlético 699
Atletismo 2192
Atmósfera 2065
Atochar 1833
Atolondrado 1558
Atolondramiento 1556
Atolladero 801
Atomizado 636
Átomo 849
Atónito 496
Atontado 37, 496
Atontar 1065
Atorarse 666
Atormentado 528
Atormentar 524
Atormentarse 987
Atosigar 1777
Atóxico 958
Atrabillarlo 288
Atracador 1057
Atracar 879, 1059
Atracción 551
Atraco 1061
Atracón 665
Atractivo 549
Atraer 545
Atragantarse 666
Atraillar 2146
Atrancado 1368
Atrancar 1369
Atrapar 1087
Atrás 1177
Atrasado 25, 100
Atrasar 1778
Atrasarse 97
Atraso 96
Atravesar 787
Atrayente 549

Atreverse 1196	Auscultación 939	Avaluar 1823
Atrevido 414, 417	Auscultar 939	Avalúo 1824
Atrevimiento 420	Ausencia 94	Avance 1199, 1649
Atribución 1663	Ausentarse 94, 1392	Avanzada 1178
Atribuciones 1809	Ausente 94	Avanzado 26
Atribuible 1099	Ausentismo 96	Avanzar 1201, 1723
Atribuir 1103	Auspicio 2053	Avaricia 382
Atribuirse 1031	Auspicioso 361	Avariento 1761
Atribular 524	Austeridad 511	Avaro 1761
Atrincherarse 1195	Austero 516	Avasallado 1298
Atrio 1351	Austral 2070	Avasallar 1219
Atrocidad 301	Autenticar 1622	Ave 2163
Atrofia 644	Autenticidad 211	Avecilla 2163
Atrofiado 936	Auténtico 138, 2048	Avecinar 1381
Atronador 2125	Autentificar 1622	Avecindarse 833
Atronante 2125	Auto 899, 1117	Avejentado 606
Atronar 2125	Autobiografía 1955	Avejentarse 608
Atropellado 933	Autobús 899	Avenar 2122
Atropellar 794, 1219	Autocracia 1278	Avenencia 430, 1308
Atropello 794, 1026	Autócrata 1217	Avenible 739
Atroz 304	Autóctono 1249	Avenida 822
Atuendo 1482	Autodeterminación 1221	Avenir 739
Aturdido 1558	Autodidacto 5	Avenirse 656, 1792
Aturdimiento 1556	Autogiro 892	Aventajado 26
Aturdir 1065	Autógrafo 1620	Aventajar 1913, 2219
Aturdirse 2041	Automático 270	Aventar 750, 1393
Atusar 1429	Automatismo 1500	Aventura 1953
Audacia 1191	Automóvil 899	Aventurado 1189
Audaz 417	Automovilista 897	Aventurar 1189, 1936
Audición 1877	Autonomía 1221, 1984	Aventurarse 1196
Audiencia 655	Autónomo 1223	Aventurero 1299
Auditivo 1348	Autopista 786	Avergonzado 413
Auditor 1801	Autopsia 1014	Avergonzar 486
Auditorio 1870	Autor 134, 1927	Avergonzarse 411
Auditorium 101	Autoridad 1613	Avería 1687
Auge 1917	Autoritario 1217	Averiado 928
Augurar 2054	Autorización 759, 820	Averiarse 642
Augurio 2053	Autorizadamente 1023	Averiguación 148, 183
Aula 101	Autorizado 1023	Averiguador 53
Aullar 2165	Autorizar 753	Averiguar 55
Aumentado 116, 476	Autoservicio 1617	Averno 2004
Aumentar 111, 467	Auxiliado 1190	Aversión 552
Aumento 1701, 1814	Auxiliar 1704, 1747	Avezado 1666
Aún 1587	Auxilio 1062	Avezar 729
Aunar 478	Aval 1799	Aviación 891
Aunque 169	Avalancha 2126	Aviador 896
Aureola 2019	Avalar 1800	Avidez 382
Auriga 897	Avalorar 1823	Ávido 354
Aurora 1425	Avaluación 1824	Avieso 298

Avilantarse 421
Avilantez 420
Avinagrado 687
Avinagrarse 642
Avión 892
Avioneta 892
Avios 1179
Avisado 38, 1941
Avisar 188
Aviso 1569, 1945
Avispado 38
Avistar 1164
Avivar 399, 2187
Avivarse 383

Avizorar 1167
Axioma 1954
Axiomático 250
Ayer 1520
Ayude 295, 1062
Ayudante 1704
Ayudar 1060, 1747
Ayunar 664
Ayuno 677
Ayuntamiento 585, 1260
Ayuntar 2147
Azabache 2096
Azafata 896
Azafate 659

Azar 2063
Azarar 310
Azaroso 1189, 2053
Azorar 310
Azotar 575
Azote 2130
Azotea 1327
Azucarado 688
Azucarar 685
Azul 2090
Azulado 2090
Azulejo 1323
Azulino 2090
Azuzar 401

B

Baba 979
Babor 872
Babuchas 1484
Bacanal 665
Bacilo 959
Bacín 961
Bacinica 961
Bacteria 959
Báculo 1063
Bache 923
Badulaque 37
Bagaje 1847
Bagatela 1744
Bahía 866
Bailar 1892
Bailarín 1892
Baile 1891
Bailotear 1892
Bailoteo 1891
Baja 1813
Bajada 842
Bajamar 867
Bajar 844, 894
Bajel 871
Bajeza 332
Bajo 708, 846
Bala 1182
Balacera 1184

Balada 1875
Baladí 1742
Baladrón 281
Balandronada 743
Balance 1802
Balancear 614
Balancearse 505
Balanceo 875
Balancín 505
Balandra 871
Balaustrada 1349
Balazo 1184
Balbucear 439
Balbuceo 441
Balbucir 439
Balcón 1354
Balconcillo 1354
Baldado 936
Baldar 1065
Balde 1331
Baldear 1442
Baldío 2174
Baldón 348, 463
Baldonar 338
Baldosa 1323
Balear 1183
Baliza 870
Balneario 868

Balompié 2217
Balón 1331, 2217
Baluarte 1162
Ballet 1891
Bambalina 1863
Bambolear 800
Banal 2037
Banca 1866
Bancarrota 1750
Banco 1866
Banda 1055, 1882
Bandada 2240
Bandazo 875
Bandeja 659
Bandera 1157
Bandería 2204
Banderín 2196
Bandido 1057
Bando 1255, 2204
Bandolero 1057
Banqueta 1866
Banquete 651
Banquetear 653
Banquillo 1866
Bañadero 2152
Bañarse 1411
Bañera 1446
Baño 1446

Baqueano 897
Bar 659
Barahúnda 436
Baraja 506
Barajar 506
Baranda 1349
Barandilla 1349
Baratija 1744
Barato 1817
Báratro 2004
Baratura 1813
Barba 2234
Barbaridad 301, 1556
Barbarie 1213
Barbarismo 1246
Bárbaro 1215
Barbechar 2178
Barbería 2233
Barbero 1464
Barbilampiño 1431
Barbotar 520
Barbudo 1432
Barca 871
Barcaza 871
Barco 871
Bardo 1875
Barítono 1888
Barman 1682
Barniz 1449
Barquero 882
Barquinazo 875
Barra 2204
Barrabás 298
Barrabasada 521
Barracón 827
Barranco 862
Barrancoso 860
Barrena 1370
Barrenar 1097, 1370
Barrer 1442
Barrera 1343
Barrial 2121
Barrica 645
Barricada 1162
Barriga 2139
Barrigón 694
Barril 645
Barrio 803
Barrista 1902

Barrizal 2121
Barro 2121
Barroco 373
Barroso 2122
Barruntar 219
Barrunto 225
Bártulos 1359
Barullo 436
Basar 458
Base 104, 1319
Básico 104, 1739
Basílica 2011
Basta 664, 1481
Bastante 377
Bastar 375
Bastión 1162
Basto 1504
Bastón 1063
Bastonazo 1064
Basura 1439
Bata 2231
Batahola 436
Batalla 1151
Batallador 1307, 1173
Batallar 409, 1175
Batallón 1155
Batel 871
Batelero 882
Batida 1077
Batidora 631
Batir 629, 1913
Batirse 1175
Batíscafo 871
Baúl 1847
Bautismo 613
Bautizo 613
Bayadera 1892
Bayoneta 1180
Bazar 1617
Bazofia 1336
Beatificación 2021
Beatificar 2017
Beato 2009
Bebé 605
Bebedero 2152
Bebedor 680
Beber 648
Bebible 648
Bebida 647

Bebido 680
Beca 90
Becado 90
Becar 90
Becario 90
Befa 488
Befarse 486
Belcebú 1998
Beldad 1455
Belicista 1173
Belicoso 1307
Beligerancia 1151
Beligerante 1173
Bella 1451
Bellaco 1051
Bellaquería 1050
Belleza 1455
Bello 1453
Bencina 906
Bendecir 2017
Bendición 2021
Bendito 2019
Benefactor 353
Beneficencia 351
Beneficiado 1751
Beneficiar 1747
Beneficiario 1751
Beneficiars 1753
Beneficio 1749
Beneficioso 1745
Benéfico 950
Benemérito 333
Beneplácito 759
Benevolencia 299
Benevolente 297
Benévolo 297, 1148
Benignidad 299
Benigno 297, 1148
Beodo 680
Bergantín 871
Berma 786
Bermejo 2092
Bermellón 2092
Besar 576
Beso 573
Bestia 2141
Bestial 304
Bestialidad 1209
Beucador 576

Besucón 576
Besuquear 576
Biberón 610
Biblia 2012
Bibliografía 1961
Biblioteca 1993
Bibliotecario 1993
Bicicleta 902
Biciclo 902
Bicoca 1744
Bicharraco 2141
Bicho 2141
Bien 164, 1659
Bienal 1527
Bienaventurado 2019
Bienes 1803
Bienestar 367
Bienhechor 353
Bienintencionado 297
Bienio 1527
Bienoliente 1437
Bienquisto 543
Bienvenido 1401
Bifurcación 805
Bifurcarse 808
Bigote 2234
Bilateral 1611
Billete 1263, 1865
Billetera 1465
Billetes 1263
Bimensual 1528
Bimestral 1528
Binóculo 1494
Biografía 1956
Biombo 1353
Birlar 1050
Birrete 1483
Bis 1923
Bisabuelos 619
Bisagra 1366
Bisnieto 620
Bisoñé 1430
Bisoño 1665
Bitácora 873
Bizarría 1191
Bizarro 417
Bizcochero 683
Bizcocho 684
Blanco 2095

Blancor 2095
Blancura 2095
Blandir 1180
Blando 320, 852
Blandura 856
Blanquear 1342
Blasfemar 2018
Blasfemia 2022
Blasfemo 2010
Blasón 2196
Blasonar 412
Bledo 360
Blindado 1162
Blindar 1161
Block 106
Bloque 1295
Bloquear 924, 1083
Bloqueo 1197
Blusa 2231
Blusón 2231
Boato 371
Bobada 484
Bobalicón 37
Bobería 484
Bobo 37
Boca 2135
Bocacalle 814
Bocadillo 661
Bocado 670
Bocaza 1572
Boceto 1314, 1898
Bocina 1346
Bocón 446
Bochinche 429
Bochorno 419
Bochornoso 1039
Boda 579
Bodega 1321
Bodegón 659
Bofetada 574
Bofetón 574
Boga 1467
Bogador 882
Bogar 882
Bohemio 1290
Boicot 1687
Boicotear 1687
Boicoteo 1687
Boina 1483

Bola 212, 810
Boleta 1865
Boletería 1865
Boletín 1994
Boleto 1865
Bólido 2127
Bolígrafo 107
Bolina 429
Bolsa 2223
Bolso 1465
Bomba 1182
Bombardear 1183
Bombilla 2078
Bombón 684
Bombonera 684
Bonachón 273
Bonanza 2111
Bondad 299
Bondadoso 297
Bonete 1483
Bonificación 1698
Bonificar 1701
Bonito 1453
Bonos 1804
Boquete 1367
Bordado 1481
Bordar 1481
Borde 868
Bordear 915
Boreal 2069
Borra 647
Borrachera 681
Borrachín 680
Borracho 680
Borrador 1932
Borrar 1985
Borrasca 2116
Borrascoso 2114
Borrego 2159
Borrico 2159
Borroear 107
Borroso 2086
Boscoso 2172
Bosque 2171
Bosquejar 1169, 1895
Bosquejo 1898
Bosta 962
Bostezar 1410
Botar 503, 1834

Botarate 1558
Botas 1484
Bote 503, 871
Botella 645
Botero 882
Botica 946
Boticario 946
Botijo 645
Botín 1212
Botines 1484
Botón 2183
Bóveda 1321
Boxeador 2222
Boxear 2222
Boxeo 2222
Boya 870
Boyante 1756
Bozo 2234
Bracear 890
Bracero 2168
Bragas 2232
Bramante 1844
Bramar 2165
Brasa 2187
Brasero 1363
Bravata 743
Bravear 281
Bravío 2144
Bravucón 281
Bravura 1191
Brazalete 1466
Brazo 2140
Brebaje 647
Brecha 1367
Brega 429, 2201
Bregar 22, 409
Breve 450, 1529
Brevedad 452
Breviario 471
Bribón 1051
Brinonada 1056
Brida 2155

Brillante 2075, 2221
Brillantez 2073
Brillar 2079
Brillo 2073
Brincador 503
Brincar 503
Brinco 1903
Brindar 653
Brindis 1538
Brío 1404
Brioso 397
Brisa 2115
Broca 1370
Brocha 1894
Broche 1481
Broma 517
Bromear 519
Bromista 515
Bronca 429
Bronceado 2102
Broncearse 2102
Bronco 288
Broquel 1160
Brotar 599, 2183
Brote 2183
Bruces (de) 1409
Bruja 2052
Brujería 2051
Brújula 873
Brujulear 506
Bruma 2109
Bruno 2096
Bruñir 2083
Brusco 288
Brusquedad 292
Brutal 304
Brutalidad 1209
Bruto 37, 2141
Bucanero 881
Búcaro 1360
Bucear 889
Buceo 889

Bucle 1430
Bucólico 2172
Buenaventura 2053
Bueno 297, 1733
Bufar 975
Bufete 1623
Bufo 1871
Bufón 1871
Buhardilla 1328
Bujía 2078
Bulevar 822
Bulimia 676
Bulto 1847
Bulla 436
Bullanga 436
Bullicio 436
Bullicioso 437
Bullir 632, 800
Bungalow 1375
Buque 871
Burbujear 632
Burdo 1504
Burgués 1290
Burla 488
Burlado 1054
Burlar 191
Burlarse 486
Burlesco 515
Burlón 515
Burocracia 1677
Burócrata 1677
Burrada 36
Burro 2159
Busca 183
Buscar 55, 1075
Buscavidas 1725
Busilis 1098
Búsqueda 183
Busto 2137
Butaca 1866
Buzón 1970

Cabal 61
Cábala 2050
Cabalgador 2154
Cabalgadura 2155
Cabalgar 2155
Caballada 2240
Caballar 2153
Caballería 2158
Caballeriza 2157
Caballero 584
Caballerosidad 331
Caballeroso 416
Caballo 2158
Cabaña 828
Cabecear 1421
Cabeceo 875
Cabecera 658
Cabecilla 1297
Cabellera 1430
Cabello 1430
Cabeza 2135
Cabezal 1407
Cabezudo 758
Cabida 1849
Cabildo 1260
Cabina 826
Cabizbajo 398
Cable 1326, 1844
Cablegrama 1971
Cabotaje 880
Cabrero 2170
Cabrestante 870
Cabriola 1903
Cabriolar 503
Caca 962
Cacarea 2166
Cacarear 2165
Cacería 2149
Cacerola 631
Caco 1046
Cacumen 35
Cacha 1848
Cacharro 899
Cachaza 44
Cachetear 575

Cachimba 782
Cachivaches 1336
Cachón 867
Cachorro 2160
Cadalso 1132
Cadáver 1003
Cadavérico 700
Cadena 1222, 1715
Cadencia 1883
Cadencioso 1885
Caducado 180
Caducar 1628
Caducidad 180
Caduco 606
Caer 207, 797
Cáfila 793
Cafre 304
Cagada 962
Cagar 961
Caída 797, 842
Caído 794, 1460
Caja 1847
Cajero 1765
Cajista 1993
Cajón 1847
Calabozo 1137
Calafatear 1334
Calambre 318
Calamidad 2130
Calamitoso 530
Calaña 1495
Calar 1443
Calavera 768, 213
Calcar 107, 132
Calceta 1484
Calcetín 1484
Calcinar 1010
Calco 136
Calculable 1840
Calcular 1837
Calculista 1313
Cálculo 225, 1859
Caldeado 2099
Caldear 2107
Caldo 649

Calefacción 1363
Calendario 1525
Calentador 1363
Calentamiento 1363
Calentar 2107
Calentarse 2103
Calentura 948
Calenturamiento 947
Caleta 866
Calidad 2184
Cálido 2099
Caliente 2099
Calificación 67
Calificado 1673
Calificar 460
Calificativo 612
Caligrafía 110
Calistenia 2192
Calma 283
Calmado 286
Calmante 986
Calmar 290
Calmarse 308, 990
Calmo 287
Calmoso 45
Caló 1246
Calofrío 947
Calor 2101
Calorífero 1363
Calorífugo 2188
Calumnia 461
Calumiador 465
Calumniar 336
Calumnioso 1962
Caluroso 2099
Calva 1429
Calvicie 1431
Calvo 1431
Calzada 786
Calzado 1484
Calzarse 1415
Callado 445
Callar 456
Calle 786
Calleja 786

Call	Cam	Can
Callejear 787	Campiña 1240	Cansancio 396
Callejero 818	Campo 1240	Cansar 502
Callejón 786	Camposanto 1007	Cansarse 504
Cama 1405	Campus 89	Cansino 1726
Camafeo 1466	Camuflaje 1198	Cantante 1888
Cámara 825, 1259	Camuflar 1095	Cantar 1889
Camarada 737	Can 2160	Cántaro 1360
Camadería 735	Canal 864	Cantatriz 1888
Camarera 1680	Canalizar 2122	Cantera 838
Camarero 1682	Canalla 1051, 1479	Cántico 1887
Camarilla 1055	Canallada 300	Cantidad 634, 1838
Camarín 1355	Canasta 2224	Cantina 659
Camarote 826	Canastillo 2224	Cantinero 1682
Camastro 1405	Canasto 2224	Canto 868, 1887
Cambalache 1829	Cancela 1344	Cantón 1238
Cambalachear 1830	Canciller 1251	Cantor 1888
Cambiable 1646	Cancelación 1634	Canturrear 1889
Cambiado 1646	Cancelado 180, 1820	Cánula 1329
Cambiante 1788	Cancelar 1632, 1764	Cáñamo 1844
Cambiar 1655, 1830	Canción 1887	Cañería 1329
Cambiarse 834	Cancha 2191	Caño 1329
Cambio 1657, 1829	Candado 1366	Cañón 835, 1181
Camelar 557	Candela 2078	Cañonazo 1184
Camelo 488	Candelabro 1357	Cañonear 1183
Camilla 1866	Candelero 1357	Caos 1296
Caminante 817	Candente 2099	Caótico 245
Caminar 787	Candidato 54, 1265	Capacidad 34, 1849
Caminata 816	Candidatura 1266	Capacitado 31
Camino 786	Candidez 271	Capar 592
Camión 899	Cándido 273	Caparazón 627
Camionaje 1855	Candil 1357	Capataz 1313
Camionero 897	Candileja 1863	Capaz 31
Camioneta 899	Candor 215, 271	Capcioso 213
Camorra 429	Candoroso 273	Capellán 2023
Camorrista 742	Caníbal 1215	Capilla 2011
Campamento 1155	Canícula 2101	Capital 1239, 1803
Campana 1345	Canicular 2099	Capitalino 1239
Campanear 1346	Canijo 700	Capitalista 365
Campanilla 1345	Canilla 1329	Capitalizar 1759
Campanillazo 1346	Canje 1829	Capitán 1172
Campanillear 1346	Canjeable 1830	Capitanear 1172
Campante 527	Canjear 1830	Capitulación 1206
Campaña 1171	Canoa 871	Capitular 1176
Campechano 282	Canon 1374, 1635	Capítulo 110
Campeón 2195	Canonización 2021	Capote 1482
Campeonato 2201	Canonizar 2017	Capricho 1724
Campesino 1240	Canoro 1885	Caprichosa 566
Campestre 2172	Cansado 1726	Caprichoso 1720
Camping 816	Cansador 492	Captar 545

Captura 1089
Capturado 1092
Capturar 1085
Capullo 2183
Cara 1447, 2137
Carabina 1181
Carácter 1500, 1723
Característico 722
¡Caramba! 442
Carambola 2063
Caramelo 684
Carátula 1959
Caravana 816
¡Caray! 442
Carbón 906
Carburante 906
Carcajada 532
Carcajear 535
Cárcel 1137
Carcelero 1140
Carcomer 1332
Cardenal 2023
Cardinal 1739
Cardumen 2240
Carear 1118
Carecer 376
Carencia 626
Carente 378
Careo 1118
Carestía 364
Careta 1909
Carga 1262, 1853
Cargador 1854
Cargamento 1853
Cargante 548
Cargar 1853
Cargo 1115, 1675
Cariacontecido 528
Caricatura 1896
Caricaturista 1893
Caricia 573
Caridad 351, 1047
Carilla 106
Cariño 555, 573
Cariñoso 561
Caritativo 353
Cariz 1303
Carmenar 1464
Carmesí 2092

Carmín 2092
Carnada 2149
Carnal 774
Carnear 633
Carnet 819
Carnicería 1209
Caro 1818
Carpa 1901
Carpeta 105
Carraspear 978
Carraspera 977
Carrera 122
Carreta 901
Carretear 1856
Carretera 786
Carretero 897
Carretilla 901
Carretón 901
Carricoche 899
Carro 901
Carromato 899
Carroña 953
Carruaje 901
Carrusel 505
Carta 1967
Cartas 506
Cartapacio 105
Cartel 1959
Cartera 1465
Carterista 1046
Cartero 1972
Cartomancia 2053
Cartón 106
Cartulina 106
Casa 1375
Casaca 2231
Casación 1122
Casada 584
Casadera 583
Casado 584
Casamata 1162
Casamiento 579
Casarse 581
Cascada 864
Cascar 1475
Cáscara 627
Cascarón 627
Cascarravuas 288
Casco 1483

Caseta 135
Cash 1820
Casi 1980
Casino 505
Caso 1304
Casorio 579
Casquete 1483
Casquivana 566
Casta 617
Castañetear 2104
Castidad 771
Castigado 85
Castigar 77, 1130
Castigo 80, 1127
Castizo 1245
Casto 767
Castración 592
Castrar 592
Castrense 1173
Casual 267
Casualidad 2063
Casualmente 266
Cataclismo 2130
Catador 649
Catadura 1496
Catafalco 1008
Catalejo 1494
Catalogar 1837
Catálogo 1802
Catar 650
Catarata 864
Catarro 977
Catastro 1243
Catástrofe 2130
Catastrófico 2131
Catear 1075
Cátedra 101
Catedral 2011
Catedrático 1
Categoría 1703
Categórico 1787
Catequizar 2015
Caterva 793
Catilinaria 463
Catre 1405
Cauce 864
Caución 1799
Caucionar 1800
Caudal 1803

Caudillo 1172
Causa 595, 1098, 1112
Causal 1098
Causante 1125
Causar 157
Causticidad 488
Cáustico 550
Cautela 1555
Cautelar 158
Cauteloso 1571
Cauterizar 969
Cautivado 1092
Cautivador 549
Cautivar 554, 1085
Cautiverio 1222
Cautivo 1138
Cauto 1557
Cavar 1318
Caverna 1082
Cavidad 923
Cavilación 1541
Cavilar 1539
Caviloso 1543
Caza 2149
Cazador 2149
Cazar 2150
Cazurro 445
Cebar 2147
Cebo 2149
Cedazo 636
Cedente 1768
Ceder 172, 1019
Cédula 819
Cegar 1369
Cegarse 305
Ceguedad 1546
Cejar 172, 1204
Cejijunto 285
Celada 1198
Celador 1140
Celar 567
Celda 1137
Celebérrimo 1921
Celebración 1923
Celebrado 64, 1921
Celebrar 82, 337
Célebre 1921
Celebridad 1919
Celeridad 43

Celeste 2090
Celestina 775
Celibato 583
Célibe 583
Celo 14
Celos 567
Celosía 1353
Celoso 567
Célula 849
Cellisca 2116
Cementerio 1007
Cena 662
Cenagal 2121
Cenagoso 2122
Cenar 683
Ceniciento 2091
Ceniza 2128
Cenobio 2026
Cenobita 2009
Censo 1243
Censor 1985
Censura 88, 1983
Censurable 84
Censurado 85
Censurador 342
Censurar 343, 1985
Centella 2123
Centelleante 2075
Centellear 2079
Centelleo 2073
Centena 1527
Centenario 1527
Centinela 1163
Centralizar 478
Central 478
Centro 804
Centuria 1527
Cañido 1486
Ceñir 1487
Ceñirse 473
Ceñudo 285
Cepa 617
Cepillar 1442
Cepillo 1441
Cepo 2149
Cerca 1343, 1387
Cercado 1343
Cercanía 1385
Cernanías 1389

Cercano 1387
Cercar 1083, 1344
Cercenar 468, 633
Cerciorarse 194
Cerco 1197
Cerdo 2163
Cereales 2184
Ceremonia 1254
Ceremonial 1254
Ceremonioso 1254
Cerilla 781
Cerner 635
Cernícalo 28
Cernir 635
Cero 380
Cerrado 1368
Cerradura 1366
Cerrajería 1315
Cerrar 1369, 1628
Cerril 2144
Cerro 836
Cerrojo 1366
Certamen 2202
Certero 1641
Certeza 247
Certidumbre 247
Certificación 1621
Certificar 159, 1622
Cerviz 2136
Cesación 180, 1110
Cesante 1678
Cesantía 1676
Cesar 1628
César 1287
Cese 1732
Cesible 1021
Cesión 1021, 1696
Césped 822
Cesta 2224
Cesto 2224
Cetrino 2093
Cicatear 1818
Cicatería 382
Cicatero 1761
Cicatrizar 969
Cicerone 897
Ciclo 1525, 1715
Ciclomotor 902
Ciclón 2117

Cíclope 710
Cielo 2003, 2066
Ciénaga 2121
Ciencia 30
Cieno 2121
Científico 103, 139
Cierre 1629
Cierro 1343
Ciertamente 230
Cierto 214, 235
Ciertos 791
Cifra 1838, 2236
Cifrado 203
Cigarrera 782
Cigarrillo 781
Cigarro 781
Cima 861
Címbalo 1345
Cimbel 2149
Cimentación 1319
Cimentar 458
Cimiento 1319
Cincelador 1897
Cincelar 1899
Cine 1863
Cinema 1863
Cinematógrafo 1863
Cínico 415
Cinismo 420
Cinta 1844
Cintura 2134
Cinturón 2232
Circo 1901
Circuir 1083
Circuito 2191
Circulación 801, 909
Circular 787, 809
Círculo 505, 810
Circundar 1083
Circunferencia 810
Circunloquios 1786
Circunscribirse 473
Circunscripción 1238
Circunscripto 1312
Circunspección 1574
Circunspecto 1571
Circunstancia 259
Circunstanciado 479
Circunstancial 150

Circunstante 93
Circunstantes 1869
Circunvalar 1083
Circunvecino 1387
Cirugía 968
Cirujano 938
Cisco 906
Cisma 1309
Cisura 969
Cita 655, 1109
Citación 1109
Citado 1968
Citar 1107, 1981
Ciudad 1239
Ciudadanía 1249
Ciudadano 1239
Ciudadanos 1244
Ciudadela 1162
Cívico 1283
Civil 1174
Civilidad 1214
Civilización 1214
Civilizado 1216
Civismo 1281
Cizañar 740
Clamar 989, 1131
Clamor 442, 531
Clan 618
Clandestinamente 1024
Clandestino 1024
Claque 1872
Claraboya 1354
Claramente 197
Clarear 1425
Claridad 2073
Clarificar 10
Clarividencia 2056
Clarividente 2055
Claro 164, 2085
Claror 2073
Clase 109, 719
Clasificación 1640, 2210
Clasificar 1626, 1671
Claudicar 745
Claustro 2026
Cláusula 1306
Clausura 1629
Clausurar 1628
Clavar 1326

Clave 203
Clavetear 1326
Clavija 1326
Claxon 1346
Clemencia 299, 1150
Clemente 303
Cleptómano 1046
Clérigo 2023
Clero 2011
Cliente 1826
Clientela 1826
Clima 2099
Clínica 937
Cloaca 1335
Cloquear 2165
Cloroformizar 966
Cloroformo 965
Closet 1356
Clown 1871
Club 505
Coacción 182
Coaccionar 175
Coach 2193
Coadyuvar 1747
Coagulación 640
Coagulado 640
Coagular 637
Coalición 1577
Coartación 405
Coartada 1116
Coartar 402
Coautor 1139
Cobarde 1194
Cobardía 1192
Cobertizo 904
Cobertor 1408
Cobertura 1851
Cobijar 749
Cobijarse 1195
Cobijo 827
Cobrador 1766
Cobranza 1766
Cobrar 1763
Cobrizo 2092
Cobro 1766
Cocaína 965
Cocción 632
Coceadura 2158
Cocer 632

Comentario 1950
Comentarista 1949
Comenzar 1627
Comer 663
Comerciante 1825
Comerciar 1827
Comercio 1617
Comestible 660
Comestibles 625
Cometer 1097
Cometido 1974
Comezón 960
Comicidad 487
Comicios 1272
Cómico 491, 996
Comida 660, 662
Comienzo 1630, 2209
Comilón 674
Comilona 665
Comino 360, 629
Comisar 1027
Comisaría 1137
Comisario 1140
Comisión 1578, 1699
Comisionado 1614
Comisionar 1974
Comisionista 1825
Comiso 1029
Comisura 2137
Comité 1578
Comitiva 1602
Cómoda 1356
Cómodamente 243
Comodidad 367
Cómodo 369
Comodón 352
Compacto 854
Compadecer 1000
Compadre 737
Compañerismo 735
Compañero 737
Compañía 1602, 1615
Comparación 2199
Comparar 186, 1118
Comparecencia 1109
Comparecer 654
Comparendo 1109
Comparsa 1602, 1872
Compartimiento 826

Compás 873, 1883
Compasión 302
Compasivo 303, 1148
Compatibilidad 733
Compatible 731
Compatriota 1248
Compeler 175
Compartir 1832
Compendiado 475
Compendiar 473
Compendio 471
Compendioso 475
Compenetrarse 166
Compensación 1697, 1829
Compensar 716, 1701
Competencia 34, 1812
Competente 31
Competer 1929
Competición 2201
Competidor 738
Competidores 2202
Competir 409, 2200
Compilación 1952
Compilar 1951
Compinche 737
Complacencia 367
Complacer 485
Complacido 529
Complaciente 547
Complejidad 237
Complejo 245
Complementario 1740
Complemento 116
Completar 144, 1987
Completo 120
Complexión 708
Complicación 240
Complicado 245, 1101
Complicar 242, 1782
Cómplice 1139
Complicidad 1093
Complot 1295
Complotar 1293
Componedor 1472
Componenda 1306
Componente 850
Componentes 1807
Componer 1472, 1637
Componerse 1450

Comportamiento 1501
Comportarse 1502
Composición 110
Compositor 1881
Compostura 522
Compra 1830
Comprado 1828
Comprador 1826
Comprar 1828
Compraventa 1830
Comprender 18, 1599
Comprensible 205
Comprensión 1545
Comprensivo 757
Compresa 968
Comprimido 945, 1486
Comprimir 1487
Comprobación 226
Comprobado 149
Comprobante 1570
Comprobar 220
Comprometedor 1189
Comprometer 1189, 1779
Comprometerse 1196
Comprometido 578, 1101
Compromisario 1016
Compromiso 1306
Compromisos 1789
Compuesto 1478
Compulsar 186
Compunción 1141
Compungido 528
Computar 1273, 1837
Cómputo 1273, 1802
Común 723, 2058
Comunicación 1569
Comunicado 1569
Comunicar 173, 188
Comunicativo 453
Comunidad 1577
Con 1603
Conato 147
Concadenar 1609
Concatenación 1607
Concatenar 1609
Concausa 1098
Concavidad 923
Concebible 205
Concebir 131, 597

Conceder 385, 753
Concejal 1260
Concejo 1260
Concentración 1586
Concentrado 1543
Concentrar 478
Concentrarse 1539
Concepción 129
Concepto 459
Conceptuar 460
Concerniente 1929
Concernir 1929
Concertar 1308
Concesión 1809
Conciencia 1545
Concienzudo 49
Concierto 1877
Conciliable 739
Conciliábulo 1295
Conciliación 430
Conciliador 1300
Conciliar 739
Conciliativo 739
Conciliábulo 739
Concilio 1259, 1586
Concisión 452
Conciso 450
Concitación 403
Concitar 425
Conciudadano 1248
Concluido 1236
Concluir 1628, 1936
Conclusión 1935, 1958
Concluso 1236
Concluyente 1787
Concomitancia 733
Concordancia 733
Concordante 167, 731
Concordar 166
Concorde 731
Concordia 735
Concretar 224, 473
Concretarse 473
Concreto 262
Conculcación 1026
Conculcar 1097
Concupiscencia 772
Concupiscente 774
Concurrencia 1870

Concurrente 93
Concurrido 1870
Concurrir 654, 807
Concursante 54
Concursar 2200
Concurso 1062, 2202
Condecoración 2221
Condecora 2221
Condena 1127
Condenación 1127
Condenado 1125
Condenar 1130
Condensación 452
Condensado 450
Condensar 473
Condescendencia 755
Condescender 753
Condescendiente 757
Condición 1306, 1500
Condicionado 1312
Condicionar 1308
Condimentar 630
Condimento 629
Condiscípulo 2
Condolencia 1011
Condolerse 1000
Condonación 1128
Condonar 176, 1129
Conducción 1257, 1855
Conducir 898, 1856
Conducirse 1502
Conducta 1501
Conductor 897
Conectado 1607
Conectar 1339
Conejo 2159
Conexión 1607
Conexionar 1609
Conexo 1581
Confabulación 1295
Confabularse 1293
Confección 1807
Confeccionar 1808
Confederación 1577
Confederado 1581
Confederar 1583
Confederarsse 1579
Conferencia 124, 1586
Conferenciante 125

Conferenciar 455
Conferir 385
Confesar 431, 1096
Confesión 1096
Confeso 1125
Confiable 466
Confiado 273, 393
Confianza 391, 568
Confianzudo 415, 1572
Confiar 221
Confidencia 1096
Confidencial 202
Confidente 1094
Configuración 1496
Confín 1242
Confinación 1135
Confinado 1133
Confinante 1387
Confinar 1133, 1242
Confinidad 1385
Confirmación 162, 226
Confirmado 1710, 2048
Confirmar 159
Confiscación 1029
Confiscar 1027
Confitar 685
Confite 684
Confitera 684
Confitería 683
Confitero 683
Confitura 684
Conflagración 1151
Conflagrar 2189
Conflictivo 245, 1189
Conflicto 1151
Confluir 807
Conformar 168
Conformarse 990
Conforme 731
Conformidad 733, 1291
Conformista 757
Confort 367
Confortado 983
Confortar 988
Confraternidad 735
Confrontación 2199
Confrontar 186, 1118
Confundido 413
Confundir 9, 17, 919

Confundirse 918
Confusión 237
Confuso 245, 1788
Confutación 161
Confutar 160, 1120
Congelación 1364
Congelado 640, 2100
Congelante 1364
Congelar 637, 2108
Congeniar 493, 545
Congénito 721
Congestión 793
Conglomerar 2229
Conglutinar 1341
Congoja 526, 985
Congojar 524
Congraciarse 493
Congratulación 87
Congratular 999
Congregación 1586
Congregar 1583
Congreso 1259, 1586
Congruente 1641
Congruo 1641
Conjetura 225
Conjeturado 152
Conjeturar 219
Conjuntamente 733
Conjunto 120, 793
Conjura 1295
Conjuración 1295
Conjurado 1299
Conjurar 1293
Conllevar 990
Conmemoración 1538
Conmemorar 653
Conmemorativo 1537
Conmensurabe 1840
Conminación 1785
Conminar 175
Conminatorio 1787
Conmiseración 302
Conmoción 323
Conmovedor 995
Conmover 993
Conmoverse 1000
Conmovido 528
Conmutación 1128
Conmutador 2077

Conmutar 1129
Connatural 721
Connotado 1911
Conocedor 1677
Conocer 18, 655
Conocible 2030
Conocido 201, 1911
Conocimiento 1545
Conocimientos 30
Conquista 1229
Conquistable 1186
Conquistador 1227
Conquistar 1225
Consabido 1968
Consagración 2021
Consagrar 2017
Consagrarse 1721
Consanguíneo 622
Consanguinidad 621
Consciente 269
Conscripción 1153
Consecución 154
Consecuencia 596
Consecuente 1557
Conseguir 144
Consejero 1653
Consejo 181, 1654
Consenso 759
Consentido 571, 1023
Consentimiento 406
Consentir 753
Conserje 1681
Conserjería 1681
Conservación 1022
Conservador 1279
Conservar 1020, 1656
Conservatorio 89
Considerable 377
Consideración 541
Considerado 279
Considerar 460, 1539
Consignar 1794
Consignatario 1794
Consiguiente 1937
Consistencia 855
Consistente 851
Consistir 458
Consocio 1616
Consolación 992

Consolar 988
Consolidar 1161
Consonancia 1883
Consorcio 1615
Consorte 584
Conspicuo 1911
Conspiración 1295
Conspirador 1299
Conspirar 1293
Constancia 14, 1723
Constante 1530, 1719
Constantemente 234
Constar 1599
Constatación 226
Constatar 185
Consternación 526
Consternado 528
Consternar 524
Constipado 977
Constiparse 978
Constitución 1258, 2134
Constitucional 1258
Constitucionalidad 1277
Constituir 1631
Constreñir 175
Construcción 1234
Constructor 1313
Construir 1232
Consuelo 992
Consueta 1872
Consuetudinario 723
Cónsul 1251
Consulado 1252
Consulta 57
Consultante 53
Consultar 55, 1652
Consultor 1653
Consultorio 937, 1623
Consumación 154
Consumado 1236
Consumar 1097
Consumidor 1826
Consumir 1231, 1760
Consumirse 2190
Consumo 1700
Consunción 691
Consuno (de) 1310
Contable 1801
Contacto 573, 2230

Contado 1820
Contador 1801
Contagiar 951
Contagio 953
Contagioso 949
Contaminación 953
Contaminar 951
Contar 1273, 1942
Contemplar 1307, 1868
Contemporáneo 1524
Contemporizar 745
Contención 404
Contender 1175, 2200
Contendiente 2200
Contener 309, 1599
Contenerse 422
Contentamiento 525
Contentar 523
Contento 527
Contestable 252
Contestación 58
Contestar 56
Conteste 733
Contexto 1929
Contextura 708
Contienda 1151, 2201
Contigüidad 1385
Contiguo 1387
Continencia 677, 771
Contingencia 257, 2063
Contingente 254
Continuación 1705
Continuado 1530, 1718
Continuamente 1713
Continuar 1712
Continuidad 1715
Continuo 1710
Contorno 2225
Contornos 1389
Contorsión 1497
Contra 760
Contraatacar 2214
Contraataque 1203
Contrabandista 881
Contrabando 1048
Contracambio 1829
Contracción 318
Contradecir 70, 160
Contradicción 161

Contradictor 74
Contradictorio 718
Contraer 316, 481
Contrafaz 1264
Contragolpe 2214
Contrahecho 1457
Contralor 1801
Contramarcha 1200
Contranatural 2040
Contraorden 1634
Contrapeso 875
Contraponer 1120
Contraposición 760
Contraproducente 362
Contrariar 546
Contrariedad 284, 368
Contrario 718, 738
Contra reembolso 1819
Contrarrestar 408, 2216
Contrasentido 1542
Contraseña 1865
Contrastar 712
Contraste 714
Contratado 1677
Contratar 1671, 1827
Contratiempo 240
Contratista 1313
Contrato 1306, 1779
Contravención 1111
Contraveneno 956
Contravenir 76
Contribución 1262
Contribuir 1747
Contrición 1141
Contrincante 738
Contristar 524
Contrito 1145
Control 1983
Controlar 185
Controversia 1305
Controvertible 252
Controvertir 1307
Contubernio 1295
Contumacia 1142
Contumaz 1146
Contundente 1787
Contundir 1065
Conturbación 311
Conturbar 310

Contusión 931
Contuso 933
Convaleccencia 963
Convalecer 983
Convencer 1269
Convencerse 194
Convencimiento 247
Convención 1259
Convencional 374
Convencionalismo 1502
Convenido 1308
Conveniencia 367, 1749
Conveniente 950, 1641
Convenio 1306, 1779
Convenir 1308, 1733
Convento 2026
Convergencia 806
Converger 807
Convergir 807
Conversación 427
Conversador 446
Conversar 455
Conversión 1910
Convicción 247
Convicto 1125
Convidado 657
Convidador 658
Convidar 653
Convincente 126
Convite 651
Convivir 581
Convocación 1109
Convocar 1107
Convocatoria 1109
Convoy 1602
Convoyar 1603
Convulsión 318, 1292
Convulsiones 947
Convulso 314
Conyugal 579
Cónyuge 584
Conyugicida 1070
Conyugicidio 1069
Cooperación 1062
Cooperador 1704
Cooperar 1747
Cooperativa 1615
Coordinación 1640
Coordinar 1637

Copa 659, 2221
Copartícipe 1139
Copete 1430
Copia 136, 1977
Copiador 133
Copiar 132, 107
Copioso 377
Copista 1976
Copla 1887
Cópula 585
Coque 906
Coqueta 566
Coquetear 557
Coqueteo 573
Coquetería 551
Coraje 1191
Coral 2092
Coraza 1160
Corazón 804
Corazonada 2056
Corbata 2232
Corbatín 2232
Corbeta 871
Corcel 2158
Corcova 704
Corcovado 1457
Corcho 646
Cordel 1844
Cordero 2159
Cordial 561
Cordialidad 291
Cordillera 836
Cordón 1844
Cordura 1548
Coreografía 1891
Corito 1417
Coro 1888
Corolario 596
Corona 1493
Coronamiento 1320
Coronar 1274, 1987
Corpiño 2232
Corporación 1615
Corpóreo 263
Corpulencia 692
Corpulento 694
Corpúsculo 849
Corral 2157
Correa 2232

Corrección 80, 1986
Correccional 1137
Correctivo 80
Correcto 61, 1413
Corredor 1322
Corregible 1989
Corregir 77, 1987
Corregirse 778
Correlacionar 1609
Correligionario 1581
Correo 1969
Correoso 852
Correr 925, 1526
Correrse 1576
Correría 816
Correspondencia 733
Corresponder 389, 2237
Corresponderse 563
Correspondiente 2237
Corresponsal 1927
Corrido 413, 1666
Corriente 142, 500
Corroboración 73
Corroborar 159
Corroer 1332
Corromper 775, 1038
Corromperse 777
Corrompido 768
Corrupción 766
Corruptela 1026
Corruptible 1034
Corruptor 774
Corsario 881
Cortacorriente 2077
Cortado 413
Cortadura 969
Cortante 454, 1180
Cortapisa 1312
Cortar 633
Cortarse 411
Corte 969, 1608
Cortedad 410
Cortejar 557
Cortejo 1602
Cortés 294
Cortesía 291
Cortésmente 1565
Corteza 627
Cortijo 828

Cortina 1354
Cortinaje 1354
Corto 450, 1529
Cosa 850, 1929
Cosas 1359
Coscorrón 574
Cosecha 2185
Cosechar 2185
Coser 1481
Cosido 1478
Cosmético 1449
Cosmogonía 2067
Cosmografía 2067
Cosmonauta 896
Cosmonave 892
Cosmopolita 1285
Cosmopolitismo 1282
Cosmos 2065
Costa 868
Costado 872
Costalada 797
Costalazo 797
Costar 1838
Costas 1112, 1700
Costear 1764
Costo 1838
Costoso 1818
Costra 627
Costumbre 727
Costumbrista 722
Costura 1474
Costurera 1481
Cota 1160
Cotejar 186, 1118
Cotejo 1802, 2199
Coterráneo 1248
Cotidiano 500, 1528
Cotización 1824
Cotizar 1823
Coto 1241
Cotorra 2163
Covacha 827, 1082
Coyuntura 259, 2137
Coz 2158
Crack 2195
Cráneo 2133
Crápula 768
Crapuloso 770
Crasitud 692

Cultivarse 8
Cultivo 2168
Culto 27, 2012
Cultura 30, 1214
Cultural 103
Cumbre 861
Cumpleaños 1538
Cumplido 294, 1236
Cumplidor 99
Cumplimentar 82, 999
Cumplimiento 71, 95
Cumplir 75, 155
Cúmulo 795
Cuna 617
Cundir 467, 1943

Cuneta 864
Cuña 1670
Cuota 119
Cupo 119
Cupón 1865
Cúpula 1320
Cura 941, 2023
Curación 941
Curador 1016
Curar 983
Curarse 983
Curiosear 1075
Curiosidad 1573
Curioso 1572
Currículum 1956

Cursar 8
Cursi 1510
Cursilería 1508
Curso 109, 914
Curtirse 2102
Curva 893
Curvar 705
Curvatura 810
Curvo 814
Cúspide 861
Custodia 1165
Custodiado 1606
Custodiar 1167
Cutícula 1448
Cutis 1448

CH

Chabacanería 1505
Chabacano 2037
Chabola 827
Chacota 395, 517
Chacotear 519
Chacotero 515
Cháchara 447
Chalarse 563
Chalet 1375
Chalina 2232
Chalupa 871
Chambergo 1483
Chambón 32
Chambonada 210
Chamizo 827
Champar 343
Chancear 519
Chancero 491, 515
Chanchullo 1306
Chantaje 1037
Chantajista 1037
Chantar 343
Chanza 517
¡Chao! 1402
Chapa 1366
Chaparrón 2110
Chapotear 1411
Chapurrear 615
Chapuzar 889

Chapuzón 889
Chaqueta 2231
Chaquetón 2231
Charada 506
Charco 2121
Charla 427
Charlador 446
Charlar 455
Charlatán 446
Charlatanería 447
Charretera 1159
Charro 1510
Chascarrillo 1953
Chasco 1920
Chasis 899
Chasqueado 398
Chasquido 2187
Chato 1460
Chauvinismo 1281
Chauvinista 1283
Chaveta 1326
Cheque 1768
Chequeo 939
Chic 1507
Chico 708, 848
Chicuelo 605
Chichón 932
Chifla 1924
Chiflado 1550

Chifladura 1547
Chiflarse 563
Chiflido 1924
Chiflón 2115
Chillar 440
Chillido 442
Chillón 437
Chimenea 1363
Chimpancé 2163
Chinelas 1484
Chiquillada 521
Chiquillo 605
Chiquitín 605
Chiribitil 827
Chirigota 517
Chiripa 2063
Chirona 1137
Chirriar 2187
Chirrido 2187
Chisme 461
Chismear 740
Chismografía 461
Chismoso 465
Chispa 483
Chispazo 2073
Chispeante 38
Chispear 2109
¡Chist! 444
Chiste 517

Chistera 1483
Chistoso 515
¡Chito! 444
¡Chitón! 444
Chocante 499, 548
Chocar 797, 1307
Chocolate 684
Chocolatería 683
Chochear 608

Chofer 897
Choque 928
Chorrear 1330
Chorro 2151
Choza 828
Chubasco 2110
Chucaro 2144
Chuchería 1744
Chuletas 2234

Chunga 488
Chupado 693
Chupar 1444
Chupete 610
Chupetear 610
Chusco 491
Chusma 1479
Chutear 2213

D

Dable 254
Dactilógrafa 1976
Dactilografía 1975
Dádiva 1047
Dadivar 1049
Dadivoso 1049
Dado 1817
Daga 1180
Daltonismo 2088
Dama 584
Danajuana 645
Damnificado 1752
Damnificar 1748
Danza 1891
Danzante 1892
Danzar 1892
Danzarín 1892
Dañado 933, 1752
Dañar 1748
Dañino 949
Daño 931, 1687
Dañoso 953
Dar 1028
Dársena 870
Data 1771
Dato 1932
Datos 819, 1669
Deambular 787
Debacle 1296
Debajo 846
Debate 1305
Debatir 1307

Deber 1779, 1789
Débil 700
Debilidad 644, 696
Debilitado 700
Debilitar 697
Debilitarse 984
Débito 1789
Debut 1867
Debutar 1868
Década 1527
Decadencia 1916
Decadente 606
Decaer 697, 1754
Decaído 398
Decaimiento 696, 1916
Decantar 646
Decapitar 1132
Decencia 331, 765
Decenio 1527
Decente 769
Decepción 569
Decpcionado 394
Decepcionar 1270
Deceso 601
Decidido 417, 1123
Decidir 224, 1308
Decidirse 1196
Decir 455
Decisión 1121, 1404
Decisivo 1787
Declamación 1875
Declamador 1875

Declamar 1875
Declaración 238
Declarante 1117
Declarar 173, 1119
Declararse 563
Declinación 842, 1916
Declinar 652, 1730
Declive 842
Decolorar 2098
Decomisar 1027
Decomiso 1029
Decoración 1361
Decorador 1893
Decorar 1362
Decoro 331, 765
Decoroso 769, 1052
Decrecer 468
Decrecimiento 1916
Decrépito 606
Decrepitud 609
Decretar 1256
Decreto 1255
Decúbito 1409
Decurso 1526
Dechado 1567
Dedicación 14
Dedicar 653
Dedicarse 1721
Deducción 1813, 1935
Deducir 112, 1936
Deductivo 1559
Defecar 961

Defección 1207
Defecto 764, 1456
Defectuoso 1456, 1660
Defender 1060, 1104
Defenderse 1195
Defendido 1190
Defensa 1062, 1116
Defensiva 1205
Defensor 1058
Deferencia 541
Deferente 279, 416
Deficiencia 20
Deficiente 1660
Déficit 1806
Definición 58
Definido 262
Definir 224
Definirse 1272
Definitivo 1787
Deflación 1813
Deflagrar 2189
Deformación 1456
Deformar 1095
Deforme 1457
Deformidad 1456
Defraudación 1048
Defraudar 1050
Defunción 601
Defunciones 1003
Degeneración 766
Degenerado 768
Degenerar 775
Deglutir 663
Degollar 1132
Degollina 1209
Degradación 332, 1689
Degradado 1693
Degradante 1039
Degradar 1691
Degüello 1209
Degustador 649
Degustar 650
Deidad 1997
Deificar 2017
Dejación 356
Dejadez 13, 1439
Dejado 50, 360
Dejamiento 356
Dejar 745, 1604

Dejo 671
Dejación 1115
Delantal 2232
Dejante 1178
Delantera 1178
Delatar 1103
Delator 1094
Delegación 1252, 1578
Delegado 1251
Delegar 1974
Deleitable 671
Deleitación 533
Deleitar 523, 545
Deleite 533
Deleitoso 671
Deletéreo 957
Deletrear 108
Deleznable 852
Delgadez 691
Delgado 693
Deliberación 1305
Deliberadamente 265
Deliberado 268
Deliberar 1307
Delicadeza 291, 1506
Delicado 294, 700
Delicia 533
Delicioso 671
Delictivo 1111
Delictuoso 1111
Delimitar 1241
Delincuencia 1139
Delincuente 1139
Delineación 1898
Delinear 1895
Delinquir 1097
Deliquio 935
Delirante 2204
Delirar 1553
Delirio 1547
Delito 1111
Delta 863
Demacración 691
Demacrado 693
Demacrarse 689
Demagogo 1299
Demanda 57, 1112
Demandado 1125
Demandante 1791

Demandar 1783, 1791
Demarcar 1241
Demás 379
Demasía 379, 420
Demasiado 379
Demencia 1547
Demente 1550
Demérito 350
Democracia 1277
Demoledor 2131
Demoler 1231
Demolición 1233
Demoníaco 2020
Demonio 1998
Demora 96
Demorar 1778
Demorarse 97
Demoroso 45
Demostración 58, 238
Demostrado 149
Demostrar 69, 189
Demostrativo 430
Demudado 700
Demudarse 307
Denegación 760
Denegar 160, 754
Denigración 461
Denigrante 1039
Denigrar 336
Denigrativo 1962
Denodado 417
Denominar 612
Denostar 338
Denotar 455
Densidad 855
Denso 854
Dentadura 2133
Dentellada 670
Dentellar 2104
Dentista 938
Dentro 1383
Denuedo 1191
Denuesto 463
Denuncia 1115
Denunciador 1094
Denunciante 1094
Denunciar 1103
Deparar 1028
Departamento 825, 1238

Departir 455
Depauperación 644
Depende 229
Dependencia 1222
Dependencias 826
Depender 75
Dependiente 1677
Depilar 1429
Deplorable 997
Deplorar 1000
Deplorarlo 1143
Deponer 1225, 1691
Deportación 1135
Deportado 1133
Deportar 1133
Deporte 2192
Deportista 2194
Deposición 1689
Depositar 1794
Depositario 1794
Depósito 1331, 1617
Depravación 766
Depravado 768
Depravar 775
Deprecación 2016
Deprecar 2017
Depreciación 1813
Depreciado 1817
Depreciar 1815
Depredación 1212
Depresión 696, 923
Depresivo 384
Deprimente 384
Deprimido 398
Deprimirse 384
Depuesto 1693
Depuración 954
Depurado 2065
Depurar 2083
Derecho 703, 1025
Derechos 1262
Deriva (a la) 883
Derivación 596
Derivar 594, 1936
Derogación 1634
Derogado 180
Derogar 1632
Derramamiento 1834
Derramar 1834

Derramarse 2120
Derrame 1834
Derretido 639
Derretir 638
Derribado 794
Derribar 1231
Derrocado 1228
Derrocar 1225
Derrochador 1762
Derrochar 1760
Derroche 1758
Derrota 1230
Derrotado 1228
Derrotar 1225, 2219
Derrotero 786, 914
Derrotismo 392
Derrotista 394
Derruir 1231
Derrumbamiento 2130
Derrumbar 1231
Derrumbe 1233, 2130
Desabastecimiento 626
Desaborido 672
Desabotonar 1416
Desabrido 672
Desabrigado 1417
Desabrigar 1420
Desabrimiento 292
Desabrochar 1416
Desacatar 76
Desacato 72, 1111
Desacertado 1642
Desacertar 208
Desacierto 210
Desacompasado 1886
Desaconsejar 1270
Desacoplar 1340
Desacorde 1886
Desacostumbrado 724
Desacostumbrar 730
Desacreditado 1922
Desacreditar 336
Desacuerdo 1305, 1308
Desadvertido 52
Desadvertir 16
Desafección 390
Desafecto 556
Desaferrar 1088
Desafiar 281, 408

Desafinación 1884
Desafinar 1890
Desafío 744, 2201
Desaforado 742
Desafortunado 530
Desagradable 370, 548
Desagradar 546
Desagradecido 390
Desagradecimiento 388
Desagrado 368
Desagraviar 337
Desagravio 464
Desaguadero 1335
Desaguar 863
Desagüe 1335, 2122
Desaguisado 484
Desahogado 1485, 1728
Desahogarse 431
Desahogo 992
Desahuciado 1001
Desahuciar 1691
Desahucio 1697
Desairado 572
Desairar 540
Desaire 296, 542
Desalación 865
Desalar 865
Desalentado 398
Desalentador 384
Desalentar 400, 1270
Desalentarse 384
Desaliento 392, 696
Desaliñado 1479
Desaliño 1439
Desalmado 304
Desalojamiento 1398
Desalojar 750
Desalojo 1398
Desalquilar 750
Desamar 558
Desamarrar 1486
Desamor 556
Desamparado 1605
Desamparar 1604
Desandar 1202
Desangrado 930
Desangrar 969
Desanimación 396
Desanimado 398, 510

Desflemar 979
Desflorar 775
Desgajar 2186
Desgana 508, 675
Desganado 510, 673
Desgañitarse 440
Desgarradura 931
Desgarrar 1471
Desgarro 980
Desgastado 1470
Desgastar 1342
Desgaste 2177
Desglosar 1600
Desgobierno 1296
Desgracia 1918
Desgraciadamente 1583
Desgraciado 530
Desgranar 628
Desgreñado 1463
Desgreñar 1463
Desguarnecerse 1196
Deshabitado 1378
Deshabitar 834
Deshabituar 730
Deshacer 1632
Deshelar 638
Desheredamiento 1018
Desheredar 1018
Deshollejar 628
Deshonestidad 766, 1036
Deshonesto 1034
Deshonor 348
Deshonra 348
Deshonrar 336, 775
Deshonrarse 777
Deshonroso 1039
Deshora 100
Deshumedecer 1444
Desidia 40
Desidioso 24
Desierto 1378, 2174
Designación 1690
Designado 1710
Designar 1671
Designio 153
Desigual 718, 860
Desigualar 715
Desigualdad 714, 1646
Desilución 569

Desilusionado 394
Desilusionar 1270
Desilusionarse 558
Desinfección 954
Desinfectante 952
Desinfectar 952
Desintegrar 1584
Desinterés 356
Desinteresado 353
Desintoxicar 952
Desistimiento 1780
Desistir 172
Desleal 1592
Deslealtad 1594
Desleído 639
Desleír 638
Deslenguado 414
Desligado 1582
Desligar 176, 1846
Desligarse 1576
Deslindar 344, 1241
Desliz 764
Deslizante 799
Deslizarse 840, 1526
Deslucido 492
Deslucir 1452
Deslumbrante 2075
Deslumbrar 1925
Deslustrado 2086
Desmán 1026
Desmanchar 1411
Desmantelado 1233
Desmantelamiento 1233
Desmantelar 1231
Desmayado 930
Desmayarse 930
Desmayo 935
Desmedido 742, 847
Desmedirse 421
Desmedrar 1730
Desmejora 20
Desmejoramiento 964
Desmejorar 984, 1452
Desmelenado 1463
Desmembración 1585
Desmembrar 1584
Desmembrarse 1580
Desmemoria 1536
Desmemoriado 50

Desmentida 161
Desmentir 160
Desmenuzable 118
Desmenuzar 635
Desmerecimiento 350
Desmesurado 847
Desmochar 2186
Desmontar 1340, 2156
Desmoralización 569
Desmoralizado 398
Desmoralizador 384
Desmoralizar 400
Desmoralizarse 384
Desmoronamiento 2130
Desmoronar 1231
Desmovilización 1154
Desmovilizar 1154
Desnaturalizado 2020
Desnivel 923
Desnivelar 715
Desnudar 1420
Desnudarse 1416
Desnudo 1417
Desnutrición 644
Desnutrido 700
Desnutrirse 664
Desobediencia 72
Desobediente 74
Desobligar 176
Desobstruir 241, 886
Desobedecer 76
Desocupación 1676
Desocupado 1678, 1835
Desocupar 1834
Desodorante 1433
Desodorizar 1433
Desoír 16
Desolación 991
Desolado 514
Desolador 995
Desolar 524, 1231
Desollar 628
Desollarse 2103
Desorden 429, 1639
Desordenado 50, 1638
Desordenar 1638
Desorganización 1639
Desorganizar 1638
Desorientación 237

Desorientado 883
Desorientar 919
Desorientarse 918
Despabilado 1424
Despabilarse 1422
Despacio 48
Despacioso 45
Despachar 1108, 1859
Despacho 1623, 1829
Despanzurrar 1068
Desparejo 718
Desparpajo 424
Desparramado 477
Desparramar 477
Desparramarse 790
Despavorido 1194
Despectivo 280
Despecho 556, 569
Despedazado 1477
Despedazar 1471
Despedida 1402
Despedido 752, 1693
Despedir 750, 1691
Despedirse 1402
Despegado 1324
Despegar 893, 1342
Despegue 893
Despeinado 1463
Despeinar 1463
Despejado 922, 2113
Despejar 10, 886
Despejo 125
Despellejar 628
Despellejarse 2103
Despensa 1321
Despeñadero 862
Desperdiciar 1736
Desperdicios 1336
Desperdigar 477
Desperezarse 1410
Desperfecto 1687
Despertar 1422
Despiadado 298, 304
Despido 1398
Despierto 38, 1424
Despilfarrador 1762
Despilfarrar 1760
Despilfarro 1758
Despintar 2098

Despintado 883
Despistar 919
Desplanchado 1491
Desplante 420
Desplazado 1674
Desplazar 1382
Desplegar 1842
Despliegue 1156
Desplomado 794
Desplomar 1231
Desplomarse 797
Desplome 2130
Desplumar 1050
Despoblado 1378
Despojar 1031, 1702
Despojarse 1032, 1416
Despojo 1212
Despojos 1003
Desposarse 581
Desposeer 386, 1027
Desposorios 578
Déspota 1217
Despótico 1217
Despotismo 1278
Despotricar 421
Despreciable 334, 562
Despreciado 544, 572
Despreciador 280
Despreciar 540
Despreciativo 280
Desprecio 542
Desprender 1088, 1846
Desprenderse 1032
Desprendido 353, 1324
Desprendimiento 351
Despreocupación 356
Despreocupado 360
Despreocuparse 358
Desprestigiado 1922
Desprestigiar 336
Desprestigio 1920
Desprevenido 52
Desproporción 1456
Desproporcionado 1457
Despropósito 484
Desprovisto 378
Después 1177, 1514
Despuntar 1425, 1913
Desquitarse 1147

Desquite 1149
Destacado 26, 2221
Destacamento 1078
Destacarse 1913
Destapado 1417
Destapar 646
Destartalado 1638
Destellar 2079
Destello 2073
Destemplado 1886
Destemplanza 1884
Destemplar 1890
Destemple 1884
Desteñido 2087
Desteñir 2098
Desterrado 1133
Desterrar 1133
Destiempo 100
Destierro 1135
Destilar 1330
Destinar 1671
Destino 912, 2062
Destitución 1689
Destituido 63, 1693
Destituir 1691
Destorcer 706
Destrabar 1088
Destreza 34
Destronar 1225
Destroyer 871
Destrozado 1477
Destrozar 1471
Destrozo 1473
Destrucción 1233
Destructible 852
Destructor 871, 2131
Destruir 1231, 1475
Desunido 1582
Desunión 736, 1608
Desunir 740, 1340
Desunirse 1580
Desusado 724, 1468
Desvaído 2087
Desvainar 628
Desvalido 1605
Desvalijamiento 1212
Dasvalijar 1050
Desvalorado 1817
Desvalorización 1813

Desvalorizar 1815
Desván 1328
Desvanecer 468
Desvanecerse 930
Desvanecido 930, 2087
Desvanecimiento 935
Desvarar 886
Desvariar 1553
Desvarío 1547
Desvelado 1424
Desvelarse 1422
Desvelo 311, 1427
Desvencijado 1638
Desventaja 1276, 1810
Desventajoso 1746
Desventura 1918
Desvnturado 530
Desvergonzado 414
Desvergüenza 420
Desvestido 1417
Desvestir 1420
Desvestirse 1416
Desviación 805
Desviar 919, 2213
Desviarse 808, 918
Desvinculado 1582
Desvincular 1610
Desvío 805
Desvirgar 775
Desvirtuar 1095
Desyerbar 2178
Detalladamente 479
Detallado 449, 1947
Detallar 474
Detalle 1932
Detallista 1825
Detective 1140
Detención 910, 1089
Detener 926, 1085
Detenerse 788
Detenido 911, 1092
Detenimiento 1732
Detentar 1031
Deteriorado 1734
Deteriorar 1688
Deterioro 1687
Determinación 1121
Determinado 262, 417
Determinar 224, 1308

Detestable 562
Detestado 559
Detestar 558
Detonación 1184
Detonante 1182
Detonar 1183
Detracción 461
Detractar 336
Detractor 465
Detraer 336
Detrás 1177
Deuda 1789
Deudo 622
Deudor 1806
Devaluación 1814
Devaneo 555
Devastación 1233
Devastador 2131
Devastar 1231
Devengar 1699
Devenir 1930
Devoción 2007
Devolución 1030
Devolver 1032, 1770
Devorar 663
Devoto 2009
Día 1425
Diablo 1998
Diablura 521
Diabólico 2020
Diadema 1493
Diafanidad 2073
Diáfano 2085
Diagnosticar 940
Diagnóstico 940
Diagonal 814
Diagrama 1898
Dialéctica 123
Dialecto 1246
Dialogar 455
Diálogo 427
Diario 1528, 1994
Diatriba 463
Dibujante 1893
Dibujar 1895
Dibujo 1896
Dicción 1245
Diccionario 1246
Dictador 1217

Dictadura 1278
Dictamen 459, 1121
Dictaminar 1113
Dictar 1256
Dicterio 340
Dicha 525
Dicharachero 491
Dicho 1954, 1968
Dichoso 527
Didáctica 5
Didáctico 103
Dientes 2133
Diestro 1666
Dieta 677
Diezmar 1209
Difamación 461
Difamado 1922
Difamador 465
Difamar 336
Difamatorio 1962
Diferencia 714
Difrenciación 714
Diferenciar 715
Diferenciarse 712
Diferendo 1309
Diferente 718
Diferido 1235
Diferir 1772
Difícil 245
Difícilmente 244
Dificultad 240
Dificultar 242, 1782
Dificultosamente 244
Dificultoso 245
Difundir 1943
Difunto 1002
Difusión 200, 1945
Difuso 449
Digestión 643
Dignarse 753
Dignatario 1288
Dignidad 331
Dignificar 335
Digno 333, 1670
Dilación 44, 771
Dilapidación 1758
Dilapidador 1762
Dilapidar 1760
Dilatable 1776

Dormitorio 825
Dorso 2138
Dosificación 944
Dosificar 944
Dosis 944
Dotación 877
Dotar 1028
Dotes 34
Dragar 1318
Drama 1874
Dramático 995
Dramaturgo 1871
Drástico 1787
Drenaje 2122
Drenar 2122
Droga 943

Drogadicto 768
Drogado 768
Droguería 946
Dubitable 252
Dubitación 248
Dubitativo 1788
Dúctil 73, 852
Ducha 1446
Ducharse 1411
Ducho 1666
Duda 248, 567
Dudable 252
Dudar 222
Dudoso 150, 249
Duelo 991
Duende 2031

Dueño 1371
Dulce 686
Dulcería 683
Dulcero 683
Dulcificar 685
Dulzón 688
Dulzura 283
Duplicado 136
Durable 1530
Duración 1705
Duradero 1530
Durante 1531
Durar 1721
Dureza 301, 855
Duro 298, 851

E

¡Ea! 442
Ebriedad 681
Ebrio 680
Ebullición 32
Eclesiástico 2023
Eclipsar 1913, 2219
Eclipsarse 1393
Eclipse 2074
Eco 1347
Economía 1757
Económico 1761, 1817
Economizar 1759
Ecuánime 2205
Ecuanimidad 1025
Ecuestre 2153
Echar 750, 1691
Echarse 1409
Edad 609
Edecán 1704
Edema 932
Edén 2003
Edición 1960
Edicto 1255
Edificación 1234
Edificar 1232
Edificio 1371

Edil 1260
Editar 1992
Editor 1993
Editorial 1993
Edredón 1408
Educación 5, 291
Educado 27
Educador 1
Educando 2
Educar 7
Educarse 8
Educativo 103
Educir 1936
Efectivamente 231
Efectividad 2043
Efectivo 61, 2039
Efecto 596
Efectos 1359
Efectuar 155
Efemérides 1525
Efervescencia 1292
Eficacia 19
Eficaz 41
Eficiencia 19
Eficiente 41
Efigie 1896

Efímero 1529
Efusión 326
Efusivo 453
Egoísmo 352
Egoísta 354
Ególatra 354
Egolatría 352
Egotismo 352
Egotista 354
Egresar 92
Egreso 1861
Ejecución 154
Ejecutable 254
Ejecutado 1132
Ejecutar 155, 1132
Ejecutivo 1614
Ejecutoria 1121
Ejemplar 1567, 1960
Ejemplo 1567
Ejercer 1683
Ejercicio 2192
Ejercitar 2198
Ejercitarse 1721
Ejército 1155
Elaboración 1807
Elaborar 1808

Elástico 852
Elección 1272
Electo 1274
Elector 1272
Electricidad 2077
Electrizar 1925
Electrocutar 1132
Elegancia 1507
Elegante 1509
Elegía 1875
Elegido 571, 1673
Elegir 1671
Elemental 104, 246
Elemento 850
Elementos 104
Elenco 1872, 2203
Elevación 841
Elevado 2038
Elevador 1349
Elevar 843
Elevarse 893
Elfo 2031
Eliminación 1634
Eliminado 1595, 1674
Eliminar 1600, 1644
Eliminarse 1070
Elite 1567
Elocución 1245
Elocuencia 123
Elocuente 126
Elogiable 83
Elogiado 64, 1921
Elogiador 341
Elogiar 82, 337
Elogio 87, 339
Elogioso 345
Elucidación 238
Elucidar 10
Elucubración 1541
Eludible 178
Eludir 158, 407
Emancipación 1221
Emancipado 1223
Emancipar 1220
Emascular 592
Embadurnar 1412
Embajada 1252
Embajador 1251
Embalado 1851

Embalaje 1851
Embalar 1849
Embaldosado 1324
Embaldosar 1323
Embalsamar 1005
Embalse 863
Embarazada 597
Embarazar 591
Embarazo 240, 597
Embarazoso 370
Embarcación 871
Embarcadero 870
Embarcar 1854
Embarcarse 882
Embargar 1029
Embargo 1029
Embarrado 1414
Embarrancar 885
Embarrar 1412
Embarullar 9
Embate 1061
Embaucador 1037
Embaucar 191
Embeber 1333
Embelesar 554
Embelesarse 2042
Embeleso 551
Embellecer 1451
Embellecimiento 1361
Embestida 1061
Embestir 1201
Emblema 2196
Embobado 496
Embolsar 1763, 1849
Emborracharse 682
Emborronar 107
Emboscada 1198
Emboscarse 1195
Embotellar 1849
Embozar 190
Embozo 184
Embrear 1334
Embriagado 680
Embriagarse 682
Embriaguez 681
Embrión 593
Embrollado 1638
Embrollar 9, 242
Embrollo 237

Embrollón 465
Embromar 519
Embrujar 554
Embuste 212
Embustero 213
Embutir 1339
Emergencia 1304
Emerger 890
Emérito 1678
Emigración 1135
Emigrante 1379
Emigrar 1379
Eminencia 1663
Eminente 1911
Emisario 1972
Emisión 1261, 2073
Emitir 173
Emoción 323
Emocionante 995
Emocionar 993
Emolumento 1699
Emotivo 995
Empacar 1849
Empachase 666
Empacho 675
Empadronamiento 1243
Empalagoso 345, 548
Empalizada 1843
Empalmar 1339
Empalme 806
Empantanado 2122
Empañado 2086
Empañar 2084
Empapado 1443
Empapar 1443
Empaque 1508
Empaquetar 1849
Emparedado 649
Emparejar 716, 2215
Empastar 1960
Empatar 2215
Empecinado 758
Empecinamiento 756
Empecinarse 1144
Empedernido 298
Empedrado 1324
Empedrar 1323
Empellón 794
Empeñar 1798

Empeñarse 305, 1721
Empeño 1723
Empeñoso 1719
Empeoramiento 964
Empeorar 984, 1730
Empequeñecer 468
Empequeñecerse 1914
Emperador 1287
Emperchar 1492
Emperifollar 1451
Empero 169
Emperrarse 305
Empezar 1627
Empinado 703
Empinar 682
Empinarse 702
Empírico 151
Emplazado 2228
Emplazar 1107, 1181
Empleado 1677
Empleador 1614
Emplear 1671
Emplearse 1683
Empleo 1675
Empobrecer 1748
Empobrecerse 1754
Empobrecido 1755
Empobrecimiento 364
Emponzoñar 951
Emporcar 1412
Empotrar 1339
Emprendedor 41, 417
Emprender 1781
Empresa 1615
Empesario 1614
Empréstito 1767
Empujar 401, 794
Empuje 1404, 1731
Empujón 794
Empuñadura 1848
Emulación 1812
Emular 2200
Émulo 738
Enajenación 1547
Enajenado 1550
Enajenar 1019
Enaltecedor 1040
Enaltecer 337
Enaltecimiento 339

Enamorado 563
Enamoramiento 555
Enamorar 557
Enamorarse 563
Enano 709
Enarbolar 1157
Enardecer 399
Enardecido 397
Encabezamiento 1957
Encabritarse 2155
Encadenamiento 1607
Encadenar 1087
Encajado 1339
Encajar 1339
Encajetillar 1849
Encajonar 1849
Encalar 1342
Encalladura 888
Encallar 885
Encamarse 1409
Encaminar 898, 1603
Encaminarse 917
Encanecer 608
Encantado 529
Encantador 549, 1453
Encantar 545
Encanto 551
Encañonar 1183
Encapotado 2109
Encapotarse 2112
Encapricharse 1144
Encaramar 843
Encarar 746, 1118
Encarcelación 1089
Encarcelado 1092
Encarcelamiento 1089
Encarcelar 1085
Encarecer 175, 1816
Encarecimiento 1814
Encargado 1614
Encargar 1974
Encargo 1974
Encariñado 563
Encariñar 557
Encariñarse 563
Encarnado 2092
Encarnar 1876
Encarnecer 690
Encarnizado 1211

Encarnizamiento 301
Encarnizarse 1065
Encarrillar 920
Encasillar 1671
Encasquetarse 1415
Encausar 1113
Encauzar 1269
Enceldar 1085
Encendedor 781
Encender 2079, 2189
Encendido 2081
Encerrar 1085, 1599
Encerrona 1198
Enciclopedia 1246
Encierro 1601
Encima 845
Encinta 597
Enclaustramiento 1601
Enclavar 1326
Enclenque 700
Encoger 481
Encogerse 701, 1486
Encogido 418, 704
Encogimiento 481
Encoladura 1341
Encolar 1341
Encolerizado 285
Encolerizar 289
Encomendaar 1974
Encomiar 82, 337
Encomiástico 345
Encomienda 1969
Encomio 462
Encono 556
Encontrar 920, 1626
Encontrarse 1394
Encontrón 797
Encontronazo 797, 828
Encortinar 1358
Encorvado 704
Encorvar 705
Encorvarse 701
Encrespar 1430
Encrucijada 802
Encuadernar 1960
Encubierto 195
Encubridor 1093
Encubrimiento 843
Encubrir 1095, 1944

Encuentro 148, 1400	Enflaquecer 689	Enigmático 2029
Encuesta 183, 1273	Enflaquecido 693	Enjabonar 1411
Encumbrado 1911	Enflaquecimiento 691	Enjambre 793, 2240
Encumbrar 843	Enfrascado 145	Enjoyar 1451
Encharcar 2120	Enfrascar 1849	Enjuague 1306
Enchufar 1339	Enfrascarse 1721	Enjugar 1444
Endeble 700, 852	Enfrentamiento 1118	Enjuiciar 1113
Endémico 959	Enfrentar 746, 1118	Enjuto 693
Endemoniado 2020	Enfrente 1178	Enlace 579
Enderezado 703	Enfriamiento 1364	Enladrillado 1324
Enderezar 706	Enfriar 2108	Enladrillar 1323
Enderezarse 702	Enfriarse 2100	Enlatar 1849
Endeudado 1755	Enfundar 1407	Enlazado 1581
Endeudarse 1755	Enfurecer 289	Enlazar 1609
Endiablado 2020	Enfurecerse 307	Enlodar 1412
Endiosado 1921	Enfurruñarse 307	Enloquecedor 2132
Endosante 1768	Engalanar 1451	Enloquecer 1553
Endosar 1019	Engañado 1054	Enlosar 1323
Endulzar 685	EEngañador 213	Enlucido 1342
Endurecer 316, 637	Engañar 191, 1592	Enlucir 1342
Endurecido 319, 640	Engañarse 208	Enmaderar 1317
Endurecimiento 301	Engañifa 212	Enmagrecer 689
Enemigo 738	Engaño 212, 1594	Enmarañado 1638
Enemistad 736	Engañoso 62, 213	Enmarañar 9
Enemistado 564	Engarzar 1339	Enmascarar 190
Enemistar 740	Engastar 1339	Enmelar 685
Enemistarse 564	Engatusar 191	Enmendar 776, 1985
Energía 1404	Engendramiento 589	Enmendarse 778
Enérgico 41	Engendrar 597	Enmienda 1986
Energúmeno 288	Englobar 1599	Enmudecer 456
Enésima 1713	Engolfado 145	Enmudecimiento 435
Enfadado 285	Engomar 1341	Ennegrecer 2096
Enfadar 289	Engordar 690	Ennoblecer 335
Enfadarse 564	Engorro 240	Enojado 285
Enfado 284	Engorroso 370	Enojar 289
Enfadoso 370	Engrandecer 467	Enojarse 307, 564
Enfangar 1412	Engrandecimiento 472	Enojo 284
Enfardar 1849	Engrasar 907	Enojón 288
Énfasis 123	Engrase 907	Enojoso 548
Enfático 123	Engreído 277	Enorme 847
Enfatizar 123	Engreimiento 276	Enquistado 1592
Enfermar 984	Engreírse 412	Enrabiar 289
Enfermedad 982	Engrosar 690	Enraizar 729
Enfermera 938	Engrudo 1341	Enredado 245, 1101
Enfermería 937	Engullidor 674	Enredador 465
Enfermizo 700	Engullir 663	Enredar 9, 242
Enfermo 700	Enhiesto 703	Enredo 237, 1639
Enfervorizar 399	Enhorabuena 87	Enrejado 1344
Enfilar 917	Enigma 2046	Enrejar 1344

Enriquecer 1753	Entercarse 305	Entrevistar 1933
Enriquecimiento 1749	Entereza 1723	Entristecedor 997
Enriscado 860	Enternecedor 995	Entristecer 524
Enrojecido 2099	Enternecer 1000	Entristecerse 537
Enrolar 1153	Entero 120	Entristecido 528
Enrollar 1841	Enterrador 1009	Entristecimiento 526
Enroscar 1841	Enterramiento 1012	Entrometerse 1575
Enrostrar 343	Enterrar 1013	Entrometido 1572
Ensalzado 1921	Entibar 838	Entrometimiento 1573
Ensalzamiento 339	Entibiar 2107	Entumecido 2100
Ensalzar 337	Entidad 1615	Enturbiar 2084
Ensamblar 1399	Entierro 1012	Entusiasmado 397
Ensanchar 474	Entoldar 1358	Entusiasmar 399, 1925
Ensanche 472	Entonación 1889	Entusiasmo 395
Enseñamiento 1209	Entonar 1889	Entusiasta 2204
Ensañarse 1065	Entonces 1520, 1937	Enumerar 1837
Ensayado 149	Entornado 1367	Enunciar 173
Ensayo 143, 2198	Entornar 1369	Envalentonar 425
Ensayo 147	Entorpecer 242, 1782	Envanecerse 412
Enseguida 1513	Entorpecimiento 910	Envanecido 277
Ensenada 866	Entrada 1365	Envanecimiento 276
Enseña 1157	Entramar 1317	Envasado 1851
Enseñanza 5	Entrambos 1603	Envasar 1849
Enseñar 7, 189	Entramparse 1755	Envase 1851
Enseres 1359	Entraña 1500, 2138	Envejecer 608
Ensimismado 1543	Entrañable 737	Envejecido 606
Ensimismamiento 1541	Entrañar 1936	Envejecimiento 608
Ensimismarse 1539	Entrar 91, 1391	Envenenar 1068
Ensoberbecido 277	Entreabierto 1367	Enverar 2175
Ensogar 1845	Entreabrir 1370	Enviado 1972
Ensombrecer 1426	Entreacto 1868	Enviar 1859
Ensombrecido 2076	Entrecerrar 1369	Enviciado 768
Ensoñar 2035	Entrega 1021, 1206	Enviciar 775
Ensordecedor 437	Entregar 1028	Enviciarse 777
Ensortijar 1430	Entregarse 1176	Envidia 736
Ensuciar 1412	Entrelucirse 1354	Envidiable 998
Ensueño 2044	Entremeterse 1575	Envidiar 357
Entablado 1324	Entremetido 1512	Envilecer 775
Entapujar 190	Entremezclar 719	Envilecerse 777
Entarimado 1324	Entrenador 2193	Envilecimiento 332
Ente 624	Entrenamiento 2197	Envío 1861
Enteco 700	Entrenar 2198	Envoltorio 1847
Entender 18	Entretanto 1531	Envoltura 1851
Entenderse 1792	Entretecho 1328	Envolver 1841
Entendido 31	Entretener 501	Envuelto 1101, 1845
Entendimiento 430, 1545	Entretenido 509	Enyesar 1342
Enterado 1941	Entretenimiento 507	Enyugar 2146
Enterar 1942	Entrever 1164	Epicentro 2129
Enterarse 18	Entrevista 655	Épico 1193

Epidemia 959
Epidémico 959
Epidermis 1448
Epígrafe 1959
Epigrama 1862
Epilogar 473
Epílogo 1958
Episodio 1053
Epístola 1967
Epistolar 60
Epitafio 1008
Epíteto 612
Epítome 471
Época 1525
Epopeya 1953
Equidad 1025, 2207
Equidistante 813
Equilibrado 1458, 1549
Equilibrar 716
Equilibrio 876
Equilibrista 1902
Equino 2153
Equipaje 1847
Equipar 1179
Equiparación 2199
Equiparar 1118
Equipo 2203
Equitación 2154
Equitativo 1043
Equivalente 717
Equivocación 210
Equivocado 62
Equivocar 17
Equivocarse 208, 918
Equívoco 237
Era 1525
Erario 1261
Erección 1234
Eréctil 703
Erecto 703
Eremita 2009
Erguido 703
Erguir 843
Erguirse 702
Erial 2174
Erigir 1232
Ermita 2011
Ermitaño 2009
Erogación 1047

Erogar 1832
Erosión 2177
Erótico 774
Erotismo 772
Errabundo 783
Erradicar 750
Errado 62, 236
Errante 783
Errar 208
Errata 210
Errático 783
Erróneo 62
Error 210
Erudición 30
Erudito 27
Erupción 2128
Esbeltez 1507
Esbelto 1509
Esbozar 1895
Esbozo 1314
Escabroso 245, 860
Escabullirse 1084
Escala 1703
Escalada 1199
Escalador 839
Escalafón 1703
Escalar 843
Escaldar 2107
Escalera 1349
Escalinata 1349
Escalofriante 2132
Escalofrío 947
Escalón 1349
Escalonado 1718
Escamoteador 1905
Escamotear 1050
Escamoteo 1906
Escampado 2113
Escampar 2111
Escanclar 648
Escandalizar 440
Escándalo 429
Escandaloso 770
Escapada 1090
Escapado 1091
Escapar 1084
Escaparate 1356
Escapatoria 1090
Escape 1090

Escaramuza 1151
Escarbar 2162
Escarcha 2109
Escarchado 2100
Escarchar 2108
Escarlata 2092
Escarmenar 1464
Escarmentar 77, 776
Escarmiento 80
Escarnecer 486
Escarnio 463
Escapado 860
Escasamente 380
Escasear 376
Escasez 364
Escaso 378
Escatimar 1818
Escena 1863
Escenario 1863
Escenógrafo 1893
Escepticismo 248, 2028
Escéptico 274
Escisión 1309
Esclarecer 192
Esclarecido 1911
Esclavitud 1222
Esclavizado 1224
Esclavizar 1219
Esclavo 1224
Escoba 1441
Escobilla 1441
Escobillar 1442
Escoger 1671
Escogido 1673
Escolar 2
Escolares 4
Escolta 1602
Escoltar 1603
Escollera 869
Escollo 240
Escombros 1336
Esconder 190, 1944
Esconderse 1079
Escondido 195
Escondite 1081
Escondrijo 1081
Esccoria 1336
Escozor 960
Escribano 1976

Escribiente 1976
Escribir 1928
Escrito 60
Escritor 1927
Escritorio 1623
Escritura 110, 1624
Escrúpulo 567
Escrupulosidad 211
Escrupuloso 49
Escrutar 11, 1273
Escrutinio 1273
Escuadra 874
Escuadrón 1155
Escuálido 700
Escucha 1163
Escuchar 15
Escudar 1060
Escudilla 659
Escudo 2196
Escudriñamiento 183
Escudriñar 11, 1075
Escuela 89
Escueto 450
Esculpir 1899
Escultor 1897
Escultura 1900
Escupir 979
Escupitajo 979
Escupo 980
Escurridizo 799
Escurrir 1330
Escurrirse 1084
Esencia 1435, 1999
Esencial 177, 1739
Esfera 810
Esférico 809
Esforzado 417
Esforzarse 1721
Esfuerzo 1404
Esfumar 468
Esfumarse 1393
Esgarrar 978
Esgrimir 1180
Eslora 872
Esmerado 23
Esmerarse 22
Esmerilar 2083
Esmero 14
Esnobismo 728

Eso 1388
Esotérico 2029
Espaciar 477
Espacio 1532, 2225
Espacioso 369
Espada 1161
Espalda 2138
Espantadizo 1194
Espantar 2132
Espantarse 327
Espanto 1192
Espantoso 2132
Esparcido 477
Esparcimiento 507
Esparcir 477
Espasmo 318
Espátula 1894
Especial 725
Especialidad 122
Especialista 31
Especialización 122
Especie 719
Especificación 1934
Especificado 449
Especificar 1942
Específico 262, 943
Espectáculo 1867
Espectadores 1869
Espectro 2045
Especulación 1811
Especulador 1831
Especular 1539, 1831
Especulativo 152
Espejismo 2032
Espejo 1357
Espejuelos 1494
Espeluznante 2132
Esperado 268
Esperanza 391, 568
Esperanzado 393
Esperanzar 988
Esperar 221, 1399
Esperpento 1510
Espesar 637
Espeso 854
Espesor 855
Espesura 2171
Espetar 343
Espía 1094

Espiar 1167
Espigar 1951
Espigón 859
Espinazo 2138
Espinoso 245
Espionaje 1165
Espiración 971
Espirar 973
Espiritista 2052
Espíritu 1999
Espiritual 2021
Espiritualismo 2005
Esplendidez 351
Espléndido 373, 1453
Esplendor 1915
Esplín 508
Espolear 401
Esponjoso 853
Esponsales 578
Espontaneidad 275
Espontáneo 270, 1966
Esporádico 1716
Esposar 1087
Esposas 1087
Esposo 584
Esputar 979
Esputo 980
Esquela 1967
Esquelético 693
Esqueleto 2133
Esquema 471, 1314
Esquematizar 473
Esquiador 840
Esquiar 840
Esquilar 1429
Esquilmar 1748
Esquina 814
Esquirla 1476
Esquivar 407
Esquivo 454
Estabilidad 876, 1705
Estabilizar 716
Estable 784, 1708
Establecer 185, 1631
Establecerse 833
Establecido 1308
Establecimiento 1617
Establo 2157
Estaca 1063

Estacazo 1064
Estación 904, 1525
Estacionado 911
Estacionamiento 904
Estacionar 916
Estacionarse 823
Estacionarlo 784
Estada 832
Estadía 832
Estadio 2191
Estadista 1253
Estadística 1243
Estado 1237, 1303
Estafa 1048
Estafador 1046
Estafar 1050
Estafeta 1972
Estallar 1183
Estallido 1184
Estampa 1496, 1896
Estampar 1992
Estampido 1184
Estampilla 1970
Estampillar 1970
Estancación 1732
Estancado 911
Estancamiento 1732
Estancar 1782
Estancarse 1656
Estancia 832, 2169
Estanciero 2170
Estanco 1811
Estandarte 1157
Estanque 863, 890
Estante 1356
Estantería 1356
Estañar 1341
Estar 1394
Estarcir 1852
Estático 1645
Estatua 1900
Estatuario 1897
Estatuir 1631
Estatura 707
Estatuto 1258
Este 1387, 2071
Estela 884
Estenógrafa 1976
Estenografía 1975

Estentóreo 437
Estepa 835
Estéril 588
Esterilidad 590
Esterilizar 592, 952
Estero 863
Estertor 1001
Estético 1453
Estibador 1854
Estibar 1853
Estiércol 962
Estigma 348
Estilar 729
Estilo 1635, 1964
Estilográfica 107
Estima 541
Estimable 333
Estimación 541, 1824
Estimado 543
Estimar 460, 539
Estimulante 943
Estimular 401
Estímulo 403
Estío 2101
Estipendio 1699
Estipulación 1306
Estipulado 1308
Estipular 1308
Estiramiento 482
Estirar 474
Estirarse 702
Estirpe 617
Estival 2101
Esto 1387
Estofa 1495
Estoicismo 992
Estoico 329
Estolidez 36
Estólido 37
Estoque 1181
Estorbar 1782
Estorbo 368
Estornudar 978
Estornudo 977
Estrado 101
Estrafalario 1510
Estrago 1233
Estrambótico 1510
Estrangular 1068

Estratagema 272
Estratega 1170
Estrategia 1170
Estrechar 576, 1487
Estrecharse 1486
Estrechez 1490
Estrecho 370, 1486
Estrechura 1490
Estregar 1442
Estrella 1871, 2065
Estrellar 2214
Estrellarse 928
Estrellón 797
Estremecedor 2132
Estremecimiento 2129
Estrenar 1868
Estreno 1867
Estrépito 443
Estrepitoso 437
Estribar 69, 458
Estribor 872
Estricto 61, 516
Estridencia 443
Estridente 437
Estropeado 1477
Estropear 1688
Estropicio 1473
Estructura 1319
Estruendo 443
Estruendoso 2125
Estrujar 635
Estrujón 794
Estuario 863
Estucar 1342
Estuche 1851
Estudiantado 4
Estudiante 2
Estudiar 8
Estudio 6, 1623
Estudioso 23
Estufa 1363
Estultícia 36
Estulto 37
Estupefacción 498
Estupefaciente 986
Estupefacto 496
Estupendo 1453
Estupidez 36
Estúpido 37

Exotérico 2030
Exótico 1250
Expandir 474
Expansión 507
Expansionarse 431
Expansivo 453
Expatriación 1135
Expatriado 1379
Expatriarse 1379
Expectación 498
Expectativa 257
Expectoración 979
Expectorar 979
Expedición 816, 1861
Expediente 1624
Expedir 1859
Expeditivo 46
Expedito 922
Expeler 675
Expendedor 1825
Expender 1827
Expendio 1700
Expensas 1112, 1700
Experiencia 34
Experimentación 147
Experimentado 149, 1666
Experimental 151
Experimentar 143, 987
Experimento 147
Experto 31, 1666
Expiación 1127
Expiar 1066
Expiración 180, 601
Expirar 600, 1628
Explayar 1096
Explayarse 431
Explicable 205
Explicación 238, 464
Explicar 10
Explicativo 430
Explícito 1947
Exploración 183
Explorador 817
Explorar 1196

Explosión 1184
Explosivo 1182
Explotación 1807
Explotador 1702
Explotar 1050, 1183
Expoliación 1212
Expoliar 1031
Exponer 69, 189, 1189
Exponerse 1196
Exportación 1861
Exportador 1827
Exportar 1859
Exposición 58, 1864
Expositor 1117
Expresado 1968
Expresar 69, 455
Expresión 1245, 1954
Expresivo 126
Expreso 1947
Exprimir 635
Ex profeso 268
Expropiación 1029
Expropiar 386, 1027
Expuesto 1189
Expugnable 1186
Expulsado 752, 1693
Expulsar 750, 1691
Expulsión 1689
Expurgar 1985
Exquisitez 684
Exquisito 671
Extasiarse 2042
Éxtasis 2007
Extemporáneo 1642
Extender 474, 1842
Extenderse 474
Extendido 476, 811
Extensión 451, 2225
Extenso 449, 2226
Extenuación 696
Extenuado 1726
Extenuar 697
Exterior 1384
Exteriorizar 189

Exterminar 1209
Exterminio 1209
Externado 4
Externo 1384
Externos 4
Extinción 601
Extinguible 2001
Extinguir 1231, 2190
Extinguirse 600, 2080
Extinto 1002
Extirpar 1644
Extorsión 1037
Extra 1872
Extracción 838
Extractar 473
Extacto 471
Extractor 1444
Extraer 1834
Extralimitarse 421
Extramuros 1386
Extranjero 1250
Extrañado 496
Extrañamiento 1135
Extrañarse 2041
Extrañeza 498
Extraño 499, 1250
Extraordinario 725
Extravagancia 728
Extravagante 1510
Extraviado 883
Extraviar 919
Extraviarse 918
Extravío 1546
Extremado 2105
Extremar 467
Extremidad 1320, 2140
Extremista 758
Extremo 1320
Extrínseco 2060
Extrovertido 453
Exuberancia 363
Exuberante 379
Exudar 1330
Exultación 525
Exultar 535

F

Fábrica 1618
Fabricación 1807
Fabricante 1808
Fabricar 1808
Fábula 2044
Fabuloso 2040
Facción 2204
Facciones 1447
Faccioso 1297
Faceta 1303
Fácil 246
Facilidad 239
Facilitar 241, 1769
Fácilmente 243
Facineroso 1139
Facsímil 136
Facsímile 136
Factible 254
Factor 68, 1098
Factoría 1618
Factura 1859
Facturar 1859
Facultad 89, 1025
Facultar 753
Facultativo 938
Facundia 447
Facha 1496
Fachada 1351
Faena 1675
Faenar 633
Faja 2232
Fajar 1487
Fajo 1264
Falacia 212
Falange 1155
Falaz 213, 1044
Falda 841, 2231
Falible 236
Falo 2139
Falsamente 198
Falsarlo 133
Falseado 1054
Falseador 133
Falsear 191, 1095
Falsedad 212

Falsía 212
Falsificación 136
Falsificado 137
Falsificador 133
Falsificar 132
Falso 137, 213
Falta 764, 1111
Faltar 97, 376
Falto 378
Faltriquera 2223
Falúa 871
Falucho 871
Falla 2218
Fallar 208, 1113
Fallecer 600
Fallecido 1002
Fallecimiento 601
Fallecimientos 601
Fallido 1790
Fallo 1121
Fama 1919
Famélico 674
Familia 618
Familiar 202, 622
Familiares 621
Familiaridad 735
Familiarizado 1666
Familiarizar 729
Familiarizarse 747
Famoso 1921
Fámula 1680
Fanal 2078
Fanático 758, 2204
Fanatismo 1546
Fanfarrón 281
Fanfarronada 743
Fanfarronear 281
Fangal 2121
Fango 2121
Fangoso 2122
Fantasear 2035
Fantasía 1873
Fantasioso 277
Fantasma 2045
Fantástico 2040

Fantoche 1904
Faraón 1287
Fardel 2223
Fardo 1847
Farfullar 439
Farmacéutico 946
Farmacia 946
Faro 2078
Farol 2078
Farola 2078
Farra 512
Farsa 212, 1874
Farsante 213
Fascículo 1963
Fascinación 551
Fascinador 549
Fascinante 549
Fascinar 554
Fascinarse 2042
Fase 1303
Fastidiar 502, 546
Fastidio 368, 508
Fastidioso 548
Fastigio 861
Fastos 1953
Fastuosidad 371
Fastuoso 373
Fatal 177
Fatalidad 1918, 2062
Fatalismo 392
Fatiga 396
Fatigado 1726
Fatigar 697
Fatigarse 504
Fatigoso 1727
Fatuidad 276
Fatuo 277
Fausto 371, 529
Favor 295
Favorable 361
Favorecer 1747
Favorecido 1751
Favoritismo 2208
Favorito 571
Faz 1447, 2137

Fe 391, 2005
Fealdad 1456
Febril 947
Fecundación 589
Fecundar 591
Fecundidad 589
Fecundizar 591
Fecundo 587
Fecha 1771
Fechoría 1594
Federación 1577
Federar 1583
Federarse 1579
Fehaciente 214
Felicidad 525
Felicitación 87
Felicitado 64
Felicitar 999
Felino 2161
Feliz 527
Felizmente 1564
Felón 1592
Felonía 1594
Felpudo 1358
Femenil 603
Femenino 603
Fementido 1592
Fémina 603
Femineidad 603
Femíneo 603
Feminidad 603
Feminoide 779
Fenecer 600
Fenecimiento 601
Fenomenal 2040
Fenómeno 2046
Feo 84, 1454
Feote 1454
Feracidad 2173
Feraz 587
Féretro 1004
Feria 1617
Feriado 815
Ferocidad 301
Feroz 304
Férreo 851
Ferretería 1315
Ferrocarril 900
Fértil 587

Fertilidad 589, 2173
Fertilizante 2182
Fertilizar 591
Ferviente 322
Fervor 2007
Fervoroso 322
Festejado 1538
Festejar 653
Festejo 507
Festín 665
Festival 507
Festividad 507, 815
Festivo 491, 815
Fetiche 2049
Fetichismo 2050
Fetichista 2027
Fetidez 1436
Fétido 1438
Fiable 466
Fiado 1819
Fiador 1799
Fianza 1799
Fiar 1819
Fiarse 221
Fiasco 1920
Ficción 2044
Ficticio 62, 2047
Ficha 819
Fichar 819
Fidedigno 214
Fideicomisario 1016
Fidelidad 1593
Fiebre 948
Fiel 61, 1591
Fiereza 301, 1209
Fiero 304
Fierro 1326
Fiesta 507, 815
Fiestero 513
Fígaro 1464
Figón 659
Figura 1496
Figurante 1872
Figurar 1913
Figurarse 219
Figurín 1467
Fijar 224
Fijarse 15
Fijeza 876

Fijo 1710, 1858
Fila 1865
Filantropía 351
Filántropo 353
Filarmónico 1881
Filiación 819
Filial 1623
Filibustero 881
Filicida 1070
Filípica 463
Filmar 1863
Filón 838
Filosofar 1539
Filosofía 1271
Filósofo 139
Filtrable 1333
Filtración 1330
Filtrar 635, 1330
Filtrarse 1943
Filtro 636
Fimo 962
Fin 912
Finado 1002
Final 912, 1958
Finalidad 1098
Finalizar 1628
Finalmente 128
Financiar 1616
Financiero 365
Finar 600
Finca 2169
Fineza 1506
Fingido 1965, 2047
Fingimiento 212
Fingir 1095
Finiquitar 1628, 1764
Finiquito 1795
Finito 2001
Fino 294, 857
Finta 2215
Finura 1506
Firma 1615, 1619
Firmado 1620
Firmamento 2066
Firmante 1620
Firmar 1619
Firme 851, 1710
Firmeza 855, 1723
Fiscalización 1983

Fiscalizador 1801
Fiscalizar 185
Fisco 1261
Fisgar 1075
Fisgón 1572
Fisgonear 1075
Físico 1447
Fisonomía 1447
Fisura 1337
Fláccido 1460
Flaco 693
Flacura 691
Flagelar 1065
Flagelo 959
Flagrante 1100
Flamante 1469
Flamear 1157
Flanco 872
Flaquear 172, 1204
Flaqueza 696
Flecha 1182
Flechado 563
Flechar 554
Fleje 1843
Flema 44, 980
Flemático 321
Fletar 1854
Flete 1853
Flexibilidad 856
Flexible 852
Flexión 2192
Flirt 555
Flirtear 557
Flirteo 573
Flojear 21
Flojedad 1403
Flojera 40
Flojo 24, 42
Floración 2183
Florecer 2183
Floreciente 1756
Florecimiento 2183
Florería 1360
Florero 1360
Floresta 2171
Florete 1181
Floricultura 2167
Florido 126
Florilegio 1952

Florista 1360
Flota 874
Flotación 890
Flotar 890
Fluctuación 248
Fluctuante 1788
Fluctuar 1816
Fluir 2119
Flujo 867
Fobia 552
Foco 1376, 2078
Fofo 853
Fogata 2187
Fogón 1363
Fogosidad 326
Fogoso 322
Fogueado 1666
Foguearse 1721
Folio 106
Folclórico 722
Follaje 2171
Folleto 1963
Fomentar 401
Fonda 829
Fondeadero 870
Fondear 879
Fondista 830
Fondo 862, 1499
Fondos 1803
Fonética 1245
Fonología 1245
Fontana 2151
Forado 1367
Forajido 1139
Foráneo 1250
Forastero 1250
Forcejar 699
Forcejear 699
Forjar 131, 1900
Forma 1496, 1635
Formación 595, 1156
Formal 99
Formalidad 522
Formalizar 1622
Formar 1631
Formato 1960
Formidable 847
Fórmula 942, 1635
Formular 173

Formulismo 1635
Fornido 699
Foro 1586
Forraje 2147
Forro 905, 1851
Fortalecer 698, 1161
Fortaleza 1162, 1723
Fortificación 1162
Fortificado 1162
Fortificar 698, 1161
Fortuitamente 266
Fortuito 267
Fortuna 363, 1917
Forzado 1138
Forzar 175, 699
Forzoso 177
Forzudo 699
Fosa 923, 1008
Fósforo 781
Fotocopia 1895
Fotografía 1895
Foul 2218
Fracasado 1228
Fracasar 1226
Fracaso 1230, 1920
Fracción 119
Fraccionable 118
Fraccionar 1584
Fractura 931
Fracturado 933
Fragancia 1435
Fragante 1437
Fraganti (in) 1100
Fragata 871
Frágil 852
Fragilidad 856
Fragmentar 1475
Fragmento 119
Fragmentos 1476
Fragor 443, 2124
Fraguar 1900
Fraile 2024
Francachela 665
Francamente 197
Franco 214, 922
Franja 2179
Franqueable 922
Franquear 1970
Franquearse 431

Franqueo 1970
Franqueza 211
Franquicia 1809
Frasco 645
Frase 1954
Fraternal 623
Fraternidad 735
Fraternizar 739
Fraterno 623
Fratricida 1070
Fratricidio 1069
Fraude 1048
Fraudulento 1044
Fray 2024
Frazada 1408
Frecuencia 1715
Frecuentar 656
Frecuente 723
Frecuentemente 1713
Fregar 502, 1442
Freír 632
Frenada 910
Frenar 926
Frenesí 555, 1547
Frenético 288
Freno 404
Frente 1351, 2137
Fresco 415, 641, 2106
Frescor 2100
Frescura 420, 1461
Frialdad 324
Fricción 2230
Friccionar 2230
Friega 2230
Frigidez 590
Frígido 2100
Frigorífico 1364
Frío 321, 2100
Friolera 1744
Frívola 566
Frívolo 1742

Frondosidad 2171
Frontera 1242
Fronterizo 1387
Frontis 1351
Frontispicio 1351
Frotación 2230
Frotamiento 2230
Frotar 2230
Fructífero 1745
Fructificar 2175
Fructuosamente 1737
Fructuoso 1745
Frugal 679
Frugalidad 677
Fruición 533
Fruslería 1744
Frustración 569, 1230
Frustrado 1228, 1920
Frustrar 1226
Frustrarse 2220
Fruta 2184
Fruto 1749, 2184
Fuego 1184, 2187
Fuente 2151
Fuera 1384
Fuero 1809
Fuerte 699, 851
Fuerza 695
Fuga 1090
Fugado 1091
Fugaz 1529
Fugarse 1084
Fugitivo 1091, 1529
Fulano 612
Fulgente 2075
Fulgor 2073
Fulgurante 2075
Fulminante 1182
Fullería 1054
Fullero 1053
Fumar 781

Fumarola 2128
Fumigar 2179
Función 122, 1867
Funcionamiento 909
Funcionar 909
Funcionario 1677
Funda 1851
Fundación 1633
Fundado 1041, 1559
Fundador 1631
Fundamentado 2048
Fundamental 1739
Fundamentar 458
Fundamentarse 458
Fundamento 250, 1098
Fundamentos 104
Fundar 1232, 1631
Fundarse 69
Fundir 638
Fundo 2169
Fúnebre 2076
Funeral 1005
Funerales 1005
Funeraria 1005
Funesto 2131
Fungoso 853
Furgón 899
Furia 284
Furibundo 288
Furioso 288
Furor 284
Furtivamente 198
Fusil 1181
Fusilar 1132
Fusionar 1583
Fusta 2155
Fustigar 343
Fútbol 2217
Futesa 1744
Fútil 1742
Futilidad 1744
Futuro 1514, 1668

G

Gabán 1482
Gabela 1262
Gabinete 826
Gaceta 1994
Gacetillero 1927
Gafas 1494
Gala 1254
Galán 1871
Galante 294
Galantear 557
Galanteo 573
Galantería 291
Galanura 1507
Galardón 79
Galardonar 78
Galeno 938
Galeote 1138
Galería 1322
Galicismo 1246
Galimatías 1246
Galochas 1484
Galones 1159
Galopar 2155
Galvanizar 1341
Gallardete 872
Gallardía 1191
Gallardo 1509
Galleta 684
Gama 2088
Gana 676
Ganadería 2142
Ganado 2142
Ganador 1227
Ganancia 1749
Ganancioso 1745
Ganar 1225, 1753
Gancho 1843
Gandul 24
Gandulear 21
Ganga 1817
Gangster 1139
Garabatear 107
Garaje 904
Garante 1799
Garantía 1799

Garantizador 1799
Garantizar 1800
Garbo 1507
Garete (al) 883
Garfio 1843
Gargajo 980
Garganta 2136
Gargantilla 1466
Garguero 2136
Garita 1352
Garitero 1053
Garito 1053
Garlito 1198
Garra 2161
Garrafa 645
Garrafal 847
Garrapatear 107
Garrotazo 1064
Garrote 1063
Garúa 2110
Garzón 1682
Gasolina 906
Gastado 1470
Gastador 1762
Gastar 1760, 1828
Gasto 1700
Gastronomía 631
Gato 2161
Gaveta 1847
Gavilla 1360
Gazapo 210
Gazmoño 2018
Gaznápiro 37
Gaznate 2136
Gehena 2004
Gélido 2100
Gema 2183
Gemebundo 514
Gemelo 623
Gemelos 1494
Gemido 531
Gemir 989
Genealogía 621
Generación 618
General 2058

Generalizar 1943
Género 719
Generosidad 351, 381
Generoso 353
Génesis 595
Genial 141
Genio 139
Genocidio 1070
Gente 793, 1376
Gentil 547
Gentileza 291
Gentío 793
Gentuza 1479
Genuflexión 2013
Genuino 138
Gerencia 1613
Gerente 1614
Germania 1246
Germen 593
Germinación 597
Germinar 599
Gesta 1953
Gestación 597
Gestear 1498
Gestero 1498
Gesticulación 1497
Gesticular 1498
Gestión 1781
Gestionar 1781
Gesto 1497
Giba 704
Gibado 704
Giboso 1457
Gigante 710
Gigantesco 847
Gigantón 710
Gimnasia 2192
Gimansio 2191
Gimnasta 2194
Gimnástica 2192
Gimotear 536
Gimoteo 615
Gira 816
Girar 915
Giro 913, 1861

Glacial 2100
Glauco 2093
Globo 810, 892
Gloria 1919
Glorieta 1352
Glorificación 1923
Glorificar 2017
Glosa 1950
Glotón 674
Glotonería 678
Gnomo 2031
Goal 2215
Gobernación 1257
Gobernador 1288
Gobernante 1288
Gobernar 898, 1255
Gobierno 1257
Goce 533
Gol 2215
Goleador 2215
Golear 2215
Golero 2217
Golfo 866
Golosina 684
Golpe 574
Golpeado 1059
Golpear 575
Gollete 646
Goma 1341
Gordiflón 694
Gordo 694
Gordura 692
Gorjear 1889
Gorjeo 1889
Gorro 1483
Gorrón 1045
Gotear 1330
Gotera 535
Gozar 535
Gozne 1366
Gozo 533
Gozoso 527
Grabación 1883
Grabado 1896
Grabar 1899
Gracejo 483
Gracia 487, 1128
¡Gracias! 389
Grácil 857

Gracioso 491
Grada 1349
Gradería 1349
Grado 65, 1703
Graduación 1703
Graduado 65
Gradual 1718
Gradualmente 48
Graduar 65, 944
Graduarse 92
Gráfico 1314, 1947
Gragea 945
Grana 2092
Granada 1182
Granate 2092
Grande 707, 847
Grandeza 1663, 1915
Grandilocuencia 123
Grandiosidad 1915
Gradioso 847
Grandote 707
Granel (a) 1849
Granero 2184
Granito 2236
Granizo 2126
Granja 828
Granjear 545
Granjero 2170
Grano 2180
Granos 2184
Granuja 1051
Grapa 1843
Grasa 692
Grasoso 907
Gratificación 1699
Gratificar 1701
Gratis 1817
Gratitud 387
Grato 547
Gratuitamente 1817
Gratuito 1817
Gravamen 1262
Gravar 1798
Grave 516, 984
Gravedad 511
Grávida 597
Gravidez 597
Gravitar 458
Gravoso 1818

Graznar 2165
Greda 2235
Gremio 1577
Gresca 429
Grey 2142
Grieta 1337
Grifo 1329
Grilletes 1081
Grima 311
Gris 2091
Gritar 440
Griterío 436
Grito 442
Gritón 437
Groseramente 1566
Grosería 292
Grosero 293
Grosor 692
Grotesco 996, 1510
Grúa 870
Grueso 694
Gruñir 520, 2165
Gruñón 489
Grupa 2158
Grupo 719, 793
Gruta 1082
Guadañar 2186
Guapear 281
Guapeza 743, 1191
Guapo 1509
Guarda 1140
Guardameta 2217
Guardapolvo 2232
Guardar 1020, 1759
Guardarropa 1356
Guardarropía 1355
Guardavalla 2217
Guardia 1163
Guardián 1140
Guardilla 1328
Guarecer 1060
Guarecerse 1195
Guarida 1081
Guarnecer 1362
Guarnición 1493
Guasón 515
Guerra 1151
Guerrear 1175
Guerrero 1173

Guerrilla 1151
Guerrillear 1175
Guerrillero 1173
Guía 897, 1653
Guiar 7, 898
Guijarro 837
Guillotinar 1132

Guiñapo 1480
Guiño 1497
Guión 1929
Guirnalda 1493
Guisar 632
Guita 1263
Gula 678

Gustar 545, 650
Gustarse 563
Gustazo 525
Gustillo 671
Gusto 533, 671
Gustoso 671

H

Habano 781
Haber 1803
Haberes 1803
Hábil 31
Habilidad 34
Habilidoso 38
Habilitado 1614
Habitación 825
Habitado 1377
Habitante 1376
Habitantes 1244
Habitar 833
Hábito 727, 1482
Habituación 747
Habituado 1666
Habitual 723
Habituar 729
Habituarse 747
Habla 1245
Hablador 446
Habladuría 461
Hablar 455
Hacedero 254
Hacendado 2170
Hacendoso 23
Hacer 155
Hacia 917
Hacienda 2169
Hacinamiento 793
Hacinar 2229
Hachón 2078
Hado 2062
Halagador 341
Halagar 576

Halagado 339
Halagüeño 341
Halar 882
Hálito 971
Halo 2019
Hall 1351
Hallar 920, 1626
Hallarse 1394
Hallazgo 148
Hamaca 1405
Hambre 676
Hambrear 674
Hambriento 674
Hambruna 676
Hampa 1479
Hangar 904
Haragán 24
Haraganear 21
Harapiento 1479
Harapo 1480
Haraposo 1479
Harnero 636
Hartar 502
Hartarse 666
Hartazgo 665
Harto 379, 673
Hartura 665
Hasta 1596
Hastiado 510
Hastiar 502
Hastío 508
Hatajo 2142
Hato 2142
Haz 1360

Hazaña 1191
Hazmerreír 1510
Hebdomadario 1528
Hecatombe 2130
Hechiera 2052
Hechicería 2051
Hechizar 554
Hechizo 551, 1430
Hecho 1236, 1304
Hechos 1956
Heder 1433
Hediondez 1436
Hediondo 1438
Hedor 1436
Hegemonía 1663
Helado 2100
Helar 2108
Helarse 2100
Hélice 884
Helicóptero 892
Heliogábalo 649
Helipuerto 895
Hematoma 932
Hembra 603
Hemiciclo 1901
Henchido 673, 1836
Henchir 1833
Hendedura 1337
Hender 1475
Hendidura 1337
Heno 2147
Heraldo 1972
Herculeo 699
Heredad 2169

Her	Him	Hom
Heredar 1017	Himno 1887	Homicida 1067
Heredero 620	Hincapié 1723	Homicidio 1069
Hereditario 721	Hincarse 2013	Homilía 2012
Hereje 2010	Hincha 2204	Homófonos pág. 261
Herejía 2008	Hinchazón 932	Homogeneidad 1647
Herencia 1017	Hipérbole 469	Homogéneo 717
Herida 931	Hípico 2153	Homólogo 717
Herido 933	Hipnotizar 966	Homónimo 612
Herir 1065	Hipocondríaco 1551	Homónimos pág. 261
Hermana 2025	Hipocresía 212	Homosexual 779
Hermanable 623	Hipócrita 213	Hondo 862
Hermanar 739	Hipódromo 2191	Hondura 862
Hermandad 735	Hipoteca 1797	Honestidad 765, 1035
Hermano 623	Hipotecar 1798	Honesto 1033
Hermético 2029	Hipótesis 225	Hongo 1483
Hermoseamiento 1361	Hipotético 152	Honor 347
Hermosear 1451	Hiriente 550	Honorabilidad 1035
Hermoso 1453	Hirsuto 1463	Honorable 333, 1052
Hermosura 1455	Hisopo 1429	Honorarios 1699
Héroe 1227	Histérico 1551	Honorífico 1040
Heroico 1193	Historia 1953	Honra 347
Heroísmo 1191	Historiador 1927	Honradez 1035
Herramientas 1315	Historial 1956	Honrado 1052
Herrumbe 1332	Histórico 2048	Honrar 335
Hervidero 793	Historieta 1953	Honroso 1040
Hervir 632	Histrión 1871	Hopo 2141
Hervor 632	Hito 1241	Hora 1532
Heterodoxo 2010	Hocico 2135	Horadación 1370
Heterogéneo 718	Hogaño 1519	Horadar 1370
Hez 1479	Hogar 1375	Horizontal 811
Hidalgo 416	Hoguera 2187	Horizonte 1668
Hidalguía 331	Hoja 106	Hormigueo 960
Hidroavión 892	Hojear 108	Hormiguero 793
Hielo 2126	¡Hola¡ 1401	Horno 631
Hierático 1254	Holgado 1485, 1756	Horóscopo 2053
Hierbe 2147	Holganza 317	Horrendo 1454
Hierro 1326	Holgar 1421	Horrible 1454
Higiene 954, 1440	Holgazán 24	Horripilante 2132
Higiénico 954	Holgazanear 21	Horror 1192
Higienizar 952	Holgazanería 40	Horrorizar 2132
Hijo 620	Holgura 1489	Horroroso 2132
Hijos 618	Hollar 1350	Hortaliza 2184
Hijuela 2169	Hollejo 627	Horticultura 2167
Hilarante 996	Hombre 604	Hosco 454
Hilaridad 532	Hombría 604	Hospedaje 830
Hilera 1865	Hombruna 780	Hospedado 831
Hilván 1481	Homenaje 79, 1923	Hospedar 749
Hilvanar 1481	Homenajear 653	Hospedero 830
Himeneo 579	Homérico 1193	Hospicio 937

Hospital 937
Hospitalario 1397
Hospitalidad 1397
Hospitalizar 937
Hostería 829
Hostess 896
Hostigamiento 1077
Hostigar 546, 1083
Hostil 362
Hostilidad 736
Hostilidades 1151
Hostilizar 486
Hotel 829
Hotelero 830
Hoy 1519
Hoyo 923
Hueco 853
Huelga 1676
Huelguista 1676
Huella 1073
Huero 853

Huerto 822
Huesa 1008
Huésped 657, 831
Hueste 1155
Huevo 593
Huido 1091
Huida 1090, 1204
Huir 1084, 1202
Hulla 906
Humanidad 1210
Humanitario 303
Humano 624
Humedad 2109
Humedecer 1443
Húmedo 1443
Humildad 275
Humilde 278
Humillación 1926
Humillado 1922
Humillante 1039
Humillar 400, 486

Humillarse 1914
Humillos 276
Humor 487
Humorada 487
Humorismo 487, 517
Humorista 515
Humorístico 491
Humos 276
Hundido 928
Hundimiento 888, 2130
Hundir 889
Hundirse 887
Huracán 2117
Huracanado 2114
Huraño 454
Hurgar 1685
¡Hurra! 1923
Hurtadillas 198
Hurtar 1050
Hurto 1048
Husmeador 1572
Husmear 1075

I

Ida 1396
Idea 129, 153
Ideal 355, 1567
Idealismo 351
Idealista 2033
Idealizar 2035
Idear 131
Ideario 1271
Idéntico 717
Identidad 713, 819
Identificación 819
Identificar 716, 819
Identificarse 166
Ideología 1271
Ideólogo 139
Idílico 2172
Idilio 555
Idioma 1245
Idiosincrasia 1500

Idiota 37
Idiotez 36
Ido 1544
Idólatra 2027
Idolatrado 560
Idolatrar 557
Idolatría 555, 2050
Ídolo 2049
Idoneidad 34
Idóneo 31
Iglesia 2011
Igneo 2099
Ignición 2187
Ignominia 348
Ignominioso 1039
Ignorado 1912, 1378
Ignorancia 29
Ignorante 28, 140

Ignorar 17
Ignoto 1378
Igual 717, 1978
Igualar 716, 2215
Igualdad 713
Igualmente 1587
Ilación 596
Ilegal 1024
Ilegalidad 1026
Ilegalmente 1024
Ilegible 206
Ilegitimidad 1026
Ilegítimo 137
Ileso 934
Iletrado 28
Ilícito 1024
Ilimitado 2002
Ilógico 1560
Ilota 1224

Improrrogable 1775
Improvisar 1540
Improviso (de) 266
Imprudencia 1556
Imprudente 1558
Impudicia 772
Impúdico 770
Impudor 772
Impuesto 1262, 1941
Impugnable 252
Impugnación 161
Impugnador 74
Impugnar 160, 1120
Impulsar 401, 1651
Impulsivo 322
Impulso 1731
Impulsor 1651
Impune 1129
Impunidad 1128
Impureza 766
Impuro 774
Imputable 1099
Imputación 1115
Imputar 1103
Inabordable 256
Inabrogable 1123
Inacabable 2002
Inacabado 1235
Inaccesible 256
Inacción 40
Inaceptable 762
Inactividad 40, 1676
Inactivo 146
Inadecuado 1642
Inadmisible 218
Inadvertencia 1536
Inadvertido 1558
Inagotable 2002
Inaguantable 762
Inalcanzable 256
Inalienable 1022
Inalterabilidad 325
Inalterable 329, 1645
Inamovible 1705, 1858
Inamovilidad 1705
Inanición 696
Inanimado 510, 1002
Inapelable 1123
Inapetencia 675

Inapetente 673
Inaplazable 1775
Inapreciable 1741
Inarmonía 1884
Inarmónico 1886
Inasequible 256
Inasistencia 96
Inatacable 1185
Inaudito 724
Inauguración 1630
Inaugurar 1627
Incalculable 1839
Incalificable 84
Incandescente 2099
Incansable 1725
Incapacidad 33
Incapacitado 936
Incapaz 32
Incautación 1029
Incautarse 1027
Incauto 273
Incendiado 2190
Incendiar 2189
Incendiario 2189
Incendio 2187
Incentivo 403
Incertidumbre 248
Incesante 1530
Incidencia 1304
Incidente 429
Incidir 1097
Incierto 150, 249
Incineración 1010
Incinerar 1010
Incipiente 1665
Incisión 969
Incisivo 550
Incitación 403
Incitador 403
Incitar 425
Incitativo 403
Incivilidad 1213
Incivilizado 1215
Inclemencia 300
Inclemente 304
Inclinación 121, 842
Inclinado 704, 1591
Inclinar 844
Inclinarse 121, 701

Incluido 1596
Incluir 1599
Inclusión 1597
Inclusive 1596
Incluso 1596
Incoar 1112
Incobrable 1790
Incógnita 1304, 2046
Incógnito 1912
Incognoscible 2029
Incoherencia 1546, 1608
Incoherente 206
Incoloro 2087
Incólume 934
Incomible 672
Incombustible 2188
Incomodado 285
Incomodar 502
Incomodidad 368
Incómodo 370
Incomparable 1659
Incomparecencia 1110
Incompatibilidad 734
Incompatible 732
Incompetencia 33
Incompetente 32
Incompleto 1235
Incomprensible 206
Incomprensión 1305
Incomunicación 1601
Incomunicar 1085
Inconcebible 206, 218
Inconciliable 732
Inconcluso 1235
Inconcuso 251
Incondicional 1591
Inconexión 1608
Inconexo 1582
Inconfundible 722
Incongruencia 1556
Incongruente 1642
Inconmensurable 1839
Inconmovible 495
Inconquistable 1185
Inconsciencia 965, 1542
Inconsciente 270
Inconsecuencia 1542
Inconsistencia 856
Inconsistente 852

Inherente 1966
Inhibición 419
Inhibido 418
Inhibir 486
Inhibirse 411
Inhospitalario 1398
Inhospitalidad 1398
Inhóspito 2174
Inhumación 1012
Inhumanidad 301
Inhumano 304
Inhumar 1013
Iniciación 2209
Iniciador 1631
Inicial 104, 1615
Iniciar 1627, 1868
Iniciativa 1404
Inicio 1630
Inicuo 1042
Inimaginable 724
Ininflamable 2188
Ininteligible 206
Ininterrumpido 1530
Iniquidad 300
Injerencia 1573
Injuria 340
Injuriador 342
Injuriar 338
Injurioso 346
Injusticia 1026
Injustificable 1106
Injustificado 1042
Injusto 1042
Inmaculado 773
Inmanente 1966
Inmaterial 264
Inmaturo 2176
Inmediación 1385
Inmediaciones 1389
Inmediatamente 1513
Inmediato 46, 1387
Inmejorable 1659
Inmemorable 1523
Inmemorial 1523
Inmenso 847
Inmerecido 1042
Inmergir 889
Inmersión 888
Inmigración 1136

Inmigrante 1380
Inmigrar 1380
Inminente 1775
Inmiscuirse 1301
Inmoderación 678
Inmoderado 742
Inmodestia 276
Inmodesto 277
Inmolarse 1070
Inmoral 770
Inmoralidad 766
Inmortal 2002
Inmortalidad 2000
Inmortalizar 2000
Inmotivado 1042
Inmovible 1858
Inmóvil 911, 1645
Inmovilidad 317, 876
Inmovilizado 911
Inmovilizar 1686
Inmueble 1371
Inmundicia 1439
Inmundo 1414
Inmunidad 1809
Inmunizar 952
Inmutabilidad 325
Inmutable 329, 741
Innato 721
Innecesario 178
Innegable 251
Innoble 334
Innocuo 958
Innovación 148, 1657
Innovador 1280, 1651
Innovar 1655
Innumerable 1839
Inocencia 271
Inocente 273, 773
Inocular 951
Inocuo 958
Inofensivo 287, 958
Inolvidable 1537
Inoperante 32
Inopia 364
Inopidanadamente 266
Inopinado 267
Inoportunidad 1573
Inoportuno 1572, 1642
Inquebrantable 516

Inquietante 995
Inquietar 310, 993
Inquietarse 327
Inquieto 314
Inquietud 311
Inquilino 1373
Inquina 736
Inquiridor 53
Inquirir 55
Inquisidor 53
Insaciable 674
Insalubre 949
Insanable 1001
Insanía 1547
Insano 1550
Insatisfecho 530, 674
Inscribir 1995
Inscribirse 91
Inscripción 90
Inscrito 1996
Inseguridad 248, 1187
Inseguro 150, 249
Insensatez 1556
Insensato 1558
Insensibilidad 301, 324
Insensibilizar 966
Insensible 495, 967
Insensiblemente 48
Inseparable 737
Insertar 1599
Inservible 1477, 1734
Insidia 1594
Insidioso 213
Insigne 1911
Insignia 1157, 2196
Insignificancia 1744
Insignificante 1742
Insinuación 181
Insinuante 549
Insinuar 1271
Insípido 492, 672
Insipiencia 29
Insipiente 140
Insistencia 182, 1723
Insistente 1719
Insistir 171, 1721
Ínsito 721
Insobornable 1033
Insociabilidad 292

Insociable 293, 454
Insolencia 420
Insolentarse 421
Insolente 414
Insólito 724
Insolvencia 1755
Insolvente 1755
Insomne 1424
Insomnio 1427
Insondable 2029
Insoportable 762
Insostenible 1186
Inspección 183
Inspeccionar 185
Inspector 1801
Inspiración 971, 1873
Inspirado 2055
Inspirador 1651
Inspirar 973
Instabilidad 1750
Instalación 1319
Instalar 1643
Instalarse 833
Instancia 1131
Instantánea 1895
Instantáneo 1529
Instante 1532
Instar 1777
Instauración 1633
Instaurador 1631
Instaurar 1631
Instigación 403
Instigador 1299
Instigar 425
Instintivo 270
Instinto 1500
Institución 1615
Instituir 1631
Instituto 89
Instrucción 5
Instructivo 103
Instructor 1
Instruido 27
Instruir 7
Instruirse 8
Instrumento 903
Insubordinación 72, 1292
Insubordinado 74
Insubordinar 1294

Insubordinarse 76
Insubsanable 1990
Insubstancial 1742
Insuficiencia 33, 364
Insuficiente 32, 378
Insufrible 762
Insulsez 484
Insulso 492
Insultado 1922
Insultador 342
Insultante 346
Insultar 338
Insulto 340
Insume 1818
Insumisión 72
Insumiso 74
Insumos 1807
Insuperable 1659
Insurgente 1297
Insurrección 1296
Insurreccionar 1294
Insurreccionarse 748
Insurrecto 1297
Insustancial 1742
Insustituible 177
Intacto 934
Intachable 767
Intangible 264
Integral 120
Integrantes 2203
Integrar 1032
Integridad 1035
Integro 120, 1033
Intelecto 35
Intelectual 1927
Inteligencia 35
Inteligente 38
Inteligible 205
Intemperancia 678
Intemperie (a la) 2104
Intempestivo 1642
Intención 153
Intencionado 269
Intencional 268
Intencionalmente 265
Intendencia 1260
Intensivo 2105
Intenso 2105
Intentar 1781

Intento 147
Intentona 147
Intercaladamente 1711
Intercalar 1599
Intercambio 1829
Interceder 1301
Interceptar 2214
Intercesión 1116
Intercesor 1116
Interdecir 754
Interdicción 760
Interés 555, 1749
Interesado 54, 354
Interesante 549
Interesar 545, 1733
Intereses 1804
Interfecto 1002
Interferir 1575
Ínterin 1531
Interino 1709
Interior 804, 1383
Interiormente 1383
Interjección 442
Interlocución 427
Interlocutor 427
Interludio 1868
Intermediar 1301
Intermediario 1116, 1825
Intermedio 1868
Interminable 2002
Intermisión 1110
Intermitencia 1716
Intermitente 1717
Intermitir 1268
Internacional 1285
Internacionalismo 1282
Internacionalista 1284
Internado 4
Internar 937, 1860
Internarse 1196
Interno 1383, 2059
Internos 4
Interpelación 57
Interpelar 55
Interponerse 1301
Interpretación 238
Interpretado 204
Interpretar 18, 207
Intérprete 1871

J

K

Kaizer 1287	Kermesse 505	Kilo 1837
Kan 1287	Kerosene 906	Kilogramo 1837

L

Laberíntico 245	Lamentación 531	Lastimoso 997
Laberinto 237	Lamentar 1000	Lata 508
Labia 447	Lamentario 1143	Latearse 504
Labor 109, 1675	Lamentarse 989	Latente 195
Laborable 2181	Lamento 531	Lateral 1385
Laboreo 2168	Lámina 1896	Latido 976
Laborioso 1725	Lámpara 1357	Latifundio 2169
Labrador 2168	Lampiño 1431	Latifundista 2170
Labranza 2168	Lance 2201	Látigo 2155
Labrar 2178	Lancha 871	Latir 976
Labriego 2168	Lanchero 882	Latitud 2225
Lacear 2150	Languidecer 697	Lato 449
Lacerar 1065	Languidez 696	Latoso 449, 510
Lacio 1460	Lánguido 398	Latrocinio 1048
Lacónico 445, 450	Lanza 1182	Laudable 83
Laconismo 452	Lanzamiento 1398	Laudatorio 345
Lacrar 1970	Lanzar 750	Laudo 1310
Lactancia 610	Lapicero 107	Laurear 78
Lactar 610	Lápida 1008	Lava 2128
Ladera 841	Lápiz 107	Lavado 1413
Ladero 1385	Lapso 1532	Lavamanos 1446
Ladino 38	Lapsus 210	Lavar 1411
Lado 872	Lares 1375	Lavarse 1411
Ladrar 2165	Largar 1691	Laxante 961
Ladrillo 1323	Largarse 834, 1392	Laxar 961
Ladrón 1046	Largo 449	Laxitud 317
Ladronzuelo 1046	Largueza 351, 381	Laxo 320
Lago 863	Lascivia 772	Lazada 1844
Lágrima 531	Lascivo 774	Lazar 2150
Lagrimear 536	Lasitud 696	Lazarillo 897
Laguna 863	Laso 700	Lazo 735, 1198
Laicismo 2006	Lástima 302	Leader 1297
Laico 2028	Lastimado 933	Leal 565, 1591
Lamentable 997	Lastimar 1065	Lealtad 1593

Linotipia 1991
Linotipista 1993
Linterna 2078
Lío 237, 1847
Liquidación 1795, 1813
Liquidar 1628, 1815
Liquidarse 1754
Líquido 647
Lirón 1423
Lisiado 936
Lislar 1065
Liso 859, 1459
Lisonja 339
Lisonjeador 341
Lisonjear 576
Lisonjero 345
Lista 90
Listo 41, 51, 1236
Listón 1316
Litera 1405
Literal 1978
Literalmente 1979
Literato 1927
Literatura 1961
Litigante 1791
Litigar 1791
Litigio 1112
Litografía 1991
Litoral 868
Liturgia 2012
Liviano 857, 1728
Lívido 700
Loa 339
Loable 83
Loar 82
Lóbrego 2076
Lobreguez 2074
Local 1286, 1617
Localidad 1237, 1865

Localizado 1100
Localizar 920
Locatario 1373
Loco 1550
Locomoción 801
Locomotora 900
Locuacidad 447
Locuaz 446
Locución 1954
Locura 1547
Locutor 1949
Lodazal 2121
Lodo 2121
Lógica 123
Lógicamente 1561
Lógico 250, 1559
Logrado 1919, 1236
Lograr 144, 1828
Logro 154
Loma 836
Lomo 2138
Lona 872
Loncha 634
Longevidad 609
Longevo 606
Lonja 634
Lontananza 1386
Loor 339
Loquear 440
Losa 1008
Lotería 2064
Lazonear 607
Lozanía 1461
Lozano 1459
Lubricación 907
Lubricante 907
Lubricar 907
Lubrificante 907
Lubrificar 907

Luces 30
Lucidez 1548
Lúcido 1557
Lucifer 1998
Lucirse 1913
Lucrar 1753
Lucrarse 1831
Lucrativamente 1737
Lucrativo 1745
Lucro 1749
Luctuoso 997
Lucubración 1541
Lucubrar 1539
Lucha 1151, 2202
Luchar 409, 2200
Luego 1513, 1937
Lugar 2227
Lugareño 1240
Lúgubre 2076
Lujo 371
Lujoso 373
Lujuria 772
Lujurioso 774
Lumbrera 139
Luminaria 2078
Luminosidad 2073
Luminoso 2075
Luna 2065
Lunático 1550
Luneta 1866
Lustrador 1484
Lustrabotas 1484
Lustrar 2083
Lustre 1915
Lustro 1527
Luto 1011
Luxación 932
Luz 2073

LL

Llaga 932
Llama 2189
Llamada 1109
Llamador 1345
Llamamiento 1109
Llamar 440, 1346
Llamarada 2189
Llamativo 1503
Llamear 2189
Llaneza 215, 275
Llano 282, 835

Llanta 905
Llanto 531
Llanura 835
Llave 1329
Llegada 1395
Llegar 1391
Llenar 1833
Lleno 1836
Llevadero 761
Llevar 1856
Llorar 536

Lloriquear 536
Lloriqueo 615
Lloro 531
Llorón 514
Lloroso 514
Llover 2110
Llovizna 2110
Lloviznar 2109
Lluvia 2110

M

Macabro 2076
Macanudo 1453
Macerar 635
Macicez 855
Macilento 700
Macizo 836, 851
Mácula 348
Machacar 305, 635
Machete 1180
Macho 604
Machote 604
Machucar 575
Madera 1316
Maderaje 1317
Maderamen 1317
Madero 1316
Madre 619
Madriguera 1081
Madrugada 1425
Madrugador 1428
Madrugar 1428
Madurado 2175
Madurar 1933, 2175
Madurez 1555, 2175

Maduro 605, 2175
Maestría 34
Maestro 1
Mafia 1055
Magazine 1994
Magia 2051
Mágico 2040
Magín 129
Magistero 3
Magistrado 1114
Magistral 1659
Magistratura 1114
Magnanimidad 299
Magnánimo 353
Magnetizar 966
Magnificar 467
Magnificencia 371
Magnífico 1503
Magnitud 1743
Mago 2052
Magro 693
Magrura 691
Maguilado 933
Magulladura 931

Magullar 1065
Majadería 484
Majadero 548
Mal 982, 1660
Malabarista 1902
Malacostumbrado 616
Malagradecido 390
Malandrín 1057
Malavenido 732
Malaventura 1918
Malaventurado 530
Malbaratar 1760
Malcriado 293, 616
Malcriar 616
Maldad 300
Maldecir 2018
Maldición 2022
Maldito 2020
Maleable 852
Maleante 1139
Malear 775
Malecón 869
Maledicencia 461
Maledicente 465

Maleficio 2051
Malentendido 1305
Malestar 534, 982
Maleta 1847
Malevolencia 300
Malévolo 298
Maleza 2178
Malgastar 1760
Mal genio 288
Malhablado 414
Malhadado 530
Malhechor 1057
Malherido 1059
Malherir 929
Malhumor 284
Malhumorado 285
Malicia 216, 272
Maliciar 222
Malicioso 274
Malignidad 300
Maligno 298
Malintencionado 298
Malmirado 1922
Malo 298, 1660
Malogrado 1228
Malograr 1226
Malogro 1230
Maloliente 1438
Malparado 933
Malquerencia 736
Malquistar 740
Malrotar 1760
Malsano 949
Maltratar 575, 1065
Maltrato 574
Maltrecho 933, 1734
Malvado 298
Malversación 1048
Malversar 1050
Mamá 619
Mamar 610
Mamarracho 1510
Mamotreto 1624
Manada 2142, 2240
Manantial 2151
Manar 2119
Mancebo 605
Mancilla 348
Mancillar 336

Mancomunarse 1579
Mancha 1439
Manchado 1414
Manchar 1412
Mandadero 1972
Mandamás 1661
Mandar 1255
Mandatario 1288
Mandato 182
Mandíbula 2135
Mandil 2232
Mando 1257, 1613
Manducar 663
Manejable 73
Manejar 898
Manera 1635
Maneras 1497
Mango 1848
Manía 1547
Maníaco 1550
Maniatar 1087
Maniático 1550
Manicomio 1550
Manido 726
Manifestación 200
Manifestar 173
Manifiesto 1255, 1947
Manija 1848
Maniobra 1156, 1170
Maniobrar 898
Manipular 898
Manirroto 1762
Manivela 1848
Manjar 660
Manojo 1360
Mansedumbre 283
Mansión 1375
Manso 287, 2143
Manta 1408
Mantener 171, 610
Mantenimiento 1658
Manuable 1857
Manual 471, 1857
Manubrio 1848
Manufactura 1618
Manufacturar 1808
Manufacturero 1808
Manuscribir 1928
Manuscrito 60

Manutención 643
Maña 34, 272
Mañana 1514
Mañanear 1428
Mañanero 1428
Mapa 2068
Mapamundi 2068
Maqueta 1314
Maquillaje 1449
Maquillar 1451
Maquillarse 1450
Máquina 903
Maquinación 1295
Maquinal 270
Maquinar 1293
Maquinaria 903
Maquinista 897
Mar 865
Maraña 237
Maravilla 2046
Maravillar 1925
Maravillarse 2041
Maravilloso 499
Marca 1852
Marcar 1852
Marco 1894
Marcha 909, 1156
Marchar 787, 909
Marcharse 94, 1392
Marchitar 2176
Marchitarse 608
Marchito 1460, 2176
Marea 867
Marear 502
Marejada 867
Maremoto 2129
Mareo 935
Margen 1960
Marginar 750
Marica 779
Maricón 779
Marido 584
Marimacho 780
Marina 874
Marinería 877
Marinero 878
Marino 878
Marioneta 1904
Marital 579

Marmita 631
Marrano 2163
Marrar 208, 2213
Martillar 1326
Martillo 1326
Martirio 991
Martirizar 1211
Más 676
Masa 793, 1837
Masacre 1209
Masajear 2230
Mascada 670
Mascar 669
Máscara 1909
Mascarilla 1900
Mascota 2049
Masculinidad 604
Masculino 604
Mascullar 439, 520
Masticación 670
Masticar 669
Mástil 1157
Matador 1067
Matanza 1209
Matar 1068, 1209
Matarse 1070
Match 2201
Matemático 61
Materia 102, 850
Material 263, 2037
Materiales 1315
Materialismo 2006
Materialista 352
Materialización 154
Materializar 155
Maternal 619
Maternidad 619
Materno 619
Matinal 1425
Matiz 2088
Matizar 2097
Matón 281
Matricida 1070
Matrícula 90
Matricularse 91
Matrimonial 579
Matrimonio 579
Matrona 938
Matute 1048

Matutino 1425
Mausoleo 1008
Máxima 1954
Máxime 1938
Máximo 847
Máximum 847
Mayordomo 1681
Mayores 619
Mayoría 1275
Mayorista 1827
Mazmorra 1137
Mazo 1326
Mear 961
Mecanismo 903
Mecanógrafa 1976
Mecanografía 1975
Mecedora 1866
Mecer 614
Mechón 1430
Medalla 2221
Mediación 1310
Mediador 1300
Medianía 1664
Mediano 707, 1660
Medianoche 1426
Mediar 1301
Medias 1484
Medicación 941
Medicamento 943
Medicina 943
Medida 1837, 2225
Medidas 1258
Médico 938
Mediero 2168
Medio 804, 821
Mediocre 1660, 1912
Mediocridad 1664
Mediodía 1425
Medios 1803
Medir 944, 1837
Medirse 422
Meditabundo 1543
Meditación 1541
Meditado 269
Meditar 1539
Medrar 1753
Medroso 418
Médula 1098
Mefítico 1438

Megáfono 1348
Mejor 1659
Mejora 1731
Mejorado 983, 1751
Mejoramiento 19, 1731
Mejorar 983, 1729
Mejoría 963
Mejunje 943
Melancolía 1535
Melancólico 514
Melena 1430
Melifluo 561
Melindre 573
Melodía 1883
Melódico 1885
Melodioso 1885
Melodrama 1887
Melómano 1881
Meloso 561
Mellar 336, 1688
Mellizo 623
Membrudo 699
Memorable 1537
Memorándum 105
Memorar 1533
Memorativo 1537
Memoria 1535
Memorial 105, 1131
Memorias 1955
Menaje 1359
Mención 1981
Mencionado 1968
Mencionar 1981
Mendaz 213
Mendicante 366
Mendigar 366
Mendigo 366
Mendrugo 634
Menear 1685
Menesteroso 366
Mengano 612
Mengua 1750
Menguado 115
Menguar 468
Menjunje 943
Menor 848
Menores 611
Menoría 611
Menos 1588

Menoscabar 336
Menospreciado 544
Menospreciador 280
Menospreciar 540
Menosprecio 542
Mensaje 1967
Mensajero 1972
Mensual 1528
Mensualmente 1528
Mensurable 1840
Mentado 1968
Mentalidad 1545
Mentar 1981
Mente 129
Mentecato 37
Mentir 191
Mentira 212
Mentiroso 213
Mentís 161
Mentor 1653
Menú 649
Menudencia 1744
Menudo 848
Meollo 1098
Mequetrefe 1511
Mercader 1825
Mercadería 2184
Mercado 1617
Mercancía 2184
Mercar 1827
Merced 295
Mercedario 1173
Mercería 1315
Merecedor 333
Merecer 2219
Merecimiento 349
Merendar 663
Meridional 2070
Merienda 662
Mérito 349
Meritorio 83, 333
Merma 1750
Mermado 115
Mermar 112
Mermelada 684
Merodear 787
Mesada 1699
Meseta 836
Mesonero 830

Mesura 372, 1574
Mesurado 374, 1571
Mesurarse 422
Meta 912, 1098
Metafísico 261
Metáfora 1954
Metal 1326
Metálico 1263
Metalizado 1761
Metamorfosis 1910
Meteorito 2127
Meteoro 2127
Meter 1599
Meterse 654
Metete 1512
Meticuloso 49
Metódico 49, 1636
Metodizar 1636
Método 1635
Metralleta 1181
Metro 900, 1837
Metrópoli 1239
Mezcla 720
Mezclado 1101
Mezclar 1338
Mezclarse 1575
Mezcolanza 720
Mezquindad 382
Mezquino 668, 1761
Miasma 959
Micado 1287
Mico 2163
Microbio 959
Micrófono 1348
Microscópico 848
Miedo 1192
Miedoso 1194
Miel 684
Miembro 1581, 2139
Mientras 1531
Mientras tanto 1531
Migaja 634
Migración 1135
Milagro 2046
Milagroso 2040
Milenario 1527
Milenio 1527
Milicia 1155
Miliciano 1173

Militante 2204
Militar 1173
Militarizar 1153
Millonario 365
Mimado 571, 616
Mimar 576, 616
Mímica 1907
Mimo 573
Mimosa 565
Mina 838
Mineral 838
Minifundio 2169
Minimizar 468
Mínimo 848
Mínimum 848
Ministerio 1257
Ministro 1251
Minoración 470
Minorar 468
Minoría 1276
Minorista 1827
Minucia 1744
Minuciosidad 451
Minucioso 49, 449
Minúsculo 848
Minuta 471
Minuto 1532
Mira 153
Mirada 1074
Miradero 1163
Mirador 1163, 1354
Miramiento 541
Mirar 15, 1868
Miríada 1839
Mirilla 1163
Mirón 1512
Misa 2012
Misantropía 292
Misántropo 454
Miscelánea 720
Miserable 530
Miseria 364
Misericordia 302, 1150
Misericordioso 303
Mísero 530
Misérrimo 366
Misión 1252, 1974
Misiva 1967
Mismo 717

Misógino 779
Misterio 2046
Misterioso 2029
Mística 2005
Misticismo 2005
Místico 2009
Mitigar 994
Mitin 1586
Mito 2044
Mitología 2044
Mitridato 956
Mixtificación 212
Mixtificador 133, 1037
Mixtificar 191
Mixto 4, 649
Mixtura 639
Mobiliario 1359
Moblaje 1359
Mocedad 611
Mocete 604
Mocetón 604
Moción 1654
Mocoso 605
Mochila 2223
Moda 1467
Modales 1497
Modalidad 1499, 1635
Modelador 1897
Modelar 1899
Modelo 1467, 1567
Moderación 372, 677
Moderado 374, 679
Moderador 1586
Moderar 309
Moderarse 422
Modernizar 1470
Moderno 1469
Modestia 275
Modesto 278
Módico 1817
Modificable 1646
Modificación 1657, 1986
Modificado 1646
Modificar 1655
Modismo 1246
Modista 1481
Modo 1635, 1964
Modorra 1403
Modos 1497

Modulación 1889
Modular 1889
Mofa 488
Mofarse 486
Mohín 1497
Mohino 514
Moho 1332
Mojado 1443
Mojar 1443
Mojigato 2018
Mojón 962
Molde 1467
Molécula 849
Moler 635
Molestar 502
Molestarse 307
Molestia 368
Molesto 285, 370
Molido 636
Molificar 638
Momentáneo 1529
Momento 259, 1532
Momificar 1005
Monada 1455
Monaguillo 2024
Monarca 1287
Monasterio 2026
Mondar 628
Moneda 1263
Monedero 1465
Monigote 1511, 1904
Monitor 2193
Monja 2025
Monje 2024
Mono 1503, 2163
Monocromo 2087
Monóculo 1494
Monograma 1615
Monologar 428
Monólogo 428
Monomanía 1547
Monomaníaco 1550
Monopolio 1811
Monopolizar 1831
Monoteísta 2027
Monotonía 1647
Monótono 449, 1645
Monserga 1246
Monstruo 1215

Monstruosidad 1456
Monstruoso 304, 1454
Monta 2154
Montaña 836
Montañero 839
Montañoso 860
Montar 2155
Monte 836
Montepío 1697
Montículo 923
Monto 1838
Montón 793
Montura 2155
Monumental 847
Monumento 1900
Moño 1430
Moquete 574
Mora 1771
Morada 1375
Morado 2094
Morador 1376
Moral 769, 1501
Moraleja 1954
Moralidad 765, 1035
Moralizar 776
Morar 833
Moratoria 1773
Morboso 700
Mordacidad 488
Mordaz 550
Mordaza 1983
Mordedura 670
Morder 669
Mordiscar 669
Mordisco 670
Mordisquear 669
Moreno 2096
Morfina 965
Moribundo 1001
Morir 600
Morisqueta 1497
Moroso 1790
Morral 2223
Morriña 1535
Morro 836
Mortaja 1004
Mortal 2001
Mortalidad 601
Mortandad 1209

Mortecino 2082	Muchedumbre 793	Municipalidad 1260
Mortero 1181	Mucho 379	Municipio 1260
Mortífero 957	Muchos 795	Munificiencia 351
Mortificación 1926	Mudable 1720	Munifico 353
Mortificado 1922	Mudanza 834	Muñeco 1904
Mortificante 550	Mudar 1856	Mural 1959
Mortificar 486	Mudarse 834	Muralla 1343
Mortuorio 2076	Mudez 435	Murallón 1343
Mostacho 2234	Mudo 445	Murar 1344
Mostrar 189	Muebles 1359	Murmullo 441
Mostrarse 1196	Mueca 1497	Murmuración 461
Mote 612, 2196	Muelas 2133	Murmurador 465
Motear 2097	Muelle 870	Murmurar 439
Motejar 343	Muerte 601, 1069	Muro 1343
Motel 829	Muerto 1002	Murria 1535
Motín 1296	Muestra 162, 1967	Musa 1873
Motivación 1098	Muestrario 1967	Musaraña 2141
Motivar 157	Mugre 1439	Musculoso 699
Motivo 1098	Mugriento 1414	Museo 1864
Moto 902	Mujer 603	Música 1883
Motocicleta 902	Muleta 970	Musical 1885
Motoneta 902	Multa 1127	Músico 1881
Motor 903	Multicolor 2088	Musicólogo 1881
Motorista 877	Multilateral 1611	Musitar 439
Movedizo 1707	Multimillonario 365	Mustiarse 608
Mover 1685	Multiplicador 68	Mustio 1460
Moverse 909	Multiplicar 467	Mutabilidad 1706
Movible 1707, 1857	Multiplicarse 586	Mutable 1646
Móvil 1098, 1707	Multitud 793	Mutación 1910
Movilización 801	Multitudinario 796	Mutilado 936
Movilizar 1153	Mullido 853	Mutilar 1065
Movimiento 909	Mundial 1285	Mutis 1876
Mozalbete 605	Mundo 2065	Mutismo 435
Mozo 1682	Municionar 1179	Mutual 1611
Muchacho 604	Municiones 1179	Mutuo 1611
		Muy 379

N

Nacer 599	Nacionalizado 1249	Narcótico 965
Naciente 2071	Nada 380	Narcotizar 966
Nacimiento 602	Nadar 890	Narración 1949
Nación 1237	Nadería 1744	Narrador 1927
Nacional 1286	Nadie 792	Narrar 1942
Nacionalidad 1249	Nafta 906	Natación 890
Nacionalismo 1281	Naipes 506	Natalicio 1538
Nacionalista 1283	Narcisismo 352	Natalidad 602

Nat	Neg	Nob
Nativo 1249	Negrear 2096	Noble 333, 1289
Natural 278, 1249	Negro 2096	Nobleza 331, 1289
Naturaleza 1500, 2065	Negror 2096	Noción 1545
Naturalidad 275	Negrura 2096	Nociones 104
Naturalizado 1249	Negruzco 2096	Nocivo 949
Naufragar 887	Negus 1287	Noctámbulo 1427
Naufragio 888	Nene 605	Nocturnal 1426
Náusea 675	Neófito 1665	Nocturno 1426
Nauseabundo 1438	Neologismo 1246	Noche 1426
Nauta 878	Nerviosidad 326	Nodriza 613
Náutica 874	Nerviosismo 985	Nómada 783
Náutico 878	Nervioso 1551	Nómade 783
Navaja 1180	Nesciencia 29	Nombradía 1919
Navajazo 1068	Nesciente 28	Nombrado 1673
Naval 878	Neumático 905	Nombramiento 1690
Nave 871	Neurasténico 1551	Nombrar 1671
Navegación 880	Neurótico 1551	Nombre 612, 1959
Navegante 878	Neutral 1174, 2205	Nomenclatura 90
Navegar 880	Neutralidad 2207	Nómina 90
Navío 871	Neutralizar 1203, 2216	Nominación 1690
Neblina 2109	Nevada 2126	Nominar 612
Nebulosidad 2074	Nevar 2126	Nonada 1744
Necedad 36, 484	Nevazón 2126	No obstante 169
Necesario 177	Nevera 1364	Nórdico 2069
Necesidad 364	Nevisca 2116	Norma 1635
Necesitado 1755	Nexo 1607	Normal 726, 1549
Necesitar 376	Nicho 1008	Normalidad 727
Necio 37	Niebla 2109	Normalizar 1636
Necrópolis 1007	Nieto 620	Norte 1098, 2069
Necropsia 1014	Nieve 2126	Nosocomio 937
Necroscopía 1014	Nigromancia 2051	Nostalgia 1535
Néctar 647	Nigromante 2052	Nota 67, 1932
Nefando 296	Nimbo 2019	Notable 1911, 2221
Nefasto 2131	Nimiedad 1744	Notar 1164
Negable 252	Nimio 1742	Noticia 1949
Negación 161	Ninfa 2031	Noticiar 1942
Negado 32	Ninguno 792	Noticiario 1949
Negar 160, 754	Niña 603	Noticiero 1949
Negarse 652, 1576	Niñera 613	Noticioso 1949
Negativa 760	Niñez 610	Notificación 1109
Negativamente 164	Niño 604	Notificado 1941
Negativo 164	Níquel 1263	Notificar 188
Negligencia 13, 40	Nirvana 2003	Notoriedad 1919
Negligente 24, 42	Nitidez 2073	Notorio 201, 250
Negación 1310	Nítido 2085	Novato 1665
Negociado 1306	Nivel 1290, 1703	Novedad 1467, 1657
Negociante 1825	Nivelar 716	Novel 1665
Negociar 1827	Níveo 2095	Novela 1953
Negocio 1617	No 164	Novelista 1927

Noviazgo 578
Noviciado 6
Novicio 1665
Novio 578
Nubada 2110
Nube 2109
Núbil 583
Nublado 2109
Nublarse 2112

Nuca 2136
Núcleo 1376
Nudo 1844
Nuevo 725, 1469
Nulidad 33
Nulo 32, 180
Numen 1873
Numerario 1263
Número 1865

Numeroso 377
Nunca 233
Nupcial 579
Nupcias 579
Nutrición 643
Nutrir 610
Nutritivo 643

O

Obcecación 1546
Obcecado 758
Obcecarse 305
Obedecer 75
Obediencia 71
Obediente 73
Obertura 1882
Obesidad 692
Obeso 694
Obispo 2023
Óbice 240
Óbito 601
Obituario 1003
Objeción 161
Objetable 252
Objetante 74
Objetar 160
Objetividad 2207
Objetivo 1098, 2205
Objeto 1098
Objetos 1359
Oblea 945
Oblicuo 814
Obligación 1768, 1779
Obligado 177, 389
Obligar 175
Obligarse 1308
Obligatoriedad 1785
Obligatorio 177
Óbolo 1047
Obra 1960
Obrar 155

Obrero 1677
Obscenidad 772
Obsceno 770
Obsecuencia 71
Obsequiado 1817
Obsequiador 1049
Obsequiar 1049
Obsequio 1047
Obsequioso 294
Observación 88, 1165
Observancia 71
Observar 15, 1167
Observatorio 1163
Obsesión 1547
Obsoleto 1468
Obstaculizar 242, 1782
Obstáculo 240
Obstinación 756, 1142
Obstinado 758
Obstinarse 1144
Obstrucción 921
Obstruido 1368
Obstruir 1369, 1782
Obtención 154
Obtener 144, 1828
Obturador 1329
Obturar 1369
Obtuso 32
Obús 1182
Obviar 158, 241
Obvio 250
Ocasión 259

Ocasional 1716
Ocasionar 157
Ocaso 1916, 2072
Occidente 2072
Occiso 1002
Océano 865
Ociar 21
Ocio 40
Ociosidad 40
Ocioso 24, 146
Ocultación 184
Ocultador 1093
Ocultamente 198
Ocultar 190, 1944
Ocultarse 1079, 1195
Ocultismo 2051
Ocultista 2052
Oculto 195
Ocupación 1675
Ocupado 145
Ocupante 1373
Ocupar 1201, 1671
Ocuparse 1683
Ocurrencia 483, 1304
Ocurrente 509
Ocurrir 1930
Odiado 559
Odiar 558
Odio 556
Odioso 562
Odontólogo 938
Odorífero 1437

Oeste 2072
Ofender 338
Ofenderse 307
Ofendido 285
Ofensa 340, 463
Ofensiva 1151, 2215
Ofensivo 346, 550
Ofensor 342
Oferta 1821
Ofertante 1825
Ofertar 1827
Offset 1991
Oficializar 1622
Oficina 1623
Oficinista 1677
Oficio 1569, 1675
Oficioso 294
Ofrecer 1821
Ofrecimiento 1821
Ofrenda 1047
Ofrendar 1049
Ofuscación 1546
Ofuscado 314
Ofuscamiento 1546
Ofuscarse 305
Oír 15, 1164
Ojeada 1074
Ojear 1167
Ojeriza 736
Ojo 2137
Olas 867
Oleada 793
Oleaje 867
Olfatear 1075
Olimpiada 2201
Olimpo 2003
Olor 1435
Oloroso 1437
Olvidadizo 50
Olvidar 308, 1534
Olvido 13, 1536
Olla 631
Ominoso 2053
Omisión 1536
Omiso 24
Omitir 1534
Ómnibus 899
Omnímodo 1217
Omnipotente 1217

Once 662
Ondear 1157
Ondina 2031
Ondular 1157, 1430
Oneroso 1818
Onomástico 1538
Opacar 2084
Opacidad 2074
Opaco 2086
Opción 260
Ópera 1887
Operación 968
Operaciones 1171
Operar 155
Operario 1677
Opinar 460
Opinión 1654, 1950
Opíparo 667
Oponer 70
Oponerse 408
Oportunamente 1514
Oportunidad 259
Oportunista 352
Oportuno 509, 1641
Oposición 760, 1292
Opositor 738
Opresión 1026, 1222
Opresivo 1217
Opresor 1217
Oprimido 1224
Oprimir 1219, 1487
Oprobiar 336
Oprobio 348, 463
Oprobioso 1039
Optar 1671
Optimismo 391
Optimista 393
Óptimo 1659
Opuesto 362, 718
Opugnación 161
Opugnador 74
Opugnar 70, 1120
Opulencia 363
Opulento 365
Opúsculo 1963
Oración 124, 2016
Oráculo 2053
Orador 125
Oral 59

Oralmente 59
Orangután 2163
Orar 2017
Orate 1550
Oratoria 123
Oratorio 2011
Orbe 2065
Órbita 893
Orden 182, 1640
Ordenación 1640
Ordenado 49
Ordenamiento 1640
Ordenanza 1258
Ordenar 1256, 1637
Ordinariamente 1566
Ordinariez 1505
Ordinario 293
Orear 1444
Orfanato 937
Orfebre 1466
Orfeón 1888
Organismo 1615, 2134
Organización 1615, 1640
Organizador 1651
Organizar 1631
Órgano 2012, 2138
Orgía 665
Orgiástico 667
Orgullo 276
Orgulloso 277
Orientación 1654, 2227
Orientada 1945
Orientador 1651
Orientar 7, 920
Orientarse 917
Oriente 2071
Orificio 1367
Oriflama 1157
Origen 595, 621
Original 135, 725
Originalidad 728
Originar 157
Originario 1249
Originarse 594
Orilla 868
Orillar 915
Orín 1332
Orina 962
Orinal 961

Orinar 961
Oriundo 1249
Ornamentación 1361
Ornamentar 1362
Ornamento 1361
Ornar 1362
Ornato 1361
Oro 1263
Orquesta 1882
Orto 2071
Ortodoxo 2009
Ortografía 110
Ortopédico 970
Osadía 1191
Osado 417, 1193

Osamenta 2133
Osar 1196
Oscilación 875
Oscilante 1788
Oscilar 800
Osculo 573
Oscurecer 1426, 2080
Oscurecerse 2080
Oscurecido 2082
Oscurecimiento 2074
Oscuridad 2074
Oscuro 261, 2076
Ostensible 196
Ostentación 371
Ostentar 189, 412

Ostentoso 373
Ostracismo 1135
Otear 1167
Otorgamiento 406
Otorgar 385, 753
Otro 718
Otrora 1520
Ovación 1923
Ovacionado 1921
Ovacionar 1925
Oveja 2159
Ovejero 2170
Ovulo 593
Oxido 1332
Oyente 93
Oyentes 1869

P

Pabellón 1157, 1352
Pacato 1552
Pacer 2148
Paciencia 755
Paciente 757
Pacificación 1152
Pacificador 1300
Pacificar 290
Pacificarse 1554
Pacífico 287, 741
Pacifista 1174
Pactado 1308
Pactar 1308
Pacto 1310
Pachorra 44
Padecer 987
Padecimiento 534, 982
Padre 619
Padrón 1243
Paga 1699
Pagable 1819
Pagadero 1819
Pagado 1820
Pagador 1765
Pagano 2027

Pagar 1764
Pagaré 1768
Pagaya 884
Página 106
Pago 1699, 1765
País 1237
Paisaje 1896
Paisajista 1893
Paisano 1248
Pajarear 21
Pájaro 2163
Palabra 1245
Palabrería 447
Palabrota 421
Paladar 671
Paladear 650
Paladín 1058
Palangana 1446
Palanquín 1866
Palestra 2191
Paleta 1894
Paliar 994
Paliativo 986
Palidecer 307
Pálido 700

Paliza 574
Palmario 1947
Palmatoria 1357
Palmotear 1925
Palo 1316
Palpable 263
Palpar 576
Palpitación 976
Palpitar 976
Pálpito 2056
Pampa 835
Pámpano 2183
Pan 684
Panacea 943
Pancista 352
Pandilla 1055
Panecillo 684
Panegírico 339
Panegirista 341
Panera 684
Pánfilo 37
Panfleto 1962
Pánico 1192
Panorama 1896
Pantagruélico 667

Pantalón 2232
Pantalla 1093, 1353
Pantano 2121
Pantanoso 2122
Panteón 1008
Patomima 1907
Pantuflas 1484
Panza 2139
Panzada 665
Paño 1444
Papá 619
Papa 2023
Papagallo 2163
Papanatas 37
Papel 106
Papeleo 1781
Papeleta 819
Paquete 1847
Par 584, 717
Parabién 87
Parábola 2044
Parada 910, 1156
Paradero 912
Parado 911
Parador 829
Parafina 906
Paraíso 2003
Paraje 821
Paralelo 813
Paralítico 936
Paralización 1732
Paralizar 1686, 1782
Paralogismo 237
Paramento 1361
Páramo 2174
Parangón 2199
Parangonar 1118
Paraninfo 101
Paranoia 1547
Parapetarse 1195
Parapeto 1162
Parar 926, 1686
Pararse 798
Parásito 1045
Parasol 1353
Parcela 2169
Parcial 2206
Parciales 2204
Parcialidad 1026, 2208

Parco 445
Parche 1474
Parear 1118
Parecer 459, 1654
Parecerse 711
Parecido 717
Pared 1343
Paredón 1343
Pareja 584, 1892
Parejo 717, 859
Paremia 1954
Parentela 621
Parentesco 621
Paréntesis 1110
Paria 1224
Paridad 713
Pariente 622
Parientes 621
Parificar 189
Parir 598
Parlamentar 455
Parlamento 1259
Parlanchín 446
Parlar 455
Parlotear 455
Paro 1676
Parodia 1907
Parodiar 1908
Parónimos pág. 261
Paroxismo 326
Parpadeo 1497
Parque 822
Parquear 916
Parquedad 448, 677
Párrafo 110
Parranda 512
Parricida 1070
Parricidio 1069
Párroco 2023
Parroquia 2011
Parroquiano 1826
Parsimonia 448
Parte 119, 1569
Partera 938
Partición 1796
Participación 1573, 1699
Participantes 2203
Participar 188, 1575
Partícula 849

Particular 2057
Particularidad 1499
Particularizar 1982
Partida 1396
Partidario 1591, 2204
Partido 2201
Partir 633, 1392
Parto 598
Párvulo 605
Pasable 761
Pasadero 761
Pasadizo 1322
Pasado 1520
Pasador 1366
Pasaje 786, 1980
Pasajero 817, 1529
Pasante 3
Pasaporte 820
Pasar 787, 1930
Pasatiempo 507
Pase 820
Paseante 818
Pasear 787
Paseo 816, 822
Pasillo 1322
Pasión 555
Pasividad 40, 312
Pasivo 360, 1806
Pasmado 496
Pasmarse 2041
Pasmo 498
Pasmoso 499, 2040
Paso 922, 1365
Pasquín 1962
Pastar 2148
Pastel 684
Pastelería 683
Pastelero 683
Pasteurizar 952
Pastilla 945
Pasto 2147
Pastor 2023, 2170
Pastorear 2148
Pastoril 2172
Pastura 2147
Pata 2140
Patada 2158
Patalear 615
Pataleta 615

Patán 293
Patear 2213
Patente 1947
Patentizar 189
Paternal 619
Paternidad 619
Paterno 619
Patético 995
Patibulario 1454
Patíbulo 1132
Patillas 2234
Patinador 840
Patinar 840
Patochada 484
Patota 1055
Patraña 212
Patria 1237
Patriarcal 2019
Patrimonio 1803
Patrio 1286
Patriota 1283
Patriotería 1281
Patriotero 1283
Patriótico 1283
Patriotismo 1281
Patrocinar 1670
Patrocinio 1188
Patrón 1614
Patrona 1679
Patrulla 1078
Patrullar 1078
Paulatinamente 48
Paulatino 45
Pauperismo 364
Paupérrimo 366
Pausa 1110
Pausadamente 48
Pausado 45
Pauta 1635
Pautar 1256
Pávido 418
Pavimentación 1323
Pavimentar 1323
Pavimento 1323
Pavonearse 412
Pavor 1192
Pavoroso 2132
Pavura 1192
Payasada 517

Payaso 1871
Paz 312, 1152
Peaje 801
Peatón 818
Pecado 764
Peculiar 1966
Peculiaridad 1499
Peculio 1803
Pecho 2137
Pedagogía 5
Pedagógico 103
Pedagogo 1
Pedante 277
Pedantería 276
Pedazo 634
Pedazos 1476
Pederasta 779
Pedestal 1325
Pedigrí 2143
Pedigüeño 1045
Pedir 1822
Pedregoso 838
Pedrera 838
Pedrusco 837
Pegadura 1341
Pegamiento 1341
Pegar 575, 1341
Pegote 1045
Peinadora 1464
Peinar 1464
Pelada 1429
Pelado 1431
Pelafustán 24
Pelagato 1511
Pelar 628, 1429
Peldaño 1349
Pelea 429, 2222
Peleador 742
Pelear 564, 1175
Pelele 1511
Peliagudo 245
Película 1448
Peligrar 1189
Peligro 1187
Peligrosidad 1187
Peligroso 1189
Pelmazo 548
Pelo 1430
Pelota 2217

Pelotera 429
Pelotón 1078
Peluca 1430
Peludo 1432
Peluquería 2233
Peluquero 1464
Pelusa 1432
Pellejo 1448
Pelliza 2231
Pellizco 634
Pena 80, 526
Penable 1111
Penado 1138
Penal 1137
Penalidad 1127
Penalista 1114
Penar 1130
Penco 2158
Pendencia 429
Pendenciero 742
Pendiente 841, 1235
Pendón 1157
Pene 2139
Penetración 1199
Penetrante 437
Penetrar 1391
Penitenciar 1130
Penitenciaría 1137
Penoso 997, 1727
Pensado 269
Pensador 139, 1543
Pensamiento 129
Pensar 130, 1539
Pensativo 1543
Pensión 829, 1697
Pensionado 1678
Pensionar 1697
Pensionista 831
Penumbra 2074
Penuria 364
Peña 505, 837
Peñasco 837
Peñascoso 838
Peor 1660
Pepita 2180
Pequeñez 1744
Pequeñín 709
Pequeñísimo 709
Pequeño 708, 1742

Percance 929
Per cápita 1832
Percatarse 18
Percepción 323
Perceptible 196
Percibir 18, 1164
Percudir 1491
Percha 1492
Perder 919, 1754
Perderse 918
Pérdida 1750
Pedido 883
Perdón 1128, 1150
Perdonable 1105
Perdonado 86, 1129
Perdonar 308, 1129
Perdonavidas 281
Perdurable 1530
Perdurar 1721
Perecedero 2001
Perecer 600
Peregrinación 816
Peregrinaje 816
Peregrino 725, 817
Perengano 612
Perenne 1530, 2002
Perentorio 1775, 1787
Pereza 40, 1403
Perezoso 24, 42
Perfección 19, 1455
Perfeccionado 1988
Perfeccionamiento 1731
Perfeccionar 1987
Perfeccionarse 1729
Perfecto 1458, 1659
Perfidia 1594
Pérfido 1592
Perforación 1370
Perforar 1370
Performance 2195
Perfumado 1437
Perfumar 1434
Perfume 1435
Pergamino 66
Pérgola 1352
Pericia 34
Pericote 2159
Periferia 803
Perillán 1051

Perímetro 2225
Periodicidad 1715
Periódico 1994
Periodismo 1994
Periodista 1927
Período 1525
Peripecia 1953
Peripuesto 1509
Periquete 1532
Perito 31
Perjudicado 1752
Perjudicar 1748
Perjudicarse 1754
Perjudicial 949, 1746
Perjuicio 1750
Perjurar 2018
Perjuro 1592
Permanecer 1391
Permanencia 832
Permanente 1530, 1710
Permeable 1333
Permisible 761
Permiso 406
Permitido 1023
Permitir 753
Permuta 1829
Permutable 1830
Permutar 1830
Pernicioso 949
Pernio 1366
Perno 1366
Pernoctar 824
Pero 169
Perorar 1267
Perorata 124
Perpendicular 812
Perpetrar 1097
Perpetuar 2000
Perpetuidad 2000
Perpetuo 2002
Perplejidad 248
Perplejo 496, 1788
Perquirir 1075
Perrada 2160
Perrería 2160
Perro 2160
Persecución 1077
Perseguimiento 1077
Perseguir 1083

Perseverancia 14, 1723
Perseverante 1719
Perseverar 22, 1721
Persiana 1353
Persignarse 2016
Persistencia 1723
Persistente 1719
Persistir 22, 1721
Persona 624
Personas 1244
Personaje 1871, 1911
Personal 202, 1680
Personalidad 1499
Personalismo 352
Personalista 354
Personarse 654
Personificar 1876
Perspectiva 257, 1303
Perspicacia 35
Perspicaz 38
Perspicuo 126
Persuadir 1269
Persuadirse 194
Persuasión 247
Persuasivo 128
Pertenecer 2237
Perteneciente 2237
Pertenencia 1371
Pertinancia 1142
Pertinaz 1146
Pertinente 1641
Pertrechar 1179
Petrechos 1179
Perturbable 330
Perturbación 1292
Perturbado 314, 1550
Perturbador 1299
Perturbar 310, 993
Perturbarse 1553
Perversidad 300
Perversión 766
Perverso 298
Pervertido 768
Pervertir 775
Pervertirse 777
Pesadez 484
Pesadilla 985, 2032
Pesado 548, 858
Pesadumbre 526

Pésame 1011
Pesar 526, 1837, 460
Pesaroso 1145
Pescar 1087, 2150
Pescuezo 2136
Pesebre 2157
Pesebrara 2157
Pesimismo 392
Pesimista 394
Pésimo 1660
Peso 1837
Pesquisa 183
Pesquisar 1075
Pestañeo 1497
Peste 959
Pestífero 1438
Pestilencia 1436
Pestilente 1438
Pestillo 1366
Petaca 782
Petardista 1045
Petición 1785
Petimetre 1510
Petiso 708
Petitoria 1676
Pétreo 838
Petróleo 906
Petulancia 276
Petulante 277
Pezón 2137
Piadoso 303, 2009
Piara 2142, 2240
Picacho 861
Picado 285
Picante 630
Picapleitos 1114
Picaporte 1366
Picar 635
Picardía 521
Pícaro 527
Picarse 307
Picazón 960
Picnic 505
Pico 861
Pie 2140
Piedad 302, 1150
Piedra 837
Piel 1448
Piélago 865

Pierna 2140
Pienso 2147
Pieza 825, 903
Pifia 210
Pifiar 2213
Pigmentado 2097
Pigmento 2097
Pigmeo 709
Pignorar 1798
Pila 2152
Pilar 1325
Pilastra 1325
Píldora 945
Pilón 2152
Pilotar 898
Pilotear 898
Piloto 897
Pillaje 1212
Pillar 1080
Pillería 1056
Pillete 1051
Pillo 1051
Pimpollo 2183
Pinacoteca 1864
Pináculo 861
Pincel 1894
Pinchazo 927
Pinche 1682
Pingajo 1480
Pingüe 377
Pinta 1496
Pintado 2097
Pintar 1895, 2097
Pintarrajear 1895
Pintarse 1450
Pintor 1893
Pintoresco 722
Pintorrear 1895
Pintura 1896
Pío 2009
Piola 1844
Pionero 1515
Pipa 645, 782
Pipí 962
Pipiolo 1665
Piquete 1078
Pira 2187
Piragua 871
Pirata 881

Piratería 1212
Piromaníaco 2189
Piropear 557
Piropo 339
Pirueta 1903
Pisada 1073
Pisar 1350
Piscina 890
Piso 1323
Pisotear 1350
Pista 786, 1073
Pistola 1181
Pita 1844
Pitar 781
Pitillera 782
Pitillo 781
Pito 2217
Pitonisa 2052
Pitorrearse 486
Pitorreo 488
Pizca 634
Pláceme 87
Placentero 547
Placer 533
Placidez 283
Plácido 287, 313
Plaga 959
Plagiado 137
Plagiar 132
Plagiario 133
Plagio 136
Plan 102, 1314
Plana 106
Plancha 1316, 1924
Planchar 1492
Planear 894, 1169
Planeta 2065
Planicie 835
Planificación 1169
Planificar 1169
Planisferio 2068
Plano 859, 1314
Planta 1703, 2171
Plantación 2179
Plantar 2181
Planteamiento 1271
Plantear 173, 1271
Plantel 89
Plantificar 575

Plantío 2179
Plañidero 514
Plañido 531
Plañir 536
Plasmar 1899
Plástico 852
Plata 1263
Plataforma 101
Plática 124, 427
Platicar 455
Platónico 773
Plausible 83, 1040
Playa 868
Plaza 505, 1675
Plazo 1771
Plazoleta 505
Plazuela 505
Pleamar 867
Plebeyez 1505
Plebiscito 1272
Plegar 1841
Plegaria 2016
Pleitear 1791
Pleito 1112
Plenipotenciario 1251
Pleno 1836
Pleonasmo 451
Plétora 363
Pletórico 1836
Pléyade 1567
Pliego 106
Pliegue 1485
Plomizo 2091
Plumero 1441
Plusvalía 1816
Población 1376
Poblado 1377
Poblador 1376
Poblar 1380
Pobre 366, 668
Pobretón 366
Pobreza 364
Pobrísimo 366
Pocilga 827
Pocillo 659
Pócima 943
Poción 647, 943
Poco 380
Podar 2186

Poder 144, 1257
Poderío 1229
Poderoso 1911
Podredumbre 953
Podrido 642
Podrir 951
Podrirse 642
Poema 1875
Poesía 1875
Poeta 1875
Poético 2038
Polémica 1305
Polemista 1307
Polemizar 1307
Polen 593
Policía 1140
Policlínica 937
Polícromo 2088
Polichinela 1904
Poligráfico 203
Polinización 589
Politeísta 2027
Político 1253
Polizonte 1140
Poltrón 42
Poltronería 40
Polución 953
Polvillo 2235
Polvo 2235
Polvorín 1179
Pollera 2231
Pollino 2159
Pomada 1449
Pompa 371
Pomposo 373
Ponderación 469, 1541
Ponderado 374
Ponderar 460, 467
Ponencia 1121
Ponente 1117
Poner 1643
Poniente 2072
Ponzoña 955
Ponzoñoso 957
Popa 872
Pope 2023
Populacho 1479
Popular 1921
Popularidad 1919

Popularizar 1943
Populoso 1377
Popurri 1877
Poquedad 419
Poquísimo 380
Poquito 380
Porcentaje 1796
Porción 119, 634
Porche 1354
Pordiosear 366
Pordiosero 366
Porfía 756
Porfiado 758
Porfiar 171
Pormenor 1932
Pormenorizado 449
Pormenorizar 474
Pornografía 772
Pornográfico 774
Poroso 853, 1333
Porque 1098
Porquería 1439
Porrazo 797
Porro 37
Porrón 645
Portaaviones 871
Portada 1351, 1959
Portaestandarte 1158
Portal 1351
Portamonedad 1465
Portapliegos 105
Portarse 1502
Portátil 1857
Portavoz 1348, 1994
Porte 707, 1496
Portento 2046
Portentoso 2040
Portería 1681
Portero 1681, 2217
Portezuela 1365
Pórtico 1351
Portillo 1365
Portón 1365
Porvenir 1514, 1668
Posada 829
Posadero 830
Posar 824
Posbélico 1154
Pose 1497

Poseer 1803
Posesión 1371
Posesionarse 1274
Posguerra 1154
Posibilidad 257
Posibilitar 241
Posible 254
Posiblemente 229
Posición 1703, 2227
Positivista 352
Positivo 250
Poso 647
Posponer 1772
Pospuesto 1235, 1810
Postal 1967
Poste 1241
Poster 1959
Postergación 1773
Postergable 1776
Postergado 1235, 1810
Postergar 1772
Posteridad 618, 1514
Posterior 1516
Posterioridad 1518
Posteriormente 1516
Postguerra 1154
Postillón 897
Postizo 1430
Postor 1793
Postración 396, 696
Postrado 398
Postrar 400
Postrarse 2013
Postrer 128
Postrero 128
Postrimería 1916
Postulación 1266
Postulante 54, 1265
Postular 1822
Postura 1054, 1497
Potable 648
Potaje 649
Potencia 695, 1237
Potencial 150
Potentado 365
Potente 699
Potestad 1257
Potranca 2158
Potro 2158

Poza 2121
Práctica 34, 2197
Practicable 254
Practicante 938
Practicar 1683, 2198
Práctico 31, 151
Pradera 835
Prado 822
Pragmático 2036
Pravedad 300
Preámbulo 1957
Prebenda 1675
Precario 1709
Precaución 1555
Precaver 158
Precavido 1557
Precedencia 1517
Precedente 1515
Preceder 1515
Precepto 1258
Preceptor 1
Preceptuar 1256
Preces 2016
Preciado 1659
Preciar 539
Precio 1838
Preciosidad 1455
Precioso 1453
Precipicio 862
Precipitación 1556
Precipitaciones 2110
Precipitado 1558
Precipitar 925
Precipitarse 1059
Precisar 224
Precisión 95, 209
Preciso 61, 1787
Precitado 1968
Preclaro 1911
Preconcebido 268
Preconcebir 1539
Preconizar 82
Precoz 26
Precursor 1515
Predecir 2054
Predestinación 2062
Prédica 2012
Predicador 125
Predicar 1267

Predicción 2053
Predicho 1968
Predilección 555
Predilecto 571
Predio 2169
Predisposición 121
Predominar 1913
Predominio 1663
Preeminencia 1663
Prefacio 1957
Preferencia 121, 1809
Preferible 1659
Prefrido 571, 1673
Preferir 557, 1671
Pregonar 1943
Pregunta 57
Preguntar 55
Preguntón 1572
Prehistoria 1522
Prehistórico 1523
Prejuicio 1502
Prejuzgar 1933
Prelación 1517
Prelado 2023
Preliminar 1515
Preludiar 1882
Preludio 1882
Prelusión 1957
Prematura 2176
Premeditadamente 265
Premeditado 268
Premeditar 1539
Premiar 78, 1701
Premio 79
Premonición 2053
Premura 43
Prenda 1482, 1797
Prendarse 563
Prender 1085
Prendero 1825
Prensa 1994
Prensar 1487
Preñada 597
Preñar 591
Preñez 597
Preocupación 311, 1555
Preocupado 314
Preocupar 310
Preocuparse 22

Preparación 6
Preparado 51, 1637
Preparador 2193
Preparar 1637
Preparativos 1169
Preparatorio 104
Preponderancia 1663
Preponderar 1913
Prepotencia 1229
Prepotente 1911
Prerrogativa 1809
Presa 1212
Presagiar 2054
Presagio 2053
Presbítero 2023
Presciencia 2053
Prescindible 178
Prescindir 156
Prescribir 942, 1628
Prescripción 180, 942
Prescrito 180
Presencia 93
Presenciar 1868
Presentable 1413
Presentación 1864
Presentar 189, 655
Presentarse 654, 1394
Presente 93, 1047
Presentes 1869
Presentido 268
Presentimiento 2056
Presentir 219, 2054
Preservación 954
Preservar 1060
Presidencia 1613
Presidente 1288, 1614
Presidiario 1138
Presidio 1137
Presidir 1255
Presión 182, 794
Presionar 1783
Preso 1138
Prestación 1767
Prestado 1819
Prestamista 1761
Préstamo 1767
Prestancia 1506
Prestar 1769
Presteza 39

Prestidigitación 1906
Prestidigitador 1905
Prestigio 347, 1919
Prestigioso 1911
Presto 1513
Presumido 277
Presumir 219, 412
Presunción 225, 276
Presuntivo 1274
Presunto 1099
Presuntuoso 277
Presuponer 1539
Presuposición 225
Presupuesto 1700
Presuroso 46
Pretencioso 277
Pretender 143, 1822
Pretendiente 578, 1265
Pretensión 570
Pretensiones 355
Preterir 1534
Pretérito 1520
Pretextar 652
Pretexto 1786
Pretil 1349
Prevalecer 1913
Prevaricación 1036
Prevaricar 1097
Prevención 1555
Prevenido 51
Prevenir 158, 188
Preventivamente 1085
Prever 2054
Previamente 127
Previo 1515
Previsible 268
Previsión 1698, 1757
Previsor 1557
Previsto 268
Prima 1699
Primacía 1663
Primado 1251
Primario 104
Primeramente 127
Primero 127, 1513
Primitivo 1523
Primogénito 620
Primor 1455
Primordial 1739

Primoroso 1453
Principal 1661, 1739
Principalmente 1938
Príncipe 1287
Principiante 1665
Principiar 1627
Principio 595, 1630
Principios 104
Priorato 2026
Prioridad 1517
Prisa 43
Prisión 1137
Prisionero 1138
Prismáticos 1494
Privación 677
Privado 202, 2057
Privar 386, 1702
Privarse 156
Privativo 2057
Privilegiado 571
Privilegio 1809
Proa 872
Probabilidad 257
Probable 254
Probablemente 229
Probado 149
Probar 69, 143, 650
Probatorio 430
Probidad 1035
Problema y
Problemático 150, 249
Probo 1033
Procacidad 420
Procaz 414
Procedencia 595
Procedente 1641
Proceder 155, 594, 1501
Procedimiento 1635
Proceloso 2114
Prócer 1227
Procesado 1125
Procesar 1113
Procesión 796
Proceso 1112
Proclama 1255
Proclamación 1274
Proclamado 1274
Proclamar 1256, 1274
Proclive 1591

Prótesis 970
Protesta 1785, 1924
Protestar 70, 748
Protocolo 1254
Prototipo 1567
Protuberancia 923
Provecto 606
Provecho 1749
Provechosamente 1737
Provechoso 950, 1733
Proveedor 1825
Proveer 625
Provenir 594
Proverbial 723
Proverbio 1954
Providencia 2062
Providencial 1564
Provincia 1238
Provinciano 1240
Provisión 625
Provisional 1709
Provisiones 625
Provisorio 1709
Provisto 625
Provocación 744
Provocador 742
Provocar 157, 281
Provocativo 742
Proxeneta 775
Próximamente 1514
Proximidad 1385
Proximidades 1389
Próximo 1387
Proyectar 1169
Proyectil 1182
Proyectista 1313
Proyecto 153, 1169
Prudencia 423, 1555
Prudente 1557
Prueba 57, 147
Prurito 960
Psicópata 1550
Psicosis 1547

Psique 1999
Psiquiatra 1550
Psíquico 2021
Púber 583
Pubertad 611
Publicación 1945, 1994
Publicaciones 1961
Publicar 1943, 1992
Publicidad 1945
Publicista 1927
Publicitar 1942
Público 1869, 2058
Pucho 781
Pudibundo 769
Pudicia 771
Púdico 769
Pudiente 365
Pudor 771
Pudoroso 769
Pudrirse 642
Pueblerino 1240
Pueblo 1237, 1290
Puerco 1414, 2163
Pueril 273, 1742
Puerta 1365
Puerto 870
Pues 1937
Puesta 2072
Puesto 1675
Púgil 2222
Pugilato 2222
Pugna 1151
Pugnar 409
Puja 1793
Pujante 699
Pujanza 1404
Pulcritud 1440
Pulcro 1413
Pulido 1988
Pulimentar 2083
Pulir 1987, 2083
Púlpito 2012
Pulsación 976

Pulsar 976, 1878
Pulsera 1466
Pulular 800
Pulverizado 636
Pulverizar 635
Pulla 488
Punción 969
Pundonor 331
Punible 1111
Punición 1127
Punir 77
Punta 861
Puntaje 2210
Puntal 1325
Puntilloso 330
Punto 821, 1929
Puntuación 110
Puntual 99
Puntualidad 95
Puntualizar 224
Unzante 550
Puñado 1264
Puñal 1180
Puñalada 1068
Puñetazo 574
Puñete 574
Pupilo 2
Pureza 765
Purgante 961
Purgar 1066
Purificación 613
Purificar 952
Puritano 516
Puro 773
Púrpura 2092
Purpúreo 2092
Purulento 957
Pusilánime 418
Pusilanimidad 419
Puta 777
Putrefacción 953
Putrefacto 953
Pútrido 953
Puzzle 506

Q

Quebrada 835
Quebradizo 852
Quebrado 1477
Quebradura 1473
Quebrantar 76
Quebranto 526, 1750
Quebrar 1475
Quebrazón 1473
Quedamente 438
Quedar 1391, 375
Quedo 438
Quehacer 1675
Queja 531
Quejarse 989
Quejido 531
Quejoso 514
Quejumbroso 514
Quema 2187
Quemado 2102, 2190

Quemante 2101
Quemar 2189
Quemarse 2102
Quemazón 2187
Quepis 1483
Querella 1112
Querellante 1791
Querellarse 1791
Querendón 561
Querer 557
Quererse 563
Querido 560
Quevedos 1494
Quid 1098
Quídam 624
Quiebra 1750
Quietar 309
Quieto 313
Quietud 312

Quijada 2135
Química 2044
Quimérico 2033, 2040
Quimono 2231
Quincena 1528
Quincenal 1528
Quinqué 1357
Quinqueneo 1527
Quinta 1375
Quiosco 1352
Quirófano 968
Quiromancia 2053
Quisquilloso 330
Quiste 932
Quitar 386, 1027
Quitasol 1353
Quizá 229
Quizás 229
Quórum 1275

R

Rabia 284
Rabiar 307
Rabieta 615
Rabioso 288
Rabo 2141
Racimo 1360
Raciocinar 1539
Raciocinio 58, 1935
Ración 660
Racional 1041, 1559
Racionalista 2034
Racionalmente 1561
Racionar 1832
Rada 866
Radiante 527
Radiar 2079

Ramera 777
Radicar 729
Radicarse 833
Radiograma 1971
Raer 1429
Ráfaga 2073, 2116
Raído 1470
Raíz 595
Raja 1337
Rajar 336, 633
Ralea 1495
Rallador 636
Rallar 635
Rama 805
Ramaje 2171
Ramal 805

Radical 1739
Ramificación 805
Ramificarse 808
Ramillete 1360
Ramo 102, 1360
Rampa 841
Ramplón 1504
Ramplonería 1505
Rancio 642
Rancho 828
Rango 1703
Ranking 2210
Ranura 1337
Rapacidad 1048
Rapar 1429
Rapaz 605

Rápidamente 47
Rapidez 43
Rápido 46
Rapiña 1048
Rapiñar 1050
Raptar 1071
Rapto 284, 1071
Raquero 881
Raquítico 700
Raquitismo 644
Raramente 1714
Rareza 728
Raro 724
Rasar 944
Rascar 2162
Rasgado 1473
Rasgadura 1473
Rasgar 1471
Rasgo 1500
Rasgón 1473
Rasgos 1447
Rasguear 1878
Rasguñar 2162
Raso 859
Raspador 636
Raspar 1342
Rastrear 1075
Rastreo 183
Rastrero 334
Rastrillar 2178
Rastro 1073
Rasurado 1429
Rasurar 1429
Rata 2159
Ratear 1050
Ratería 1048
Ratero 1046
Ratificación 162
Ratificado 1710
Ratificar 159
Rato 1532
Ratón 2159
Raudal 864
Raudo 46
Raya 107
Rayar 107
Rayo 2123
Raza 617
Razón 1098, 1548

Razonable 1041, 1559
Razonablemente 1561
Razonadamente 1561
Razonado 1559
Razonamiento 58, 1935
Razonar 69
Razzia 1089
Reaccionar 748
Reaccionario 1279
Reacio 74, 1146
Reactor 903
Readmitir 1692
Reafirmar 171
Reajuste 1701
Real 61, 2039
Realce 1915
Realidad 2043
Realista 2034
Realizable 254
Realización 154
Realizado 1236, 1919
Realizar 155, 1815
Realmente 231
Realzar 335
Reanimado 983
Reanimar 988
Reanimarse 990
Reanudar 1144, 1712
Rebaja 1813
Rebajado 1817
Rebajar 1702, 1815
Rebajarse 1914
Rebanada 634
Rebanar 633
Rebaño 2142, 2240
Rebasar 421
Rebatible 252
Rebatir 160
Rebato 1168
Rebelarse 76, 748
Rebelde 74, 1297
Rebeldía 1292
Rebelión 1296
Reblandecer 638
Reblandecerse 315
Rebosante 1836
Rebosar 1834
Rebotar 503
Rebote 503

Rebozo 1408
Rebujo 1408
Rebullicio 436
Rebuscado 1510, 1965
Rebuscamiento 1508
Rebuscar 1075
Rebuznar 2165
Recabar 1822
Recadero 1972
Recado 1974
Recaer 1144
Recaída 964
Recalar 879
Recalcar 1269
Recalcitrante 1146
Recámara 825
Recambio 903
Recapacitar 1539
Recapitular 473
Recargado 373, 858
Recargar 1816
Recargo 1814
Recatado 769, 1571
Recatar 190
Recato 275
Recaudación 1766
Recaudador 1766
Recaudar 1763
Recaudo 1766
Recelar 222
Recelo 567
Receloso 274
Recepción 655, 1397
Receptáculo 1331
Receptor 1794
Receso 1110
Receta 942
Recetar 942
Recibimiento 1397
Recibir 749
Recibirse 92
Recibo 1570
Reciedumbre 695
Recién 1519
Reciente 1469, 1519
Recinto 2225
Recio 699
Récipe 942
Recipiente 1331

Reciprocidad 733
Recíproco 1611
Recitación 1875
Recitador 1875
Recital 1877
Recitar 1875
Reclamación 1122, 1785
Reclamante 1791
Reclamar 70, 1783
Réclame 1945
Reclinarse 1409
Reclinatorio 2013
Recluido 1092
Recluir 1085
Reclusión 1601
Recluso 1138
Recluta 1173
Reclutamiento 1153
Reclutar 1153
Recobrar 1072, 1770
Recobrarse 328, 983
Recobro 1030
Recodo 814
Recoger 798, 2185
Recogimiento 1541
Recolección 2185
Recolectar 2185
Recolector 1766
Recomendable 1670
Recomendación 181
Recomendar 337, 1670
Recompensa 79, 1699
Recompensar 78, 1701
Reconcentrarse 1539
Reconciliación 430
Reconciliar 739
Reconciliarse 308
Recóndito 195, 2029
Reconfortar 988
Reconocer 1096, 1196
Reconocido 389
Reconocimiento 387, 939
Reconquista 1229
Reconquistar 1225
Reconstituir 1232
Reconstituyente 943
Reconstrucción 1234
Reconstruir 1232
Reconvención 88

Reconvenir 81, 343
Recopilación 1952
Recopilar 1951
Récord 2195
Recordable 1537
Recordación 1535
Recordar 15, 1533
Recordatorio 1537
Recordman 2195
Recorrer 787
Recorrido 785
Recortar 1316, 2186
Recostado 1409
Recostarse 1409
Recreación 507
Recrear 501
Recrearse 535
Recreo 507
Recriminación 88
Recriminar 343
Recrudecer 984
Recrudecimiento 964
Rectificable 1646
Rectificación 1986
Rectificar 174, 1985
Rectificarse 174
Rectitud 1035, 2207
Recto 813, 1670
Rector 3
Recuento 1273
Recuerdo 1535
Reculada 1200
Recular 1202
Recuperación 963, 1030
Recuperado 983
Recuperar 1072, 1770
Recuperarse 983
Recurrir 1131
Recurso 1122
Recursos 1803
Recusable 1124
Recusar 754
Rechazado 752, 1674
Rechazar 160, 754
Rechazo 760
Rechifla 1924
Rechiflar 1926
Rechoncho 694
Redacción 110

Redactar 1928
Redactor 1927
Redada 1089
Redargüir 70
Redención 1072
Redimir 1220
Rédito 1749
Redituar 1753
Redivivo 2045
Redoma 645
Redomado 38
Redondeado 809
Redondel 2191
Redondez 810
Redondo 809
Reducción 470, 48
Reducido 115, 475
Reducimiento 481
Reducir 468, 1815
Reducto 1162
Redundancia 451
Redundante 449
Redundar 157
Reedición 1960
Reedificación 1234
Reedificar 1232
Reeditar 1992
Reelecto 1274
Reelegido 1274
Reembolsar 1032
Reembolso 1030
Reemplazable 178
Reemplazante 1709
Reemplazar 1672
Reemplazo 1684
Refectorio 659
Referee 2193
Referencia 1669
Referencias 1956
Referéndum 1272
Referente 1929
Referido 1968
Referir 1942
Refinado 1216
Refinamiento 1506
Reflector 2078
Reflejar 1943
Reflejarse 1354
Reflejo 270

Reflexión 1541
Reflexionado 268
Reflexionar 1539
Reflexivamente 265
Reflexivo 1543
Reforma 1657
Reformable 1646
Reformador 1280
Reformar 776, 1655
Reformarse 778
Reformatorio 1137
Reforzar 1161
Refractario 1146, 2188
Refrán 1954
Refrenar 402
Refrenarse 422
Refrendación 1621
Refrendar 1256
Refrescar 2108
Refresco 647
Refriega 1151
Refrigeración 1364
Refrigerador 1364
Refrigerante 1364
Refrigerar 2108
Refrigerio 661
Refuerzo 1062
Refugiado 1249
Refugiarse 1195
Refugio 1081, 1188
Refulgencia 2073
Refulgente 2075
Refulgir 2079
Refunfuñador 489
Refunfuñar 520
Refunfuño 285
Refutable 252
Refutación 161
Refutar 160, 1120
Regable 2173
Regadío 2173
Regadizo 2173
Regalado 1817
Regalar 1049
Regalía 1809
Regalo 1047
Regalón 571
Regalonear 616
Regañado 85

Regatear 1818
Regañón 489
Regazo 614
Regar 2173
Regañar 81, 564
Regaño 88
Regenerar 776
Regenerarse 778
Regentar 1255
Regencia 1613
Regente 1614
Registrar 1075, 1995
Región 1237, 2228
Regional 1286
Regir 1255
Regidor 1260
Régimen 677, 1258
Regimiento 1155
Regio 1503
Regicida 1070
Registro 90, 183
Regla 1635
Reglamentación 1635
Reglamentado 1023, 1308
Reglamentar 1256, 1636
Reglamentario 1023
Reglamento 1258
Reglar 1636
Regocijado 527
Regocijador 513
Regocijar 523
Regocijarse 519, 535
Regocijo 525
Regodearse 535
Regordete 694
Regresar 1134, 1399
Regresión 1650
Regresivo 1650
Regreso 1136, 1396
Regulado 1308
Regular 1256, 1660
Regularidad 95
Regularizar 1636
Rehabilitación 1692
Rehabilitado 1694
Rehabilitar 1692
Rehacer 1985
Rehacerse 778
Rehén 1092

Rehuir 407
Rehusar 652, 754
Reimprimir 1992
Reincidente 1146
Reincidir 1144
Reincorporado 1694
Reincorporar 1692
Reino 1277
Reinstalado 1694
Reintegración 1030
Reintegrar 1032, 1770
Reintegro 1030, 1765
Reír 535
Reírse 519
Reiteración 1715
Reiterado 449
Reiterar 171, 1144
Reivindicado 1694
Reivindicar 1783
Reja 1344
Rejuvenecer 607
Rejuvenecimiento 607
Relación 656, 1607
Relacionado 1929
Relacionar 739, 1609
Relacionarse 656
Relajación 317
Relajado 320
Relajamiento 317
Relajar 315
Relámpago 2123
Relatar 1942
Relatividad 2063
Relativo 1929
Relato 1949
Relator 1117, 1927
Relax 317
Releer 108
Relegación 1135
Relegar 1133
Relente 2109
Relevancia 1663
Relevante 141, 1911
Relevar 176, 1672
Relevo 1684
Relieve 923
Religión 2005
Religiosidad 2005
Religioso 2009

Reliquia 2049
Reluciente 2075
Relucir 2079
Relumbrante 2075
Relumbrar 2079
Rellenar 1833
Relleno 1836
Remachar 1326
Remache 1326
Remador 882
Remanente 1795
Remar 882
Rematar 1628, 1793
Remate 1320, 1793
Remedable 1908
Remedador 133
Remedar 132, 1908
Remediable 1989
Remediar 1060
Remedio 943
Remedo 1907
Remembranza 1535
Remembrar 1533
Rememoración 1535
Rememorar 1533
Rememorativo 1537
Remendar 1481
Remero 882
Remesa 1861
Remesar 1859
Remezón 2129
Remiendo 1474
Remilgo 1497
Reminiscencia 1535
Remisible 1105
Remitir 1859
Remo 884
Remoción 1689
Remojar 1443
Remolcador 899
Remolcar 1856
Remolino 2117
Remolón 24
Remolque 1855
Remontar 843
Remontarse 893
Rémora 240
Remorder 310
Remordimiento 1141

Remoto 1390, 1523
Remover 1685, 1691
Remozar 607
Rempujón 794
Remudar 1672
Remuneración 1699
Remunerar 1701
Remunerativo 1745
Renacer 2046
Rencilla 429
Rencor 556
Rencoroso 1147
Rendición 1206
Rendido 1298, 1726
Rendija 1337
Rendimiento 1749
Rendir 1225, 1753
Rendirse 1176
Renegar 1589, 2018
Rengo 936
Reniego 2022
Renombrado 1911
Renombre 347, 1919
Renovable 1776
Renovación 1657
Renovador 1280
Renovar 1655
Renquear 936
Renta 1749
Rentado 1373, 2194
Rentar 1753
Rentista 365
Renuente 74
Renuevo 2183
Renuncia 1696
Renunciación 1696
Renunciamiento 1696
Renunciante 1678
Renunciar 172, 1697
Renuncio 212
Reñido 1211
Reñir 81, 564
Reo 1125
Reorganización 1657
Reorganizar 1655
Repantigarse 1865
Reparable 1989
Reparación 464, 1474
Reparado 1478

Reparador 1472
Reparar 1164, 1472
Reparo 88
Reparón 342
Repartición 1796
Repartir 1832
Reparto 1796
Repasar 108
Repaso 108
Repatriación 1136
Repatriar 1134
Repecho 841
Repelente 562
Repeler 553
Repentinamente 266
Repentino 267
Repercusión 1743
Repercutir 1943
Repetición 451, 1715
Repetido 449
Repetir 1144, 1656
Repicar 1346
Repiquetear 1346
Repisa 1356
Repitiente 63
Replegarse 1202
Repletar 1833
Repleto 1836
Réplica 58
Replicar 56
Repliegue 1200
Reponer 1032, 1692
Reponerse 328, 983
Reportación 986
Reportaje 1949
Reportero 1927
Reposado 741, 1728
Reposar 1421
Reposición 1030
Reposo 312
Repostería 683
Reprender 81
Reprendido 85
Reprensible 84
Reprensión 88
Represa 863
Represalia 1149
Representación 1867
Representante 1614

Representar 1672, 1876
Representivo 722
Represión 404, 1983
Represivo 1983
Reprimenda 88
Reprimir 402
Reprimirse 422, 432
Reprobable 84
Reprobación 760, 1924
Reprobado 63
Reprobar 81, 1926
Réprobo 2020
Reprochable 84
Reprochado 85
Reprochador 342
Reprochar 81, 343
Reprocho 88
Reproducción 136, 589
Reproducir 132, 1992
Reproducirse 586
Reproductor 587
Reptar 2141
Repudiado 752
Repudiar 553
Repudio 580
Repuesto 903, 983
Repugnancia 552
Repugnante 1454
Repugnar 1438
Repulsa 1268
Repulsar 553
Repulsión 552
Repulsivo 1454
Repuntar 1753
Reputación 347, 1919
Reputado 1911
Reputar 460
Requebrar 576
Requerimiento 1785
Requerir 1783
Requiebro 339, 573
Réquiem 1006
Requisar 1027
Requisición 1029
Requisito 1667
Res 2142
Resabio 766
Resaca 867
Resaltar 1913

Resarcimieno 1697
Resarcir 1066, 1701
Resbaladizo 799
Resbalar 797
Resbalón 797
Resbaloso 799
Rescatar 1072, 1220
Rescate 1072
Rescindir 1632
Rescindido 180
Rescisión 1634
Rescoldo 2187
Resentido 285
Resentlmiento 736
Resentirse 307
Reseña 1949
Reseñar 1942
Reserva 625, 1574
Reservado 202, 445
Reservar 1020, 1759
Resfriado 977
Resfriarse 978
Resfrío 977
Resguardado 1190
Resguardar 1060
Resguardarse 1195
Residencia 1375
Residencial 829
Residente 1376
Residir 833
Residuo 114
Residuos 1336
Resignación 992, 1696
Resignado 757
Resignar 1722
Resignarse 172, 990
Resistencia 855, 1292
Resistente 851, 1725
Resistible 761
Resistir 408, 1203
Resolución 1121, 1723
Resoluto 417
Resolver 1308
Resollar 975
Resonancia 1347, 1758
Resonante 1348, 2125
Resonar 1346
Resoplar 975
Respaldar 1060

Respetado 543
Respetable 333, 1052
Respecto 1929
Respectivos 2238
Respectivo 2237
Respectar 1929
Respetar 335, 539
Respeto 541
Respetuoso 279, 416
Respiración 971
Respirar 973
Resplandecer 2079
Resplandeciente 2075
Resplandor 2073
Responder 56
Responsabilidad 1779
Responsabilizar 1779
Responsable 99
Respuesta 58
Resquebrajado 1337
Resquebrajadura 1337
Resquebrajar 1475
Resquemor 736
Resquicio 257, 1337
Resta 114
Restablecer 1692
Restablecerse 983
Restablecido 1694
Restablecimiento 963
Restallar 2142
Restañar 969
Restar 112
Restauración 1234, 1474
Restaurado 1478
Restaurador 1472
Restaurante 659
Restaurar 1472
Restitución 1030
Restituido 1694
Restituir 1692, 1770
Resto 114, 1795
Restos 1336
Restregar 1442
Restricción 405
Restrictivo 1983
Restricto 1312
Restringido 378
Restringir 402
Resucitado 2045

Ritmo 1883
Ritual 1254, 2012
Rival 738, 2200
Rivalidad 736
Rivalizar 2200
Rizado 1430
Rizar 1430
Rizo 1430
Robar 1050
Roblón 1326
Robustecer 698
Robustez 695, 981
Robusto 699
Roca 837
Roce 2230
Rociar 1443
Rocín 2158
Rocinante 2158
Rocío 2109
Rocoso 838
Rodar 797, 915
Rodear 1083
Rodeo 814, 1786
Roer 1332, 2148
Rogar 1131
Rogativa 2016
Roído 1734
Rojizo 2092
Rojo 2092
Rol 90
Rollizo 694
Romadizo 977
Romántica 565
Romántico 773
Romanza 1887

Romería 816
Romo 1460
Rompecabezas 506
Rompeolas 869
Romper 1475, 1610
Rompible 852
Rompimiento 562, 1309
Ronco 978
Ronda 1078
Rondar 1978
Rondín 1140
Ronquera 977
Ronzal 2155
Roña 1439
Roñoso 1414
Ropa 1482
Ropaje 1482
Ropavejero 1825
Ropero 1356
Rorro 605
Rostro 1447
Rotación 913
Rotar 915
Rotativa 1991
Rotativo 1994
Roto 1477, 1734
Rótulo 1852, 1959
Rotundo 1787
Rotura 1473
Roturar 2178
Rozagante 529
Rozamiento 1309, 2177
Rozar 576, 2230
Rozarse 656
Roznar 2165

Rubor 419
Ruborizado 413
Ruborizarse 411
Rúbrica 1620
Rubricado 1620
Rubricante 1620
Rubricar 1619
Rudeza 292
Rudimentario 104
Rudimentos 104
Rudo 293
Rueda 905, 1711
Ruedo 810, 2191
Ruego 2016
Rufián 1034
Rugir 2165
Rugosidad 1462
Rugoso 1460
Ruido 436, 443
Ruidoso 1348
Ruin 334
Ruina 1750
Ruindad 332
Ruinoso 606
Rumbo 914
Rumboso 373
Rumor 441
Rupturar 562, 1608
Rural 1240
Rusticidad 1505
Rústico 1504
Ruta 786, 914
Rutilante 2075
Rutilar 2079
Rutina 727
Rutinario 723

S

Sabana 1408
Sabandija 2141
Saber 30
Sabido 201
Sabiduría 30
Sabio 139
Sable 1181
Sablear 1050

Sablista 1045
Sabor 671
Saboreador 649
Saborear 650
Sabotaje 1687
Sabroso 671
Sacacorchos 646
Sacar 112, 1644

Sacerdote 2023
Saciado 673
Saciarse 666
Saciedad 665
Saco 2223
Sacrificarse 1721
Sacrilegio 2008
Sacrílego 2010

Sacristán 2024
Sacundimiento 2129
Sacudir 1685
Safari 2149
Sagacidad 35
Sagaz 38
Sagrado 2019
Sahumar 1434
Sainar 2147
Sainete 1874
Sajar 969
Sala 101
Salamandra 1363
Salario 1699
Saldar 1764
Saldo 1795
Salero 483
Salida 1365, 1861
Saliente 923
Salir 1392
Saliva 979
Salón 101
Salpicar 1411
Salsa 629
Saltar 503
Saltarín 503
Salteador 1057
Saltear 1059
Saltimbanqui 1902
Salto 1903
Salubérrimo 950
Salubre 950
Salud 981
Saludable 950
Saludar 999
Saludo 1400
Salutífero 950
Salvaguardar 1060
Salvaguardia 820
Salvajada 1209
Salvaje 1215, 2144
Salvajez 1213
Salvajismo 1213
Salvar 1060
Salvarse 934
Salvedad 1312
Salvo 934, 1588
Salvoconducto 820
Sanar 983
Sanatorio 937

Sanción 80, 1127
Sancionable 1111
Sancionado 85, 1130
Sancionar 1130
Sandalias 1484
Sandez 484
Sandunga 395
Sandunguero 491
Sandwich 649
Sanear 952
Sangrar 969
Sangre 617
Sangriento 1211
Sanguinario 1215
Sano 699, 950
Santabárbara 1179
Santiamén 1532
Santificación 2021
Santificado 2019
Santificar 2017
Santiguarse 2016
Santo 2019
Santuario 2011
Santurrón 2018
Saña 284
Sapiencia 30
Sapiente 139
Saqueamiento 1212
Saquear 1050
Saqueo 1212
Sarcasmo 488
Sarcástico 550
Sarcófago 1008
Sardónico 550
Sarta 1715
Sastre 1481
Satán 1998
Satanás 1998
Satánico 2020
Sátira 1962
Satírico 550
Satirizar 486
Satisfacción 367, 525
Satisfacer 485
Satisfactorio 369
Satisfecho 529, 673
Sátrapa 1287
Saturación 665
Sayón 1132
Sazón 2175

Sazonado 630
Sazonar 630
Score 2210
Scorer 2215
Seboso 907
Secano 2174
Secar 1444, 2176
Sección 119
Seccionar 1584
Secesión 1585
Seco 1460, 2176
Secreción 955
Secretamente 198
Secretario 1704
Secreteo 441
Secreto 199, 2029
Secta 618
Sectario 758
Sectarismo 756
Sector 119, 2228
Secuaz 1591
Secuela 596
Secuencia 1715
Secuestrado 1092
Secuestrador 1139
Secuestrar 1071
Secuestro 1071
Secundar 1747
Secundario 1662, 1740
Sed 648
Sedante 986
Sedar 994
Sedativo 986
Sede 1623
Sedentario 784
Sedición 1296
Sedicioso 1297
Sediento 680
Sedimento 647
Seducción 551
Seducir 554
Seductor 549
Segar 2186
Segiar 2028
Segmento 119
Segregación 1585
Segregar 1584
Seguimiento 1077
Seguir 1712
Según 1939

Segundo 1532
Seguramente 164
Seguridad 247, 1188
Seguro 235, 1190
Seismo 2129
Selección 1952
Seleccionado 1673
Seleccionar 1671, 1951
Selecto 1567
Selva 2171
Selvático 2172
Sellar 1970
Sello 1970
Semana 1528
Semanal 1528
Semanario 1994
Semántica 1245
Semblante 2137
Semblanza 1956
Sembradío 2179
Sembrado 2182
Sembradura 2182
Sembrar 2181
Semejante 624, 717
Semejanza 713
Semen 593
Semejar 711
Sementar 2181
Sementera 2182
Semestral 1528
Semestre 1528
Semilla 593, 2180
Semillero 2179
Seminario 89
Sempiterno 2002
Senado 1259
Sencillez 275, 372
Sencillo 246, 278
Senda 786
Sendero 786
Sendos 2238
Senectud 609
Senescente 606
Senil 606
Seno 2137
Sensación 323
Sensacional 724
Sensatez 522, 1555

Sensato 1549, 1557
Sensibilidad 302, 1210
Sensible 303, 330
Sensitivo 303
Sensual 774
Sensualidad 772
Sentarse 1865
Sentencia 1121
Sentenciar 1113
Sentencioso 1254
Sentido 238, 1934
Sentimental 565
Sentimiento 323
Sentir 459, 987, 1164
Sentirlo 1143
Sentirse 307
Señal 1073
Señalado 1958
Señalar 189, 1241
Señalización 1241
Señas 819
Señora 584
Señorial 333
Señorío 331
Señorita 583, 603
Señuelo 2149
Separable 118
Separación 580, 1585
Separado 1582
Separar 1382, 1584
Separarse 582
Separatismo 1585
Sepelio 1012
Septenario 1528
Septenio 1527
Septentrional 2069
Séptico 953
Sepulcro 1008
Sepultador 1009
Sepultar 1013
Sepultura 1008
Sepulturero 1009
Sequedad 2174
Sequía 2174
Sequío 2174
Séquito 1602
Ser 602, 624
Serenado 286
Serenar 309

Serenarse 1554
Serenidad 312, 986
Sereno 287, 313
Seres 1244
Serie 1715
Seriedad 518
Serio 516
Sermón 2012
Sermonear 81
Serpentear 927
Serpiente 2163
Serrar 1316
Serruchar 1316
Servible 1733
Servicial 294
Servicio 295
Servidor 1680
Servidumbre 1680
Servil 334
Servilismo 332
Servir 653, 1747
Servirse 753
Sesión 1586
Sesudo 1557
Seto 1343
Seudo 62
Seudónimo 612
Severidad 518
Severo 516
Sexenio 1527
Sexo 603
Sexy 551
Show 1867
Sí 164
Sibarita 649
Sibila 2052
Sic 1978
Sicario 1067
Sicópata 1550
Sicosis 1547
Sidecar 902
Siega 2185
Siembra 2182
Siempre 234
Sierra 836
Siervo 1224
Sigilación 435
Sigilar 1944
Sigilo 199

Sigilosamente 198
Sigla 1615
Siglo 1527
Signar 1619
Signarse 2016
Signatario 1620
Significación 1743, 1934
Significado 1934
Significar 455, 1936
Significativo 722
Signo 1615, 2062
Siguiente 1516
Silabario 108
Silabear 108
Silbado 1922
Silbar 1926
Silbatina 1924
Silbato 2217
Silbido 1924
Silenciado 1922
Silenciar 187, 1944
Silencio 444
Silencioso 445
Silente 445
Silfo 2031
Silo 2184
Silueta 1896
Silvestre 2172
Silla 1866
Sillón 1866
Sima 862
Simbólico 722
Simbolizar 1876
Símbolo 1615
Simetría 1879
Simétrico 1458
Simiente 593
Símil 717
Similar 717
Similitud 713
Simio 2163
Simpatía 555
Simpático 547
Simpatizante 1591
Simpatizar 493, 545
Simple 246, 278
Simpleza 484
Simplicidad 215
Simplificar 241

Simplón 37
Simposio 1586
Simulación 212
Simulacro 1198
Simulado 2047
Simulador 213
Simular 1095
Simultáneo 167
Sin 378
Sinagoga 2011
Sinceramente 197
Sincerarse 1143
Sinceridad 211
Sincero 214
Sincopar 473
Síncope 935
Sincrónico 167, 731
Sindicar 1103
Sindicarse 1579
Sindicato 1577
Síndrome 939
Sinecura 1675
Sin embargo 169
Sinfín 795
Sinfonía 1883
Sinfónico 1885
Singular 725
Singularidad 1499
Singularizar 1982
Siniestro 298, 2130
Sinnúmero 795
Sino 2062
Sinonimia 713
Sinónimo 717
Sinopsis 471
Sinóptico 450
Sinrazón 1542
Sinsabor 368
Síntesis 471
Sintetizado 475
Sintetizar 473
Síntomas 939
Sinuoso 814
Sinvergüenza 415
Siquiatra 1550
Síquico 2021
Sisear 1268, 1926
Sismo 2129
Sistema 1635

Sistemático 1636
Sistematizar 1636
Sitiado 1083
Sitiar 1083
Sitio 821, 1197
Situación 1669, 2227
Situado 2228
Situar 916, 1643
Situarse 823
Siútico 1510
Siutiquería 1508
Slogan 1954
Smog 953
Sobar 2230
Soberano 1287
Soberbia 276
Soberbio 277, 1503
Sobornable 1034
Sobornado 1038
Sobornar 1038
Sonorno 1038
Sobra 1805
Sobrado 379, 414
Sobrante 1795
Sobrar 375
Sobras 1336
Sobre 845, 1929
Sobrealimentar 690
Sobrecama 1408
Sobrecogerse 2041
Sobrecogido 496
Sobrentendido 1948
Sobreexcitar 433
Sobrehumano 2040
Sobrellevar 990
Sobrenadar 890
Sobrenatural 2040
Sobrenombre 612
Sobreponerse 328
Sobreprecio 1814
Sobrepujar 2219
Sobresaliente 141, 2221
Sobresalir 1913
Sobresaltar 310, 993
Sobresaltarse 327
Sobresalto 985, 1192
Sobreseer 1129
Sobreseído 1128
Sobrestimar 1816

Sobretodo 1482
Sobrevenir 1930
Sobreviviente 934
Sobrevivir 934
Sobriedad 448, 677
Sobrio 374, 679
Socarrón 515
Socarronería 517
Socavar 1318
Socavón 1321
Sociabilidad 291
Sociable 294
Sociedad 505, 1615
Socio 1616
Socorrer 1060
Socorro 1062
Sodomita 779
Soez 293
Sofá 1866
Sofisma 216
Sofisticado 1965
Sofístico 1965
Soflama 124
Sofocación 972
Sofocado 1726
Sofocante 2101
Sofocar 2190
Sofocarse 974, 2103
Sofoco 2101
Sofrenar 309
Soga 1844
Sojuzgar 1219
Sol 2065
Solado 1323
Solamente 1588
Solano 1323
Solapadamente 198
Solapado 213
Solar 1323
Solaz 507
Solazar 501
Soldado 1173
Soldar 1341
Solecismo 1246
Soledad 1601
Solemne 123, 1254
Solemnidad 1254
Soler 729
Solfatara 2128

Solicitación 1266
Solicitante 1265
Solicitar 1822
Solícito 294
Solicitud 1266
Solidariamente 733
Solidaridad 733, 1593
Solidario 1611
Solidez 855
Solidificación 640
Solidificado 640
Solidificar 637
Sólido 851
Soliloquiar 428
Soliloquio 428
Solitario 1604
Solviantar 1294
Solo 1588, 1605
Soltar 1088, 1488
Soltera 583
Soltería 583
Soltero 583
Solterón 583
Soltura 424
Solución 58
Solucionar 1308
Solvencia 1756
Solventar 1308
Solvente 1756
Sollozar 536
Sollozo 531
Sombra 2074
Sombras 2072
Sombreado 2076
Sombrero 1483
Sombrilla 1353
Sombrío 2076
Somero 450, 1742
Someter 410, 1225
Someterse 75, 172
Sometido 1228
Sometimiento 1291
Somier 1406
Somnífero 965
Somnolencia 1403
Son 1347
Sonar 1346
Sondear 1196
Sondeo 147

Soneto 1875
Sonido 1347
Sonoro 1348
Sonreír 535
Sonriente 527
Sonrisa 532
Sonrojado 413
Sonrojarse 411
Sonsacar 1075
Soñado 2033
Soñador 2033
Soñar 2035
Soñolencia 1403
Soñoliento 1423
Sopa 649
Sopesar 143
Soplado 1509
Soplar 975, 1103
Soplo 971, 1115
Soplón 1094
Soplonear 1103
Sopor 1403
Soporífero 965
Soportable 761
Soportado 751
Soportar 747, 990
Soporte 1325
Soprano 1888
Sor 2025
Sorber 648
Sorbete 647
Sorbo 648
Sordidez 382
Sórdido 1414, 1761
Sordo 495
Sorna 517
Sorprendente 499
Sorprender 310, 1080
Sorprenderse 2041
Sorprendido 496
Sorpresa 498
Sorpresivamente 266
Sorpresivo 267
Sortear 407, 2064
Sorteo 2064
Sortija 1466
Sosegado 321, 741
Sosegar 290, 309
Sosegarse 1554

Sosía 717	Subsiguiente 1516	Suelo 1323, 2225
Sosiego 312, 986	Subsistencias 625	Suelto 1126, 1324
Soslayar 407	Subsistente 179	Sueño 1403
Soso 492	Subsistir 599	Sueños 355
Sospecha 225, 567	Substancia 850, 1999	Suerte 1917, 2063
Sospechar 219	Substancial 1739	Suficiente 377
Sospechoso 1099	Substanciar 473	Sufragar 1272, 1698
Sostén 1325, 2232	Substancioso 671	Sufragio 1272
Sostener 159, 1203	Substitución 1684	Sufrible 761
Sostenido 1530	Substituible 178	Sufrido 757
Sótano 1321	Substituir 1672	Sufrimiento 534, 991
Soterramiento 1012	Substituto 1709	Sufrir 987
Soterrar 1944	Substracción 114	Sugerencia 181, 1654
Status 1669	Substraer 112, 1050	Sugerir 1271
Stock 625	Subsuelo 1321	Sugestión 181
Stress 985	Subte 900	Sugestionar 1269
Suave 287, 438	Subterfugio 1786	Suicidarse 1070
Suavemente 48	Subterráneo 1321	Suicidio 1069
Suavidad 283	Suburbio 803	Suite 825
Suavizar 290	Subvencionar 1698	Sujeción 404, 1222
Subalimentado 700	Subvenir 1698	Sujetar 926, 1845
Subalterno 1662	Subversión 1296	Sujeto 624, 1858
Subarrendado 1373	Subversivo 1297	Sulfurarse 307
Subarrendar 1372	Subvertir 1294	Sultán 1287
Subasta 1793	Subvención 1698	Suma 113, 1838
Subastar 1793	Subyugación 1222	Sumar 111
Subconsciente 270	Subyugado 1298	Sumariar 1691
Subdividirse 808	Subyugar 1219	Sumario 450, 1112
Subestimar 1815	Suceder 1017, 1930	Sumergible 871
Subida 841	Sucederse 1711	Sumergir 889
Subir 843	Sucedido 1304	Sumergirse 887
Súbitamente 266	Sucesión 618, 1715	Sumersión 888
Súbito 267	Sucesivo 1718	Sumidero 1335
Sublevación 1296	Suceso 1304	Suministrar 1028, 1769
Sublevado 1297	Sucesor 620	Suministro 625
Sublevar 1294	Suciedad 1439	Sumisión 71, 1291
Sublevarse 748	Sucinto 450	Sumiso 73
Sublime 2038	Sucio 1414	Súmmum 847
Submarino 871	Suculento 643, 671	Sumo 379
Subordinación 71	Sucumbir 600, 1176	Suntuosidad 371
Subordinado 1662	Sucursal 1623	Suntuoso 373
Subrayar 107, 1269	Sudar 1445	Supeditación 1222
Subrepticio 1024	Sudario 1004	Supeditar 1219
Subrogar 1672	Sudor 1445	Super 1659
Subsanable 1989	Sudorífero 1445	Superabundancia 363
Subsanar 1895	Sudorífico 1445	Superabundante 379
Subscribir 1995	Sudoroso 1445	Superado 1988
Subseguir 1516	Sudoso 1445	Superar 1913, 2219
Subsidio 1698	Sueldo 1699	Superávit 1805

Superchería 212
Superficial 104, 1742
Superficie 2225
Superfluidad 451
Superfluo 178
Superior 1659
Superioridad 1275, 1663
Superstición 2050
Supersticioso 2027
Supervisar 185
Superviviente 934
Supina 140
Supino 1409
Suplantar 1672
Suplementario 1740
Suplemento 116, 1994
Suplencia 1684
Suplente 1709
Suplicar 1131
Suplicio 991
Suplir 1672
Súplica 2016

Suponer 219
Suposición 225
Supositivo 1948
Supremacía 1663
Supremo 1911
Supresión 1634
Suprimido 180, 1595
Suprimir 1644, 1985
Supuesto 152, 2047
Supuración 955
Supurar 932
Sur 2070
Surcar 2178
Surco 1462
Surgir 1729, 1930
Surmenage 696
Surtido 625
Surtidor 2151
Surtir 625, 2119
Susceptible 330
Suscitar 157
Suscribir 1619, 1995

Suscribirse 1995
Suscripción 1996
Suscriptor 1906
Susccrito 1620
Susodicho 1968
Suspendeer 1691, 1772
Suspendido 63
Suspensión 1110, 1634
Suspenso 985
Suspicacia 567
Suspicaz 274
Suspirar 536
Sustentar 159
Sustento 660
Sustituir 1672
Sustituto 1709
Susto 1192
Sustraer 112
Susurrar 439
Susurro 441
Sutil 857
Sutileza 35

T

Tabla 1316
Tablado 1863
Tabaquera 782
Taberna 659
Tabique 1343
Tablero 1316
Tableta 945
Tabloide 1994
Tablón 1316
Tabuco 827
Taburete 1866
Tacañear 1818
Tacañería 382
Tacaño 1761
Tacita 659
Tácito 1948
Taciturnidad 435
Taciturno 445, 514
Taco 106
Táctica 1170
Táctico 1170
Tacto 1574
Tacha 1456

Tachar 343, 1985
Tacho 1331
Tahúr 1053
Tajante 1787
Tajar 633
Tajo 969
Tajada 634
Taladrar 1370
Taladro 1370
Tálamo 1405
Talante 1496
Talar 2186
Talega 2223
Talego 2223
Talento 35
Talentoso 38
Talismán 2049
Talón 1865
Talla 707
Tallar 1899
Talle 2134
Taller 89, 1618
Tallista 1897

Tamaño 707, 2225
Tambalear 800
También 1587, 1596
Tamiz 636
Tamizar 635
Tampoco 164
Tanda 1711
Tándem 902
Tangible 263
Tantear 143, 193
Tanteo 147
Tantos 2210
Tañer 1878
Tañido 1347
Tapa 646, 1959
Tapadera 775, 1093
Tapado 1368, 1418
Tapar 190, 1419
Tapete 1358
Tapia 1343
Tapiado 1388
Tapiar 1344
Tapiz 1358

Tapizar 1358
Tapón 646
Taponar 1369
Tapujo 184, 423
Taquígrafa 1976
Taquigrafía 1975
Taquilla 1865
Tara 1849
Tarabilla 446
Tarado 1456
Tarambana 1558
Tararear 1889
Tarascada 670
Tarascón 670
Tardanza 96
Tardar 97, 1778
Tarde 100, 1425
Tardíamente 97
Tardío 25
Tardo 42
Tarea 109
Tarifa 1262
Tarifar 1823
Tarima 101
Tarjeta 106, 1967
Tarjetón 106
Tartamudear 439
Tasa 1262
Tasación 1824
Tasar 1823
Taumaturgo 2052
Taza 659
Tazón 659
Tea 2078
Teatro 1863
Teclear 1878
Técnico 31, 1677
Techar 1327
Techo 1327
Techumbre 1327
Tedio 508
Tedioso 510
Tejado 1327
Tejer 1481
Tela 1894
Teléfono 1971
Telegrama 1971
Telescopio 1494
Telón 1863

Tema 102, 1929
Temario 57
Temblar 327, 2129
Temblor 2129
Tembloroso 314
Temer 327
Temerario 1193
Temeridad 1556
Temeroso 1194
Temible 2132
Temor 985, 1192
Temperado 2106
Temperamento 1500
Temperancia 677
Temperante 679
Temperatura 948, 2099
Tempestad 2117
Tempestivo 1641
Tempestuoso 2114
Templanza 677
Templar 2107
Temple 1500
Templado 2106
Tempranero 1428
Temporizar 745
Templo 2011
Temporada 1525
Temporal 1709
Temprano 98
Tenacidad 1723
Tenaz 1719
Tenazas 1326
Tendencia 121
Tendencioso 1042
Tendente 1945
Tender 121, 1444
Tenderse 1409
Tendero 1825
Tendido 811
Tendiente 1945
Tenebrosidad 2074
Tenebroso 2076
Tener 375, 1803
Tenor 1888
Tensión 318
Tenso 319
Tentación 551
Tentar 143, 425
Tentativa 147

Tentempié 661
Tenue 857
Teñido 2097
Teñidura 2088
Teñir 2097
Teología 2005
Teólogo 2009
Teoría 225
Teórico 152
Teorizar 223
Terapéutica 941
Terciana 948
Terciar 1301
Terco 758, 1146
Tergiversación 216
Tergiversador 213
Tergiversar 191
Terminable 2001
Terminación 1958
Terminacho 421
Terminado 1236
Terminal 912
Terminante 1787
Terminar 1628
Término 180, 1958
Termómetro 947
Terneza 573
Terno 1482
Ternura 555, 573
Terquedad 756, 1142
Terrado 1327
Terrateniente 2170
Terraza 1327
Terremoto 2129
Terreno 2225
Terrible 2132
Territorio 1238
Terror 1192
Terrorífico 2132
Terrorismo 1296
Terruño 1237
Tersidad 1461
Terso 1459
Tersura 1461
Tertulia 505
Tesis 58
Tesón 14, 1723
Tesonero 1719
Tesorero 1765

Tósigo 955
Tosquedad 1505
Tostado 2096, 2102
Tostar 632
Tostarse 2102
Total 120, 1838
Totalidad 120
Totalitario 1217
Totalizar 111
Tour 816
Tóxico 957
Toxina 955
Tozudez 1142
Tozudo 758
Traba 240, 404
Trabajador 41, 1677
Trabajar 22, 1721
Trabajo 1675
Trabajoso 1727
Trabar 1087, 1782
Trabazón 1607
Tracción 1855
Tractor 899
Tradición 727
Tradicional 723
Tradicionalista 1279
Traducción 1977
Traducir 207
Traductor 1976
Traer 157, 1856
Tráfago 801
Traficante 1825
Traficar 1827
Tráfico 801
Tragaluz 1354
Tragar 663
Tragedia 2130
Trágico 2131
Tragicómico 996
Trago 648
Tragón 674
Traición 1594
Traicionar 1208
Traicionero 1592
Traidor 1592
Traje 1482
Trajeado 1418
Trajearse 1415
Trajín 801

Trajinar 787
Trama 1929
Tramar 1293
Tramitación 1781
Tramitar 1781
Trámite 1781
Trampa 1054, 1198
Trampear 191, 1050
Tramposo 1053
Tranca 1063
Trancada 787
Trancar 1369
Trancazo 1064
Tranco 787
Tranquilamente 243
Tranquilidad 312
Tranquilizado 286
Tranquilizante 986
Tranquilizar 309, 988
Tranquilizarse 308, 990
Tranquilo 313, 321
Transacción 1306
Transar 745
Transatlántico 871
Transcribir 1928
Transcripción 1977
Transcurrir 1526
Transcurso 1526
Transeúnte 818
Transferencia 1021
Transferible 1021
Transferido 1373
Transferir 1019
Transfiguración 1910
Transformable 1646
Transformación 1657
Transformado 1646
Transformar 1655
Tránsfuga 1208
Transgredir 76, 1097
Transgresión 1111
Transición 1303
Transido 528
Transigencia 755
Transigente 757
Transigir 745
Transitable 922
Transitar 787
Tránsito 801

Transitorio 1709
Translúcido 2085
Transmisión 1021, 1877
Transmitir 1019, 1943
Transmutación 1910
Transparencia 2073
Transparentarse 1354
Transparente 1353, 2085
Transpiración 1445
Transpirar 1445
Transportable 1857
Transportar 1856
Transporte 1855
Transvasar 646
Transversal 814
Trapacería 1054
Trapear 1442
Trapecista 1902
Trapero 1825
Trapiento 1479
Trapisonda 429
Tras 1177
Trascendencia 1743
Trascendental 1741
Trascendente 1741
Trascender 1943
Trascurrir 1526
Trasegar 646
Trasera 872
Trasero 1177, 2138
Traslación 1855
Trasladable 1857
Trasladar 834, 1856
Trasladarse 834
Traslado 834, 1855
Traslucirse 1354
Trasnochador 1427
Trasnochar 1427
Trasoñar 2035
Traspapelar 1625
Traspasable 1021
Traspasar 1019
Traspaso 1021
Traspié 797
Traspuesto 1423
Traspunte 1872
Trasquilar 1429
Trastabillar 800
Trastabillón 797

Trastada 521
Trastornado 1550
Trastornar 310, 993
Trastornarse 1553
Trastorno 237, 1639
Trastos 1336
Trastrocar 1095
Trasuntar 1928
Trasunto 1977
Tratable 282
Tratado 1310
Tratamiento 941
Tratante 1825
Tratar 143, 656
Trato 656, 1306
Trauma 931
Traumatismo 931
Travesear 503
Travesía 816
Travesura 521
Travieso 491, 527
Trayecto 785
Trayectoria 893
Traza 1496
Trazado 1898
Trazar 1169
Trazo 107, 1898
Trecho 785
Tregua 1152
Tremendo 847
Tremolar 1157
Trémulo 314
Tren 900
Trepanar 1370
Trepar 843
Trepidación 2129
Trepidar 2129
Treta 272
Tribu 618
Tribulación 526
Tribuna 101
Tribunal 1114
Tributación 1262
Tributo 1262
Triciclo 902
Trifulca 429
Trimestral 1528

Trinchar 633
Trinchera 1162, 2232
Trino 1889
Tripulación 877
Tripulante 878
Triquiñuela 1786
Tris 1532
Triscar 503
Trimestre 1528
Triste 398, 528
Tristeza 526
Tristón 514
Triturado 636
Triunfador 1227
Triturar 635
Triunfante 1227
Triunfar 1225, 2219
Triunfo 1229, 1919
Trivial 726, 1742
Trivialidad 1505
Trizar 1475
Trocable 1830
Trocamiento 1830
Trocar 1830
Trocisco 945
Trofeo 1212, 2221
Trolebús 899
Tromba 2117
Trompada 574
Tronada 2123
Tronar 2125
Tronco 2134
Tropa 1155
Tropel 793
Tropelía 1026
Tropezar 797
Tropezón 797
Tropical 2099
Tropiezo 240, 797
Tropo 1954
Trotamundos 783
Trotar 2155
Trova 1875
Trovador 1875
Trozar 633
Trozo 634
Trozos 1476

Truco 272, 1906
Truculento 304, 2132
Trueno 2123
Trueque 1829
Truhán 1051
Truhanería 1056
Truncar 1782
Trunco 1235
Trust 1811
Tubería 1329
Tubo 1329
Tufarada 1436
Tufo 1436
Tugurio 827
Tullido 936
Tumba 1008
Tumbado 794
Tumbar 1231
Tumbarse 1409
Tumbo 875
Tumefacción 932
Tumor 932
Túmulo 1008
Tumulto 429
Tunantada 521
Tunante 1051
Tunantería 521
Túnel 1322
Tupé 420
Tupido 854
Turba 793
urbación 323
Turbado 314
Turbador 499
Turbamulta 793
Turbar 310, 508
Turbina 903
Turbio 2086
Turgente 1459
Túrgido 1459
Turismo 816
Turista 817
Turnar 1711
Turno 1711
Turalato 496
Tutela 1188
Tutor 1016

U

Ubérrimo 587
Ubicación 2227
Ubicado 2228
Ubicar 916, 920
Ubicarse 823
Ubre 2137
Ufanarse 412
Ufano 529
Ulterior 1516
Ulteriormente 1516
Ultimar 1068, 1628
Ultimátum 1785
Último 128
Ultrajante 346
Ultrajar 338
Ultraje 340
Ultramar 1386
Umbral 1365
Umbrío 2076
Umbroso 2076
Unánimemente 733
Unanimidad 733
Unción 2007
Uncir 2146
Único 135, 1612
Unicolor 2087
Unidad 430, 1837
Unido 1581

Unificación 430
Unificar 478
Uniformar 716
Uniforme 717
Uniformidad 713, 1647
Unilateral 1612
Unión 735, 1607
Unir 739, 1583
Unirse 789
Unísono 733
Unitario 117
Universal 1285
Universalismo 1282
Universalista 1284
Universidad 89
Universitario 89
Universo 2065
Uno 117
Untar 907, 1038
Uñarada 2161
Urbanidad 291
Urbano 1239
Urbe 1239
Urdir 1293
Urgencia 43
Urgente 1775
Urgir 1777
Urinario 961

Urraca 2163
Urticaria 960
Usado 1470
Usanza 727
Usar 1735
Uso 727
Usual 723
Usuarios 1826
Usufructo 1749
Usufructuar 1735
Usufructuario 1751
Usura 382
Usurero 1761
Usurpación 1029
Usurpar 1031
Utensilios 1315
Útil 1733
Utiles 1315, 1359
Utilidad 1749
Utilitario 352
Utilizable 1733
Utilizar 1735
Útilmente 1737
Utópico 2033
Utopista 2033
Uxoricida 1070

V

Vacaciones 815
Vacante 1678
Vaciado 1900
Vaciar 1834
Vaciedad 484
Vacilación 248
Vacilante 1788

Vacilar 223, 800
Vacío 1835
Vacunar 952
Vadear 863
Vagabundear 787
Vagabundo 783
Vagancia 1676

Vagar 787
Vagido 615
Vago 783, 1788
Vagón 900
Vaguear 787
Vaguedad 261
Vahído 935

Veraneo 815
Veraniego 2101
Verano 2101
Veraz 214, 466
Verba 447
Verbal 59
Verbalmente 59
Verbigracia 232
Verborrea 447
Verbosidad 447
Verboso 446
Verdad 211, 2043
Verdaderamente 231
Verdadero 138, 235
Verde 2093
Verdemar 2093
Verdoso 2093
Verdugo 1132
Verdura 2184
Verecundo 418
Vereda 786
Veredicto 1121
Vergel 822
Vergonzoso 84, 418
Vergüenza 419
Verídico 214, 2039
Verificación 226
Verificado 149
Verificar 220
Verja 1344
Vernáculo 1249
Verosímil 217
Verraquear 615
Versado 27
Versátil 1720
Versatilidad 1724
Versificador 1875
Versión 1977
Versos 1875
Vertedero 1335
Verter 1834
Vertical 812
Vértice 861
Vertiginoso 46
Vértigo 935
Vesanía 1547
Vesánico 1550
Vespertino 1425
Vestíbulo 1351

Vestido 1418, 1482
Vestidura 1482
Vestigio 1073
Vestimenta 1482
Vestirse 1415
Vestuario 1355, 1482
Veta 838
Vetar 1256
Veterano 606
Veto 760
Vetustez 609
Vetusto 606
Vez 1711
Vía 786
Viable 254, 922
Viajante 817
Viajar 816
Viaje 816
Viajero 817
Viandante 817
Viático 1698
Vibración 1347, 2129
Vibrante 1348
Viceversa 1940
Viciado 1054, 1438
Viciar 775
Vicio 766
Vicioso 768
Vicisitud 1750
Víctima 933
Victimario 1249
Victoria 1229
Victorear 1925
Victorioso 1227
Vida 602
Vidente 2055
Vidrio 1357
Viejo 606, 642
Viento 2115
Vientre 2139
Viga 1316
Vigencia 179
Vigente 179
Vigía 1163
Vigilado 1606
Vigilancia 1165
Vigilante 1140, 1164
Vigilar 1167
Vigilia 1427
Vigor 179, 695, 1404

Vigorizar 698
Vigoroso 699
Vil 334
Vileza 332
Vilipendiar 540
Villa 1375
Villanía 332
Villano 334
Villorrio 1237
Vinculado 1581
Vincular 1609
Vínculo 579, 1607
Vindicar 1104
Vindicta 1149
Vino 647
Violáceo 2094
Violación 772, 1111
Violado 2094
Violar 76, 775
Violencia 284
Violentar 175
Violento 288
Violeta 2094
Viraje 913
Virar 915
Virgen 773
Virginal 773
Virginidad 771
Viril 604
Virilidad 604
Virtual 1948
Virtud 765
Virtuoso 767, 1033
Virulencia 292
Virulento 550
Virus 959
Visa 820
Visado 820
Visar 1622
Víscera 2138
Visible 263
Visillo 1354
Visión 2045, 2137
Visionario 2033
Visita 655
Visitar 654
Visitarse 656
Vislumbrar 219
Vislumbre 225

Y

Z

SEGUNDA PARTE

Sinónimos con antónimos o con ideas afines

El estudiante debe recordar que en este libro, las palabras relacionadas con un mismo tema están agrupadas.

Así, por ejemplo, para hacer alguna "Composición sobre Deportes", encontrará las palabras más apropiadas desde el número 2191 al 2222.

A continuación, indicamos algunos de los numerosos temas que hay en este libro:

"Alimentación" número 629 al 678.

"Estudios" número 1 al 34.

"Viajes" número 815 al 834.

"Agricultura" número 2167 al 2186.

1 Maestro, profesor, educador, preceptor, instructor, catedrático, pedagogo, educacionista. — Guía, mentor, consejero.
2 Estudiante, alumno, discípulo. — Colegial, escolar, educando, pupilo. — Condiscípulo, compañero, amigo.

3 Magisterio, profesorado, personal docente. — Pasante, auxiliar, suplente, ayudante. — Rector, director, superior.
4 Alumnado, estudiantado. — Colegiales, escolares. — Externos, externado. — Internos, internado. — Coeducación, mixto.

5 Enseñanza, instrucción, educación, ilustración, docencia. — Didáctica, pedagogía. — Autodidacto, estudia sin profesor.
6 Estudio, aprendizaje, noviciado, preparación, orientación.

7 Enseñar, instruir, ilustrar, aleccionar, educar. — Orientar, guiar, adiestrar, encaminar. — Alfabetizar, enseñar a leer.
8 Estudiar, aprender, ilustrarse, cultivarse, instruirse, educarse, cursar. — Aplicarse, dedicarse, aprovechar.

9 Confundir, enredar, complicar, embrollar, embarulllar, enmarañar, hacerse un lío. — Dificultar, obstruir, entorpecer.
10 Aclarar, interpretar, dilucidar, elucidar, desenmarañar. — Explicar, comentar, esclarecer. — Clarificar, despejar.

11 Escudriñar, escrutar, investigar, buscar, rebuscar, examinar. — Profundizar, ahondar, adentrarse. — Examinar, analizar.
12 Descuidar, desestimar. — Desentenderse, despreocuparse.

13 Descuido, desatención, desaplicación. — Dejadez, abandono, negligencia. — Olvido, distracción. — Flojedad, pereza.
14 Atención, cuidado, esmero, aplicación, dedicación, diligencia, celo. — Tesón, constancia, perseverancia, empeño.

15 Atender, mirar, fijarse, observar, ver. — Escuchar, oír. — Estar alerta, prestar atención. — Recordar, retener.
16 Desatender, descuidarse, desoír, desadvertir, distraerse, no hacer caso. — Postergar, dejar, desestimar, olvidar.

17 Ignorar, desconocer, no comprender, no entender. — Confundir, equivocar, errar, fallar.
18 Saber, conocer, entender, comprender, percatarse, enterarse, interpretar, dominar. — Percibir, discernir, distinguir.

19 Progreso, adelanto. — Mejora, mejoramiento, perfección. — Eficacia, eficiencia. — Desarrollo, perfeccionamiento.
20 Retroceso, atraso. — Deficiencia, imperfección, desmejora.

21 Flojear, holgazanear, haraganear, pajarear, gadulear, ociar.
22 Trabajar, bregar, luchar, esforzarse, empeñarse, afanarse, preocuparse. — Persistir, perseverar, insistir.

23 Trabajador, aplicado, estudioso, hacendoso, aprovechado, prolijo. — Activo, laborioso, esmerado, diligente.
24 Flojo, perezoso, negligente, holgazán, haragán, indolente. — Desaplicado, desaprovechado, descuidado, omiso. — Ocioso, inactivo, zángano, gandul, pelafustán, remolón, desidioso.

25 Atrasado, retrasado, retardado. — Perezoso, indolente, dejado, tardío. — Lento, pausado, calmoso, lerdo, tardo.
26 Adelantado, avanzado, aventajado. — Sobresaliente, destacado. — Precoz, superdotado.— Prodigio, maravilla.

27 Instruido, ilustrado, letrado, erudito, docto. — Versado, competente, entendido, capacitado. — Culto, educado.
28 Ignorante, iletrado, inculto, ineducado, indocto. — Ignaro, nesciente. — Analfabeto, zote, zopenco, cernícalo.

29 Ignorancia, desconocimiento, insipiencia, nesciencia. — Analfabetismo, falta de instrucción, tinieblas, incultura, incapacidad, nulidad, ineptitud. — Ignorancia supina.
30 Conocimientos, erudición, saber, sabiduría, sapiencia, cognición. — Ciencia, cultura, ilustración, alcances, luces.

31 Capaz, competente, hábil, idóneo, apto, perito, experto, entendido, práctico, especialista, técnico, diestro, capacitado.
32 Incapaz, inexperto, incompetente, nulo, negado, obtuso, chambón, inhábil, inpeto, ineficaz, impotente, inútil, torpe. — Inoperante, insuficiente, ignorante.

33 Incapacidad, ineptitud, impericia, inexperiencia, incompetencia, inhabilidad, ineficacia, inutilidad, impotencia, nulidad.
34 Capacidad, destreza, habilidad, aptitud, idoneidad, pericia, competencia, maestría. — Disposición, cualidad, don, dotes. — Experiencia, costumbre, maña, conocimiento, práctica.

35 Inteligencia, talento, agudeza, ingenio, sagacidad, perspicacia, sutileza, cacumen. — Entendimiento, intelecto.
36 Imbecilidad, necedad, tontería, estupidez, idiotez, estolidez, estulticia, inepcia, torpeza. — Burrada, disparate.

37 Tonto, tontón, atontado, necio zonzo, papanatas, gaznápiro, porro. — Bruto, abrutado, lerdo, zopenco. — Cretino, estúpido, imbécil, idiota, torpe, mentecato, estulto, estólido. — Bobo, simplón, pánfilo, bobalicón, alelado.
38 Inteligente, sagaz, astuto, talentoso, perspicaz. — Agudo, ingenioso, chispeante, avispado, ladino, redomado, lince. — Vivo, vivaz, despierto, avisado, advertido, habilidoso.

39 Actividad, diligencia, presteza, viveza, vivacidad, agilidad, acción. — Voluntad, decisión, resolución, tesón.
40 Inactividad, pereza, indolencia, ociosidad, ocio, flojera, holgazanería, desidia, negligencia, poltronería. — Reposo, inacción, inercia, pasividad, apatía, dejadez.

41 Activo, enérgico, eficiente, eficaz, diligente, acucioso, trabajador, emprendedor, dinámico. — Listo, diestro, ágil.
42 Inactivo, holgazán, perezoso, indolente, apático, flojo, negligente. — Ineficiente, ineficaz. — Lerdo, tardo, poltrón.

43 Rapidez, prontitud, celeridad, prisa, apresuramiento, ligereza, presteza, velocidad. — Urgencia, apuro, premura.
44 Lentitud, cachaza, pachorra, fiema, calma. — Demora, dilación, aplazamiento, — Tardanza, retraso, retardación.

45 Lento, pausado, calmoso, demoroso, despacioso. — Paulatino, acompasado. — Tardo, perezoso. — Dejado, despreocupado, indiferente, apático. — Soñoliento, adormecido.
46 Rápido, ligero, veloz. — Acelerado, vertiginoso, presuroso, raudo. — Expeditivo, diligente, ágil. — Pronto, presto, enseguida, al momento, al instante, de inmediato.

47 Aprisa, rápidamente, prontamente, velozmente, aceleradamente. — De prisa, a la carrera, con prontitud, pronto.
48 Despacio, pausadamente, poco a poco, paso a paso, palmo a palmo. — Gradualmente, insensiblemente, imperceptiblemente, paulatinamente, lentamente, suavemente.

49 Ordenado, cuidadoso, meticuloso, metódico. — Concienzudo, escrupuloso, minucioso, esmerado, prolijo, cumplidor.

50 Desordenado, descuidado, dejado, despreocupado, indolente, negligente. — Distraído, olvidadizo, desmemoriado, ido.

51 Prevenido, preparado, dispuesto, listo. – Apercibido, advertido, en guardia, atento, alerta, vigilante, cuidadoso.

52 Desprevenido, descuidado, imprevisor. — Despreocupado, distraído. — Inadvertido, desadvertido, desapercibido.

53 Examinador, examinante, consultante, interrogante. — Indagador, averiguador, inquiridor, inquisidor.

54 Concursante, postulante, aspirante, candidato, interesado.

55 Examinar, investigar, buscar. — Preguntar, interrogar, consultar, averiguar, indagar, inquirir. — Interpelar, demandar.

56 Contestar, responder, replicar. — Aducir, argüir, alegar. — Explicar, exponer, manifestar, expresar, dilucidar.

57 Pregunta, interrogación, consulta, interpelación, demanda. — Examen, interrogatorio. — Cuestionario, temario. — Prueba, test. — Evaluación, valuación, apreciación.

58 Respuesta, contestación, réplica. — Argumentación, argumento, raciocinio, razonamiento, disquisición, análisis. — Definición, descripción, exposición, tesis. — Demostración, prueba, comprobación. — Solución, resultado.

59 Verbal, verbalmente, de viva voz, oralmente, de palabra, oral, hablado, expresado. — Examen oral. Acueredo verbal.

60 Manuscrito, escrito a mano, por escrito, epistolar.

61 Exacto, justo, cabal, fiel, preciso, matemático, correcto, riguroso, estricto. — Verdadero, evidente, efectivo, real.

62 Incorrecto, inexacto, erróneo, equivocado, errado. — Supuesto, falso, seudo. — Engañoso, ficticio, infundado.

63 Reprobado, desaprobado, rechazado. — Postergado, aplazado, repitiente. — Suspendido, destituido. – Fracaso, revés, frustración, desengaño, desilusión, decepción.

64 Aprobado, ascendido, promovido. — Admitido, aceptado. — Aplaudido, felicitado, celebrado, elogiado.

65 Graduar, diplomar, doctorear, licenciar. — Graduado, titulado, diplomado, doctorado, licenciado. — Título, grado.
66 Diploma, credencial. — Pergamino, diploma universitario.

67 Desenlace, resultado. — Calificación, nota, clasificación.
68 Promedio, término medio, cociente. — Ponderación, justo medio. — Coeficiente, factor, multiplicador, puntos.

69 Exponer, expresar, argumentar, sugerir. — Razonar, aducir, argüir, probar, demostrar. — Estribar, fundarse.
70 Opugnar, redargüir, contradecir, objetar, atacar, protestar, oponer, reclamar. — Alegar, discutir, disputar. – Porfiar, insistir, obstinarse, machacar, aferrarse.

71 Obediencia, sumisión, acatamiento, disciplina, cumplimiento, observancia. — Obsecuencia, docilidad, subordinación.
72 Desobediencia, indisciplina, indocilidad, insumisión, desacato, contravención. — Insubordinación, rebeldía.

73 Obediente, dócil, sumiso, manejable, dúctil, disciplinado. — Corroboración, aprobación, apoyo.
74 Desobediente, insubordinado, indócil, renuente, reacio, díscolo, insumiso, rebelde, indisciplinado, ingobernable, anárquico, inconformista. — Impugnador, opugnador, contradictor, objetante. — Desaprobación, crítica, oposición.

75 Obedecer, acatar, cumplir, someterse, doblegarse, depender.
76 Desobedecer, indisciplinarse, incumplir, fallar, quebrantar, contravenir, infringir, barrenar, violar, transgredir, vulnerar. — Desacatar, rebelarse, insubordinarse.

77 Castigar, sancionar, escarmentar, punir, disciplinar. — Corregir, amonestar, reprender, advertir, aconsejar.
78 Premiar, recompensar, retribuir, galardonar, laurear.

79 Premio, recompensa, galardón, distinción, homenaje.
80 Castigo, sanción, correctivo, escarmiento, pena, corrección.

81 Reprender, reconvenir, regañar, reprochar, reprobar, reñir, amonestar, increpar, sermonear, retar. — Llamar la atención.
82 Elogiar, aprobar, celebrar, aplaudir, encomiar, preconizar, alabar, aclamar, loar. — Cumplimentar, felicitar.

83 Loable, elogiable, laudable, meritorio, plausible, alabable. — Digno, decoroso, honorable, distinguido.

84 Reprochable, vituperable, reprensible, criticable, censurable, incalificable, vergonzoso, reprobable, indigno, feo.

85 Reprendido, amonestado, regañado, retado, criticado, increpado, censurado, reprochado, — Castigado, sancionado.

86 Disculpado, justificado, dispensado, perdonado, exculpado. — Explicación, excusa, justificativo, justificación.

87 Felicitación, pláceme, congratulación, enhorabuena, parabién, elogio, alabanza. — Aplauso, aprobación, adhesión.

88 Reproche, reconvención, regaño, reprimenda, reprensión, amonestación, recriminación, admonición. — Observación, reparo, increpación, andanada. — Censura, crítica, burla.

89 *Colegio, escuela, plantel, liceo, instituto, academia, seminario, taller, conservatorio, facultad, universidad. — Campus, ciudad universitaria. — Académico, universitario.*

90 *Matrícula, inscripción, alistamiento, rol. — Nomenclatura, nómina, lista. — Controlar, pasar lista. — Registro, asiento, anotación. — Beca, becar. — Becado, becario.*

91 Matricularse, inscribirse. — Entrar, ingresar, empezar.

92 Graduarse, recibirse. — Finalizar, egresar, terminar.

93 Asistir, concurrir, acudir. — Presente, asistente, concurrente, oyente, circunstante. – Asistencia, presencia.

94 Ausentarse, retirarse, marcharse, alejarse. — Ausente, ausencia, abandono, alejamiento, partida, separación.

95 Puntualidad, cumplimiento, exactitud. — Asiduidad, regularidad, precisión. — Orden, método, reglamento.

96 Incumplimiento, irregularidad. — Demora, tardanza, atraso, retraso. — Inasistencia, ausentismo, absentismo, ausencia.

97 Retrasarse, atrasarse, demorarse, rezagarse, retardarse. — Tardar, llegar tarde, llegar atrasado. — Tardíamente, a última hora. — Faltar, fallar, incumplir, olvidar.

98 Anticiparse, adelantarse, madrugar. — Adelantado, anticipado, temprano. — A primera hora, con tiempo.

99 Puntual, exacto, preciso, clavado. — Responsable, cumplidor, formal, disiciplinado, correcto, cuidadoso, diligente.
100 Retrasado, atrasado, rezagado, retardado. — A deshora, a destiempo, tarde. — Incumplidor, informal, irresponsable.

101 *Tribuna, estrado, plataforma, tarima. — Cátedra, aula, clase, sala, salón de actos, paraninfo, auditorium.*
102 *Programa, plan, proyecto. — Tema, asunto, materia. — Asignatura, ramo. — Sistema, método, procedimiento.*

103 *Pedagógico, didáctico, docente, educativo, instructivo, cultural. — Ilustrativo, científico, técnico.*
104 *Principios, elementos, nociones, rudimentos, fundamentos, base. — Elemental, inicial, primario, básico, preparatorio, rudimentario. — Superficial, ligero, somero.*

105 *Cuaderno, libreta, agenda, memorándum. memorial. — Álbum: libro de recuerdos. — Carpeta, cartapacio, portapliegos.*
106 *Papel, página, hoja, carilla, plana, folio, pliego, cuadernillo. — Taco, block. — Cartón, cartulina, tarjeta, tarjetón.*

107 *Lápiz, lapicero, bolígrafo, estilográfica. — Subrayar, rayar, linear. — Raya, línea, trazo. — Borronear, emborronar, garabatear, garrapatear. – Calcar, copiar, imitar.*
108 *Libros, textos. — Silabario, abecedario, abecé, alfabeto. — Silabear, deletrear, hojear, leer, releer, repasar. — Lectura, leída, repaso, ojeada, mirada. — Leer de corrido.*

109 *Clase, curso, programa. — Tarea, deber, lección, labor. — Iniciación, principio. — Lectivo: período escolar.*
110 *Escritura, caligrafía, letras. — Redacción, composición. — Ortografía, escritura correcta. — Signos ortográficos, puntuación, acentuación. — Párrafo, acápite, capítulo.*

111 Sumar, añadir, agregar, adicionar, aumentar, incrementar. — Totalizar, resultar, alcanzar, arrojar.
112 Restar, substraer, deducir. — Reducir, sacar, mermar, disminuir. – Achicar, acortar. — Rebajar, descontar.

113 Suma, adición, agregación, aumento, añadidura. — Total.
114 Resta, substracción, disminución. — Residuo, resto.

115 Mermado, disminuido, reducido, aminorado, menguado.
116 Añadido, agregado, aumentado. — Suplemento, apéndice, complemento, prolongación, añadidura, aditamento.

---

117 Indivisible, indiviso, impartible. — Unitario, un, uno.
118 Divisible, fraccionable, desmenuzable, separable.

---

119 Fracción, parte, fragmento, división, proporción, porción, porcentaje, cuota, cupo. — Sección, segmento, sector.
120 Entero, total, todo, íntegro, completo. — Integral, pleno, colmado. – Totalidad, conjunto, suma.

---

121 *Vocación, predisposición, propensión, tendencia, inclinación, disposición, preferencia, gusto. — Propender, tender, inclinarse, preferir. — Ambicionar, aspirar.*
122 *Carrera, profesión. — Oficio, cargo, función, empleo, actividad, ocupación, tarea. — Especialidad, especialización.*

---

123 *Oratoria, elocuencia. — Razonamiento, dialéctica, lógica, método. — Ampulosidad, énfasis, grandilocuencia, retórica. — Enfático, solemne, pomposo. — Enfatizar, recalcar.*
124 *Discurso, oración, conferencia, disertación, arenga, alocución, soflama, perorata. — Plática, sermón, homilía.*

---

125 *Orador, conferenciante, disertador, discursante, retórico, predicador. — Desenvoltura, facilidad, soltura, despejo.*
126 *Elocuente, persuasivo, convincente. — Expresivo, gráfico, diserto, claro, inteligible, perspicuo. — Ameno, florido.*

---

127 Ante todo, lo primero, previamente, en primer lugar, primeramente. — Entrar en materia, iniciar, comenzar.
128 Finalmente, en definitiva, por último, para terminar, en suma, resumiendo. — Último, postrer, postrero, final.

---

129 *Mente, pensamiento, intelecto, sentido. — Magín, imaginación, idea, concepción. — Concepto, noción.*
130 *Meditar, pensar, cavilar, reflexionar, considerar, raciocinar. — Lucubrar, discurrir, excogitar. – Examinar, pesar.*

---

131 Concebir, imaginar, idear, forjar. — Invntar, crear.
132 Plagiar, imitar, copiar, reproducir, calcar, remedar. — Falsificar, adulterar. — Usurpar, apropiarse, apoderarse.

133 Plagiario, copiador, imitador, remedador. — Falsificador, falsario, falseador, adulterador, mixtificador.
134 Inventor, creador, descubridor. — Autor, productor.

---

135 Original, propio, peculiar, único, sin par.
136 Plagio, imitación, reproducción, calco, copia, duplicado. — Facsímil, facsímile. — Falsificación, adulteración.

---

137 Falso, falsificado, adulterado, ilegítimo. — Imitado, copiado, plagiado. — Apócrifo, supuesto, no auténtico.
138 Legítimo, verdadero, genuino, auténtico, real, original.

---

139 Sabio, genio, científico, lumbrera. — Ideólogo, pensador, filósofo. — Docto, erudito, ilustrado, sapiente, entendido.
140 Ignorante, indocto, lego, insipiente. — Ignaro, nesciente.

---

141 Genial, sobresaliente, relevante, descollante, destacado.
142 Insignificante, anodino, adocenado. — Corriente, vulgar.

---

143 Ensayar, experimentar, intentar, probar, procurar, tantear, sopesar. — Tentar, tratar, pretender, proponerse.
144 Poder, ser posible, ser factible. — Lograr, conseguir, obtener, alcanzar. — Cristalizar, tomar forma, completar.

---

145 Ocupado, atareado, engolfado, enfrascado, dedicado.
146 Negligente, despreocupado, indiferente, ocioso, inactivo.

---

147 Ensayo, experimento, prueba, experimentación. — Intento, tentativa, intentona, conato. — Sondeo, tanteo, pesquisa.
148 Averiguación, descubrimiento, hallazgo, encuentro. — Invento, invención, creación. — Innovación, novedad.

---

149 Demostrado, probado, comprobado, verificado, experimentado, ensayado. — Resuelto, solucionado, terminado.
150 Dudoso, incierto, inseguro. — Probable, posible, eventual, problemático. — Potencial, contingente, circunstancial.

---

151 Práctico, positivo. — Experimental, empírico.
152 Teórico, especulativo, supuesto, hipotético, conjeturado.

---

153 Intención, mira, designio, propósito, proyecto, idea.
154 Realización, materialización, ejecución, consumación. — Logro, obtención, consecución, culminación.

155 Obrar, proceder, actuar, ejecutar, operar, efectuar, realizar. — Materializar, hacer, desempeñar, cumplir.
156 Prescindir, privarse, abstenerse, evitar, desechar, rehusar. — Desentenderse, despreocuparse.

---

157 Causar, motivar, ocasionar, originar, producir, provocar, redundar, suscitar, irrogar. — Determinar, acarrear, traer.
158 Evitar, eludir, rehuir, obviar. — Sortear, soslayar, esquivar. — Precaver, prevenir, cautelar.

---

159 Afirmar, asegurar, aseverar, confirmar, certificar, sustentar, sostener, ratificar. — Dar fe, corroborar.
160 Negar, refutar, rechazar, contradecir, impugnar, confutar, objetar. — Desmentir, rebatir, denegar, rehusar.

---

161 Negación, refutación, objeción, impugnación, confutación. — Contradicción, opugnación. – Mentís, desmentida.
162 Afirmación, aseveración, aserción, aserto. — Ratificación, confirmación, demostración. — Testificación, testimonio, evidencia, comprobación. — Muestra, prueba, señal.

---

163 No, de ninguna manera, en absoluto, por nada, tampoco, de ningún modo, ni por asomo. — Negativamente, negativo.
164 Sí, claro, seguro, seguramente, cierto, ciertamente, sin duda, en verdad, evidente, evidentemente, bien, por supuesto, indudable. – Afirmativamente, afirmativo.

---

165 Discordar, discrepar, disentir, divergir, desconvenir.
166 Concordar, convenir, acordar, conformar, ser afín. — Coincidir, compenetrarse, identificarse, entenderse.

---

167 Coincidente, concordante. — Sincrónico, simultáneo.
168 Discordante, contrario, opuesto, divergente. — Desigual, desemejante, diverso, diferente, distinto, disímil.

---

169 Sin embargo, no obstante, aunque, pero, empero, bien que.
170 A pesar de, por más que. — A despecho de, en contra de.

---

171 Insistir, reiterar, reafirmar, mantener, porfiar. — No ceder, no dar el brazo a torcer, persistir, machacar.
172 Desistir, flaquear, renunciar, cejar, resignarse, ceder, abandonar. — Darse por vencido, entregarse, someterse.

173 Declarar, manifestar, exponer, formular, comunicar, expresar, emitir, enunciar. — Plantear, proponer, sugerir.
174 Retractarse, desdecir, rectificar, volverse, atrás, negar, no reconocer. — Rehusar, anular, denegar, revocar.

175 Obligar, forzar, imponer, presionar, constreñir, compeler, coaccionar, violentar, exigir, conminar. — Amenazar, intimar, apremiar, apurar. — Reclamar, requerir, encarecer.
176 Desobligar, librar, liberar, eximir, exentar, relevar, desligar. — Dispensar, condonar, exonerar, perdonar.

177 Necesario, forzoso, obligatorio, inevitable, fatal, indefectible. — Imprescindible, ineludible, ineluctable. — Insustituible, indispensable, obligado, irreemplazable, esencial.
178 Innecesario, eludible, evitable, prescindible, reemplazable, substituible, sustituible. — Superfluo, inútil.

179 Válido, valedero, vigente. — Subsistente, imperante, en vigor. — Validez, vigencia, vigor, permanencia.
180 Caducado, prescrito, anulado, nulo, abolido, derogado, cancelado. — Revocado, rescindido, suprimido, interrumpido. — Caducidad, expiración, cesación, término, prescripción.

181 Insinuación, indirecta, sugerencia, sugestión, consejo, alusión. — Advertencia, recomendación, indicación, aviso.
182 Mandato, imposición, orden, exigencia, obligación. — Presión, coacción, apremio, insistencia, amenaza, conminación.

183 Inspección, investigación, indagación, exploración, búsqueda, averiguación, encuesta. — Pesquisa, escudriñamiento, reconocimiento. – Busca, registro, allanamiento, rastreo.
184 Ocultación, desaparición. — Encubrimiento, disimulación, tapujo, disfraz, embozo. — Escondite, escondrijo, refugio.

185 *Inspeccionar, controlar, fiscalizar, supervisar, investigar, revisar. – Verificar, comprobar, constatar, establecer.*
186 *Confrontar, comparar, cotejar, compulsar, examinar.*

187 Silenciar, callar. — Encubrir, ocultar, reservar, sigilar.
188 Anunciar, avisar, notificar, participar, comunicar, informar, advertir, prevenir. — Noticiar, revelar, enterar.

189 Mostrar, exponer, exhibir, enseñar, publicar, presentar, ostentar, señalar, indicar, patentizar, exteriorizar. — Demostrar, evidenciar, comprobar, probar, parificar.
190 Ocultar, esconder, tapar, cubrir, disfrazar, enmascarar, entapujar, embozar. — Encubrir, disimular, recatar.

191 Mentir, engañar, burlar, engatusar, embaucar, trampear. — Desfigurar, deformar, falsear, tergiversar, mixtificar.
192 Descubrir, aclarar, esclarecer, desenmascarar. — Destapar, descifrar, demostrar, hacer luz, poner en evidencia.

193 Dudar, vacilar, titubear, recelar. — Tantear, examinar.
194 Convencerse, cerciorarse, asegurarse, persuadirse.

195 Escondido, encubierto, velado, oculto. – Latente, recóndito, secreto. — Imperceptible, indiscernible, indistinguible. — Indefeinible, impreciso, confuso, indistinto, vago.
196 Descubierto, manifiesto, ostensible, visible, palpable, claro. — Perceptible, apreciable, discernible.

197 Abiertamente, francamente, claramente, sin tapujos, sin reservas. — Sinceramente, sin rodeos, sin fingimiento.
198 Ocultamente, secretamente, a escondidas, a hurtadillas, furtivamente, sigilosamente. — Solapadamente, falsamente.

199 Sigilo, reserva, secreto, silencio, disimulo, ocultación.
200 Revelación, manifestación, difusión, divulgación.

201 Público, conocido, notorio, manifiesto, sabido, corriente.
202 Privado, confidencial, reservado, íntimo. — Personal, particular, familiar. — Secreto, oculto, ignorado.

203 Cifrado, secreto, en clave. — Poligráfico, criptográfico.
204 Descubierto, descifrado, interpretado, aclarado.

205 Comprensible, concebible, explicable, inteligible, legible.
206 Incomprensible, inexplicable, inconcebible, increíble. — Ininteligible, indescifrable, ilegible. — Confuso, incoherente.

207 Descifrar, traducir, desentrañar, penetrar, interpretar, descubrir. — Atinar, acertar, adivinar, caer, dar.
208 Errar, fallar, desacertar. — Engañarse, equivocarse, marrar.

209 Exactitud, precisión. — Acierto, habilidad, destreza.
210 Desacierto, error, inexactitud, equivocación, yerro, errata. — Contrasentido, lapsus, gazapo, pifia, descuido, chambonada.

---

211 Verdad, autenticidad. — Sinceridad, franqueza, veracidad. — Exactitud, precisión, escrupulosidad.
212 Mentira, engaño, embuste, falsedad, calumnia, mixtificación. — Farsa, impostura, invención, cuento, bola, infundido, engañifa, renuncio. — Fingimiento, simulación, hipocresía, doblez, apariencia. — Falsía, falacia, patraña, superchería.

---

213 Mentiroso, embustero, falso, mendaz, infundioso. — Impostor, simulador, tergiversador, engañador, falaz, insidioso, capcioso. — Farsante, hipócrita, comediante. — Solapado, tortuoso, disimulado, artificioso, engañoso, doble.
214 Veraz, verídico, sincero, franco. — Fidedigno, fehaciente, exacto, cierto, positivo, auténtico, verdadero. — Objetivo, desapasionado, digno de crédito.

---

215 Simplicidad, naturalidad, sencilez, candor, llaneza.
216 Argucia, sofisma, tergiversación, ambigüedad, malicia.

---

217 Creíble, verosímil, admisible, creedero, aceptable.
218 Increíble, inverosímil, inconcebible, inadmisible.

---

219 Suponer, imaginar, figurarse, conjeturar, presentir, barruntar. — Sospechar, vislumbrar, columbrar, presumir, intuir.
220 Comprobar, verificar, cerciorarse, asegurarse, constatar.

---

221 Confiar, esperar, fiarse, tener fe, ilusionarse, creer.
222 Desconfiar, dudar, temer. — Recelar, maliciar, sospechar. — Desengaño, desilusión, decepción, despecho.

---

223 Titubear, vacilar, dudar. — Teorizar, figurarse, suponer.
224 Decidir, concretar, determinar, fijar, precisar, definir, puntualizar. — Resolver, solucionar, solventar.

---

225 Conjetura, presunción, presuposición, suposición, cálculo, hipótesis, teoría. — Vislumbre, atisbo, barrunto, indicio, señal, asomo, sospecha. — Supuesto, hipotético.
226 Comprobación, verificación, confirmación, demostración, constatación. — Prueba, testimonio, evidencia.

227 Explicable, concebible. — Evidente, obvio.
228 Inexplicable, indecible, indescriptible, inexpresable.

229 Quizá, tal vez, acaso, quien sabe, pudiera ser, a lo mejor, según y como, depende. — Posiblemente, probablemente, eventualmente. — Incierto, inseguro, dudoso.
230 Seguro, evidente, cierto, indudable. — Por supuesto, sin duda, claro. — Indudablemente, ciertamente.

231 En realidad, en efecto, efectivamente, realmente, verdaderamente, seguramente, de todos modos.
232 Por ejemplo, verbigracia. — De este modo, así.

233 Nunca, jamás, en ningún caso, en la vida.
234 A veces, en ocasiones, de vez en cuando. — Siempre, continuamente, constantemente, sin cesar, sin interrupción.

235 Seguro, cierto, indudable. — Verdadero, infalible.
236 Erróneo, errado, engañoso, falible. — Dudable, dudoso.

237 Confusión, desconcierto, desorientación, trastorno, complejidad, complicación, laberinto. — Enredo, embrollo, maraña, lío. — Ambigüedad, equívoco, doble sentido. — Sofisma, paralogismo: razonamiento falso.
238 Aclaración, demostración, explicación, declaración, elucidación, dilucidación. — Interpretación, sentido, significación, significado. — Discernimiento, conocimiento.

239 Facilidad, disposición, desenvoltura, expedición, desembarazo, soltura. — Presteza, actividad, diligencia.
240 Dificultad, inconveniente, tropiezo, problema, complicación, complejidad, estorbo, óbice. — Obstáculo, engorro, embarazo, contratiempo, rémora, traba, escollo.

241 Facilitar, allanar, simplificar, posibilitar, obviar. — Desembrollar, desenredar, desobstruir, aclarar.
242 Dificultar, enredar, complicar, entorpecer, embrollar, intrincar, obstaculizar. — Estorbar, impedir, imposibilitar.

243 Fácilmente, con facilidad, sin dificultad. — Tranquilamente, cómodamente, descansadamente.
244 Difícilmente, dificultosamente, apenas, a duras penas.

245 Difícil, enredado, complicado, intrincado, arduo, dificultoso, espinoso, complejo, inextricable, escabroso, peliagudo, delicado. — Confuso, oscuro, revesado, embrollado, enmarañado, laberíntico. — Caótico, conflictivo.
246 Fácil, simple, sencillo. — Claro, evidente, elemental.

247 Certidumbre, evidencia, certeza, seguridad. — Convicción, convencimiento, persuasión. — Realidad, verdad.
248 Duda, incertidumbre, inseguridad, vacilación, dubitación, fluctuación, titubeo, perplejidad. — Indecisión, irresolución, indeterminación. — Incredulidad, escepticismo.

249 Erróneo, errado, engañoso, inexacto, equivocado, falso. — Dudoso, incierto, inseguro. — Problemático, ambiguo.
250 Evidente, obvio, inequívoco, positivo, axiomático, notorio, lógico. – Fundamento, prueba, demostración.

251 Indudable, incuestionable, irrefutable, innegable, indubitable. — Indiscutible, irrebatible, incontrastable. — Incontrovertible, incontestable. — Evidente, inconcuso.
252 Dudable, dubitable, controvertible. — Discutible, disputable, cuestionable, negable. — Impugnable, rebatible, refutable, objetable, contestable.

253 Imposible, impracticable, irrealizable, remoto, improbable.
254 Posible, viable, practicable, hacedero, realizable, ejecutable, factible, dable. — Probable, eventual, contingente.

255 Asequible, alcanzable, accesible, abordable, tratable.
256 Inasequible, inalcanzable, inaccesible, inabordable.

257 Posibilidad, probabilidad, eventualidad, contingencia. — Expectativa, perspectiva. — Oportunidad, ocasión, resquicio.
258 Imposibilidad, improbabilidad, impotencia. — Impedimento, dificultad, obstáculo, inconveniencia, oposición, estorbo.

259 *Coyuntura, circunstancia, ocasión, oportnidad, momento.*
260 *Alternativa, disyuntiva, dilema. — Facultad, opción.*

261 Abstracto, metafísico, abstruso, oscuro, vago, indeerminado, impreciso, indefinido. — Vaguedad, imprecisión.
262 Concreto, determinado, preciso, definido, específico.

263 Tangible, material, palpable, tocable, corpóreo. — Visible, perceptible, discernible.

264 Intangible, impalpable, incorpóreo, inmaterial, etereo. — Invisible, imperceptible, indistinguible.

265 Reflexivamente, premeditadamente, deliberadamente, intencionalmente. — Adrede, de propósito, de intento, intencionadamente. — A propósito, a sabiendas, con conocimiento.

266 Irreflexivamnte, sin pensar, de repente, repentinamente, de súbito, súbitamente, de pronto, de improviso, de sopetón, inopinadamente, sorpresivamente. — Casualmente, fortuitamente, sin querer, por casualidad.

267 Casual, fortuito, accidental, eventual, imprevisto, imprevisible, inesperado, inopinado, sorpresivo, repentino, súbito.

268 Intencional, premeditado, deliberado, voluntario, reflexionado, preconcebido, ex profeso, ad hoc. — Previsto, presentido, esperado, previsible, imaginable, concebible.

269 Voluntario, meditado, pensado, consciente, reflexivo. — Intencionado, voluntariamente, motu proprio.

270 Involuntario, instintivo, automático, reflejo, maqinal, espontáneo, inconsciente, intuitivo. — Indeliberado, impensado, irreflexivo, subconsciente,

271 Inocencia, ingenuidad, candidez, credulidad, candor.

272 Malicia, astucia, maña, picardía. — Treta, truco, ardid, triquiñuela, artimaña, estratagema, artificio, amaño.

273 Confiado, cándido, ingenuo, crédulo, incauto, bonachón, candoroso. — Inocente, infantil, pueril, aniñado.

274 Desconfiado, incrédulo, receloso, temeroso, aprensivo. — Malicioso, suspicaz, escéptico. — Desilusionado, inseguro, dudoso, indeciso, irresoluto, titubeante, confuso.

275 Modestia, sencillez, llaneza, humildad, recato, naturalidad, espontaneidad. — Confianza, familiaridad, amistad.

276 Orgullo, altanería, soberbia, arrogancia, altivez, engreimiento, fatuidad, pedantería, jactancia, alarde, petulancia, envanecimiento, vanagloria. — Inmodestia, vanidad, presunción. — Humos, humillos, ínfulas.

277 Inmodesto, altivo, pedante, petulante, presumido, presuntuoso, afectado, vano, pretencioso, fatuo, vanidoso, infatuado, engreído. — Soberbio, orgulloso, ensoberbecido, envanecido, jactancioso, fantasioso.
278 Modesto, simple, sencillo, humilde, moderado, reservado, recatado. — Espontáneo, natural, afable, tratable.

279 Deferente, considerado, respetuoso, atento, cortés,
280 Desdeñoso, despreciativo, despectivo, altanero, arrogante. — Despreciador, desdeñador, menospreciador.

281 Fanfarrón, bravucón, valentón, perdonavidas, matón, baladrón. — Bravear, amenazar, provocar, desafiar, guapear, fanfarronear. — Injusto, violento, abusivo, abusador.
282 Campechano, llano, tratable, afable, amable, accesible.

283 Mansedumbre, placidez, apacibilidad, suavidad, tranquilidad, calma, serenidad. — Moderación, paciencia, dulzura.
284 Ira, irritación, cólera, indignación, exasperación, exacerbación. — Rabia, furor, furia, arrebato, saña, violencia. — Enojo, enfado, contrariedad, malhumor. — Arranque, rapto.

285 Irritado, encolerizado, enojado, enfadado, disgustado, descontento, incomodado, malhumorado, desazonado. — Ofendido, agraviado, molesto, resentido, picado. — Rezongo, refunfuño. — Ceñudo, cejinjunto, mal agestado.
286 Tranquilizado, aquietado, calmado, sosegado. — Aplacado, serenado, apaciguado, dominado.

287 Sereno, reposado, calmo, manso, tranquilo, plácido, quieto, suave. — Pacífico, inofensivo, inalterable.
288 Rabioso, airado, torvo, exaltado, arrebatado, frenético. — Cascarrabias, enojón, mal genio. — Brusco, violento, áspero, bronco, desapreciable. — Furioso, furibundo, energúmeno, iracundo. — Colérico, irritable, irascible, atrabiliario.

289 Irritar, enfurecer, enojar, enrabiar, encolerizar, airar, enfadar, excitar, impacientar, exacerbar, exasperar, sacar de quicio, alterar, inquietar. — Molestar, fastidiar.
290 Aquietar, apaciguar, sosegar, aplacar, calmar, pacificar, suavizar, tranquilizar, serenar. — Desenojar, desenfadar.

291 Cortesía, educación, corrección, atención, amabilidad, afabilidad, cordialidad, delicadeza, gentileza, galantería, urbanidad, comedimiento, finura, sociabilidad.
292 Descortesía, incorrección, insociabilidad, misantropía. — Aspereza, rudeza, brusquedad, grosería, incultura. — Desabrimiento, acrimonia, acritud, virulencia, encono.

293 Descortés, desatento, insociable, incorrecto, descomedido, irrespetuoso, impertinente. — Arisco, grosero, soez, maleducado, malcriado, ineducado. — Rudo, tosco, zafio, indelicado, ordinario. — Intratable, insociable, patán.
294 Cortés, atento, amable, bien educado, fino, delicado, sociable, correcto, comedido, oficioso, cumplido. — Obsequioso, galante, solícito, servicial, complaciente. — Bien visto, simpático, atractivo, atrayente, agradable.

295 Atención, favor, servicio, merced, ayuda, concurso.
296 Desatención, desaire, descomedimiento, disfavor.

297 Benévolo, bondadoso, indulgente, afable, benigno, benevolente, bienintencionado, bueno, abnegado, altruísta.
298 Malévolo, malvado, despiadado. — Duro, empedernido, perverso, protervo, infame, avieso, siniestro, malintencionado, maligno, malo, barrabás. — Nefando, abominable.

299 Benevolencia, benignidad, bondad, magnanimidad, clemencia, indulgencia, piedad. — Altruismo, abnegación.
300 Malevolencia, malignidad, maldad, inclemencia, infamia, iniquidad, pravedad, corrupción. — Perversidad, canallada.

301 Crueldad, ferocidad, dureza, rigor, encarnizamiento, fiereza, inhumanidad, atrocidad, barbaridad. — Endurecimiento, intransingencia, frialdad, insensibilidad.
302 Compasión, misericordia, piedad, conmiseración, lástima. — Sensibilidad, transigencia, condescendencia, comprensión.

303 Misericordioso, compasivo, humanitario, clemente, piadoso. — Sensible, impresionable, emotivo, sensitivo.
304 Inclemente, despiadado, atroz, cruel, feroz, violento, bestial, fiero, brutal, desalmado, implacable, cafre. — Monstruoso, inhumano, truculento, duro, insensible.

140

305 Obcecarse, ofuscarse, cegarse, emperrarse, entercarse, obstinarse, empeñarse. — Machacar, insistir, porfiar.
306 Desentenderse, despreocuparse, abstenerse, desconocer, ignorar, desestimar. — Desistir, eludir, dejar, abandonar.

307 Molestarse, ofenderse, sentirse, picarse, enfurruñarse, enojarse, sulfurarse, amoscarse, amostazarse, disgustarse, irritarse. — Enfurecerse, arrebatarse, resentirse, impacientarse, indignarse. — Exaltarse, exasperarse, acalorarse, rabiar. — Alterarse, demudarse, palidecer, desencajarse.
308 Aplacarse, aquietarse, tranquilizarse, calmarse, apaciguarse. — Olvidar, perdonar, reconciliarse, volver, reanudar.

309 Tranquilizar, sosegar, apaciguar, moderar, aquietar, quietar, serenar. — Contener, reprimir, refrenar, sofrenar.
310 Intranquilizar, inquietar, alterar, conturbar, turbar, azorar. — Preocupar, sobresaltar, perturbar. — Asombrar, sorprender, alarmar, confundir, desconcertar, trastornar, remorder, desasosegar. — Ofuscarse, azararse.

311 Intranquilidad, inquietud, angustia, ansiedad, ansia, desazón, disgusto, grima. — Agitación, impaciencia, desasosiego, conturbación. — Preocupación, obsesión, desvelo.
312 Tranquilidad, sosiego, quietud, reposo, paz. — Despreocupación, serenidad, pasividad, presencia de ánimo.

313 Tranquilo, quieto, reposado, sereno, plácido, apaciguado, sosegado. — Inalterable, imperturbable, flemático, frío.
314 Intranquilo, inquieto, agitado, nervioso, alterado, excitado, angustiado, perturbado, turbado, preocupado, impaciente. — Ofuscado, convulso, trémulo. — Desesperado, amargado.

315 Relajar, aflojar, distender, ablandar, soltar. — Aflojarse, reblandecerse, abandonarse. — Respirar pausadamente.
316 Endurecer, crispar, contraer. — Acalambrase, agarrotar.

317 Relajación, relajamiento, aflojamiento, distensión. — Laxitud, relax. — Descanso, holganza, quietud, inmovilidad.
318 Tensión, rigidez, endurecimiento, tirantez, tiesura. — Contracción, calambre. — Consulsión, crispasión, espasmo.

319 Tenso, rígido, endurecido, tieso, agarrotado.
320 Relajado, laxo, blando, aflojado, flojo, suelto.

---

321 Sosegado, tranquilo, impasible, frío, flemático, indiferente,
322 Apasionado, entusiasta, vehemente, efusivo, impetuoso, impulsivo, fogoso, ardoroso, fervoroso, ferviente.

---

323 Emoción, impresión, sentimiento, conmoción, excitación, turbación, impacto. — Sensación, percepción, efecto.
324 Insensibilidad, frialdad, apatía, indiferencia.

---

325 Impavidez, imperturbabilidad, impasibilidad, inmutabilidad. — Sangre fría, serenidad, calma, flema.
326 Impetuosidad, fogosidad, vehemencia, efusión, ardor, acaloramiento. — Exaltación, paroxismo, irritación, nerviosidad. — Arrebato, rapto, impulso, ímpetu, arranque.

---

327 Asustarse, inquietarse, espantarse, atemorizarse, alarmarse, temer, sobresaltarse, sobrecogerse, temblar.
328 Sobreponerse, recobrarse, dominarse, reponerse.

---

329 Imperturbable, inmutable, inalterable, invariable, impasible. — Apático, indiferente, estoico, insensible.
330 Impresionable, sensible, afectivo, perturbable, excitable. — Susceptible, puntilloso, quisquilloso, suspicaz, delicado.

---

331 Dignidad, decoro, decencia, caballerosidad, señorío, hidalguía. — Distinción, pundonor, nobleza.
332 Indignidad, vileza, bajeza, ruindad, villanía, abyección. — Servilismo, adulación. — Degradación, envilecimiento.

---

333 Digno, meritorio, honorable, respetable, benemérito, estimable, distinguido, noble, señorial. — Acreedor, merecedor.
334 Indigno, innoble, despreciable, indeseable, desdeñable. — Vil, villano, abyecto, ruin. — Rastrero, bajo, servil.

---

335 Dignificar, ennoblecer, venerar, respetar, honrar, reverenciar. — Realzar, encumbrar, exaltar.
336 Denigrar, difamar, infamar, oprobiar, desprestigiar. — Ofender, deshonrar, mancillar, detractar, menoscabar, mellar, vilipendiar, desacreditar, descalificar. — Imputar, achacar, calumniar, detraer, rajar.

337 Alabar, elogiar, encomiar, ensalzar, exaltar, enaltecer, recomendar. — Desagraviar, reparar, excusarse, compensar.
338 Ofender, insultar, injuriar, afrentar, baldonar. — Ultrajar, vejar, atropellar, denostar, agraviar, apostrofar.

339 Alabanza, elogio, lisonja, aplauso. — Piropo, requiebro, adulación, halago. — Loa, loor, apología, panegírico, encomio, ensalzamiento, enaltecimiento.
340 Ofensa, insulto, injuria, dicterio, ultraje, vejamen, vejación, improperio, apóstrofe. — Agravio, afrenta, daño.

341 Halagador, halagüeño, lisonjeador, lisonjero, zalamero, adulador, elogiador, alabador. — Apologista, panegirista.
342 Censurador, agraviador, injuriador, insultador, ofensor, vejador. — Reprochador, criticón, reparón.

343 Reprochar, reconvenir, regañar, reprender, retar, amonestar, recriminar. — Censurar, criticar, vituperar, fustigar, moteja, tildar, tachar, culpar. — Reprobar, desaprobar, enrostrar, echar en cara. — Espetar, chantar, champar.
344 Disculpar, excusar, justificar, defender, exculpar, proteger. — Explicar, aclarar, distinguir, deslindar.

345 Elogioso, encomiástico, lisonjero, halagador, alabador, adulador, laudatorio. — Adulón, zalamero, empalagoso, meloso.
346 Ofensivo, insultante, ultrajante, injurioso.

347 Honor, honra, reputación, fama, prestigio, renombre.
348 Deshonor, deshonra, ignominia, oprobio, afrenta, baldón, estigma. — Mancilla, desdoro, mancha, mácula, desprestigio, descrédito. — Mala fama, mala reputación.

349 Mérito, merecimiento, valía, estimación, consideración.
350 Demérito, desmerecimiento, indignidad, bajeza.

351 Altruismo, filantropía, caridad, piedad, amor, beneficencia, abnegación. — Generosidad, desprendimiento, largueza, esplendidez, liberalidad, munificencia. — Idealismo.
352 Egoísmo, egolatría, narcisismo. — Egotismo, individualismo, personalismo. — Aprovechador, utilitario, positivista, materialista. — Oportunista, pancista, comodón.

353 Altruista, caritativo, filántropo, generoso, pródigo, dadivoso, desprendido, liberal. — Desinteresado, abnegado, bienhechor, benefactor, magnánimo, espléndido, munífico.

354 Egoísta, ególatra, personal, interesado.— Individualista, personalista, egotista. — Arribista, ambicioso, codicioso. — Insaciable, ávido, ansioso. — Práctico, materialista.

---

355 Ambición, ansia, anhelo, afán, aspiración. — Deseo, gana, ilusión, ideal. — Pretensiones, esperanzas, sueños.

356 Desinterés, despreocupación, dejación, dejamiento, renuncia. — Abandonismo, indiferencia, displicencia, desapego, abulia, falta de voluntad. — Vivir maquinalmente, vegetar.

---

357 Ambicionar, querer, desear, apetecer, aspirar, anhelar, ansiar, codiciar, envidiar. — Esperar, pretender, acariciar.

358 Despreocuparse, desentenderse, desinteresarse, encogerse de hombros. — Renunciar, desistir, abandonar, dejar.

---

359 Ansioso, anheloso, deseoso. — A toda costa, a cualquier precio, cueste lo que cueste. — Arribismo, ambición.

360 Dejado, indolente, indiferente, despreocupado, pasivo. — Da lo mismo, me importa un bledo, comino, pito.

---

361 Favorable, propicio, próspero, progresivo, floreciente, afortunado, venturoso. — Auspicioso, promisorio, prometedor.

362 Desfavorable, hostil, opuesto, adverso, contrario, contraproducente. — Perjudicial, desventajoso, lesivo.

---

363 Riqueza, fortuna, dineral. — Abundancia, opulencia, profusión. — Exuberancia, superabundancia, exceso, plétora.

364 Miseria, pobreza, indigencia. — Inopía, estrechez, escases, privación. — Carestía, penuria, necesidad, insuficiencia, falta, carencia. — Pauperismo, empobrecimiento.

---

365 Rico, adinerado, acaudalado, pudiente, opulento, creso, millonario, potentado. — Capitalista, inversionista, financiero. — Acomodado, rentista. — Ricacho, ricachón.

366 Pobre, indigente, menesteroso, pobretón, misérrimo, paupérrimo, pobrísimo. — Mendicante, limosnero, pordiosero, mendigo. — Mendigar, limosnear, pordiosear, pedir limosna. — Desvalido, necesitado, derrotado, abandonado.

367 Comodidad, confort, bienestar, desahogo, holgura. — Agrado, satisfacción, complacencia, gusto, conveniencia.
368 Incomodidad, molstia, estrechez. — Disgusto, sinsabor, desagrado, fastidio. — Dificultad, estorbo, contrariedad.

369 Cómodo, agradable, confortable, satisfactorio, grato. — Apropiado, adecuado, conveniente. — Espacioso, amplio.
370 Incómodo, molesto, desagradable. — Reducido, estrecho, inadecuado, impropio. — Enfadoso, engorroso, embarazoso.

371 Lujo, pompa, suntuosidad, ostentación, fastuosidad, magnificencia, fausto, boato. — Vanidad, inmodestia, presunción.
372 Sobriedad, simplicidad, sencillez, moderación, mesura.

373 Suntuoso, fastuoso, lujoso, espléndido, imponente, magnífico. — Pomposo, rumboso, rimbombante, ostentoso, aparatoso. — Recargado, barroco, charro, de mal gusto.
374 Sobrio, moderado, sencillo, simple. — Ponderado, mesurado. — Corriente, usual, habitual, convencional.

375 Abundar, bastar, ser suficiente, tener, sobrar, quedar.
376 Escasear, faltar, carecer, necesitar, hacer falta.

377 Abundante, considerable, cuantioso, copioso, numeroso, profuso, pingüe, mucho. — Apreciable, bastante, suficiente.
378 Escaso, exiguo, insuficiente, poco, restringido, reducido, limitado. — Falto, carente, desprovisto, privado, sin.

379 Demasiado, mucho, de sobra, en exceso, en demasía. — Muy, harto, bastante, demás. — Superabundante, excesivo, sumo, exuberante. — Sobrado, sobrante, exceso, innecesario.
380 Escasamente, con escasez, apenas, algo, poco, poquito, casi nada, poquísimo, nada, cero. — Faltar, no aleanzar.

381 Desinterés, liberalidad, caridad, largueza, generosidad.
382 Tacañería, mezquindad, cicatería, avaricia, sordidez. — Avidez, codicia. — Usura, cobro excesivo.

383 Darse maña, avivarse, ingeniarse, arreglárselas, luchar.
384 Acobardarse, desanimarse, desalentarse, desmoralizarse, abatirse, deprimirse, amilanarse. — Desalentador, deprimente, desmoralizador, depresivo, eflictivo.

385 Adjudicar, asignar, conferir, conceder, otorgar, entregar, dar, ceder, proporcionar. — Prorratear, repartir, distribuir.
386 Expropiar, quitar, desposeer, privar, confiscar.

387 Gratitud, agradecimiento, reconocimiento.
388 Ingratitud, desagradecimiento, desconocimiento. — Olvido, distración, negligencia, inadvertencia, descuido.

389 Agradecido, reconocido, obligado, ¡gracias! — Reconocer, agradecer, corresponder, retribuir.
390 Desagradecido, ingrato, malagradecido, descastado.

391 Optimismo, confianza, entusiasmo, ánimo, fe, esperanza.
392 Pesimismo, desesperanza, desaliento, desánimo, desmoralización, duda. — Fatalismo, derrotismo, alarmismo.

393 Optimista, confiado, esperanzado, ilusionado. — Decidido, resuelto, desenvuelto. — Deseoso, anhelante, ambicioso.
394 Pesimista, derrotista, alarmista. — Temeroso, receloso. — Desesperanzado, desengañado, decepcionado, desilusionado.

395 Animación, entusiasmo, bullicio, jolgorio, algazara, sandunga. — Chacota, alegría, alborozo, euforia, excitación.
396 Desanimación, postración, abatimiento, cansancio, fatiga, descorazonamiento, desánimo. — Aburrimiento, tedio, hastío.

397 Animado, brioso, enardecido, entusiasmado. — Apasionado, exaltado. — Alegre, satisfecho, contento, feliz.
398 Desanimado, abatido, desalentado, descorazonado, decaído, alicaído. — Lánguido, cabizbajo, deprimido, triste, postrado, abrumado, desmoralizado. — Frustrado, chasqueado.

399 Entusiasmar, animar, aguijonear, avivar, excitar, alentar, enfervorizar. — Enardecer, inflamar, apasionar.
400 Humillar, apocar, achicar, rebajar, empequeñecer, disminuir. — Desalentar, desanimar, desmoralizar, abatir, postrar. — Anonadar, aniquilar, abrumar, aplanar.

401 Estimular, azuzar, impulsar, fomentar, espolear, provocar. — Propulsar, impeler, empujar, mover, animar.
402 Coartar, restringir, reducir, limitar, reprimir. — Refrenar, contener, sujetar, coercer. — Cohibir, acomplejar.

403 Estímulo, incitación, incentivo, acicate, aliciente, aguijón, concitación, instigación. — Incitativo, incitador.

404 Freno, represión, coerción, sujeción, contención. — Atadura, traba, ligazón. — Impedimento, obstáculo.

405 Limitación, restricción, cortapisa, coartación, veto.

406 Permiso, licencia, consentimiento, autorización, otorgamiento, asentimiento. — Anuencia, venia, conformidad.

407 Eludir, esquivar, evitar, soslayar, rehuir, sortear, burlar, sustraerse. — Sacar el cuerpo, evadir, correrse.

408 Afrontar, arrostrar, desafiar, resistir, contrarrestar, oponerse. — Enfrentar, encarar, apechugar, cargar.

409 Pugnar, lidiar, porfiar, esforzarse. — Contender, competir, bregar, luchar. — Pelear, batallar, combatir, disputar.

410 Doblegar, someter, reducir, domeñar, abatir, dominar, avasallar, domar. — Vencer, derrotar, rendir.

411 Apocarse, avergonzarse, ruborizarse, sonrojarse, abochornarse, cortarse, confundirse. — Inhibirse, acomplejarse.

412 Alardear, presumir, ostentar, blasonar, jactarse, alabarse, engreírse, envanecerse, infatuarse, pavonearse, vanagloriarse, ufanarse. — Darse tono, darse importancia.

413 Avergonzado, abochornado, sonrojado, ruborizado. — Confundido, corrido, cortado, amilanado. — Cohibido, intimidado.

414 Desvergonzado, descarado, atrevido, zafado, insolente, ofensivo. — Malhablado, desbocado, lenguaraz, grosero, procaz.

415 Cínico, fresco, sinvergüenza, desfachatado, confianzudo. — Irrespetuoso, desconsiderado, atrevido, desatento.

416 Respetuoso, deferente, reverente, considerado, cortés, amable, complaciente. — Caballeroso, fino, hidalgo.

417 Audaz, osado, atrevido, resuelto, resoluto, determinado, decidido, denonado, animoso, esforzado, bizarro. — Acometedor, emprendedor, arrojado, intrépido, arriesgado,

418 Tímido, pusilánime, apocado, vergonzoso, apagado, encogido, verecundo. — Pacato, corto. — Asustadizo, aprensivo, medroso, timorato, pávido. — Inhibido, acomplejado.

419 Timidez, apocamiento, vergüenza, pusilanimidad, cortedad, poquedad, rubor, bochorno. — Irresolución, vacilación, turbación, retraimiento. — Inhibición, acomplejamiento.

420 Atrevimiento, insolencia, falta de respeto, descaro, avilantez. — Irreverencia, desfachatez, desvergüenza, procacidad, cinismo. — Desplante, tupé, frescura, demasía.

421 Insolentarse, propasarse, avilantarse, descomedirse, desmedirse, rebasar. — Despotricar, desatinar, disparatar, desbarrar, extralimitarse. — Palabrota, grosería, terminacho.

422 Mesurarse, moderarse, dominarse, contenerse, refrenarse, controlarse, reprimirse, medirse. — Razonar, comedirse.

423 Reserva, mesura, prudencia. — Reticencia, tapujo, disimulo.

424 Soltura, desenvoltura, desenfado, desparpajo, frescura.

425 Envalentonar, animar, estimular, alentar. — Incitar, instigar, exhortar, concitar, provocar, acicatear, tentar, inducir.

426 Atemorizar, acobardar, asustar, alarmar, amedrentar, amilanar, arredrar, acoquinar, intimidar, apocar, limitar.

427 *Interlocutor, colocutor. — Diálogo, interlocución, conversación, coloquio, charla, plática, conversa.*

428 *Monólogo, soliloquio. — Monologar, soliloquiar, hablar solo.*

429 Disputa, altercado, discusión, incidente. — Camorra, riña, pelotera, bronca, trifulca, pendencia, ataque, pelea, brega, reyerta, disturbio, rencilla, zalagarda, trapisonda. — Tumulto, gresca, bochinche, bulla, escándalo, alboroto, bolina, confusión, desorden, bullanga.

430 Entendimiento, acuerdo, arreglo, conciliación, reconciliación, avenencia, armonía, concordia, unidad, unión, unificación. — Aclarar, demostrar, explicar, aprobar.— Aclaratorio, demostrativo, explicativo, probatorio.

431 Desahogarse, expansionarse, desembuchar, confesar. — Explayarse, abrirse, franquearse, confiarse.

432 Callar, retener, reservar. — Aguantarse, reprimirse.

433 Excitar, acalorar, exasperar, exaltar, sobreexcitar.

434 Calmar, apaciguar, tranquilizar, aplacar, sosegar.

435 Silencio, mutismo, mudez, enmudecimiento, taciturnidad. — Reticencia, sigilación, disimulo, tapujo.
436 Griterío, vocerío, bulla, barahúnda, alboroto, bullicio, barullo, algarabía, algazara, ruido, gritería. — Bullanga, rebullicio, jaleo, escándalo, confusión.

437 Chillón, gritón, voceador, bullicioso, vocinglero. — Estrepitoso, estentóreo, estridente, penetrante, ensordecedor.
438 Suave, armonioso, agradable, apacible. — Quedo, bajo, en voz baja, sotto voce, quedamente, sosegadamente.

439 Murmurar, susurrar, cuchichear, mascullar, musitar. — Balbucear, tartamudear, farfullar, balbucir.
440 Gritar, llamar, vocear. — Vociferar, chillar, desgañitarse, bramar. — Escandalizar, alborotar, loquear.

441 Susurro, murmullo, cuchicheo, rumor, secreteo.
442 Grito, alarido, chillido, clamor, vociferación. — Exclamación, interjección. — ¡Caramba!, ¡Caray!, ¡Ea!

443 Estruendo, estrépito, estridencia, fragor, ruido.
444 Imponer, silencio, reprimir, acallar. — ¡Chito!, ¡chitón!, ¡chist, ¡a callar!, ¡silencio! — Punto en boca, callar.

445 Silencioso, callado, mudo, silente. — Taciturno, ensimismado, reservado, cazurro. — Lacónico, parco, moderado.
446 Hablador, conversador, locuaz, charlador, parlanchín, cotorra, charlatán, bocón, fanfarrón. — Tarabilla, verboso.

447 Locuacidad, palabrería, verbosidad, verborrea, charlatanería, cháchara. — Labia, verba, facundia, soltura.
448 Parquedad, parsimonia, moderación, mesura, sobriedad.

449 Detallado, minucioso, pormenorizado. — Redundante, reiterado, repetido, monótono. — Lato, latoso, ampuloso, prolijo. — Largo, extenso, difuso, dilatado, prolongado.
450 Breve, escueto, conciso, lacónico, corto, resumido, reducido. — Sumario, sucinto, somero, condensado, sinóptico.

451 Extensión, amplitud. — Minuciosidad, prolijidad, superfluidad. — Repetición, redundancia, pleonasmo.
452 Brevedad, laconismo, concisión, condensación, reducción.

453 Afable, comunicativo, expansivo, efusivo, vehemente. — Entusiasta, locuaz. — Extrovertido, abierto, franco.
454 Huraño, esquivo, misántropo, retraído, reservado, hosco, arisco, insociable, intratable. — Introvertido, encerrado en sí mismo, frío, poco comunicativo, cortante.

---

455 Hablar, decir, charlar, comadrear, conversar, dialogar, departir, expresar, platicar, conferenciar, parlamentar, manifestar. — Cambiar impresiones, parlotear, parlar. — Denotar, señalar, significar, querer decir, indicar, anunciar.
456 Callar, enmudecer, no despegar los labios, guardar silencio, no hablar. — Disimular, esconder, encubrir, silenciar.

---

457 *Proferir, exclamar, prorrumpir, pronunciar, articular, manifestar. — Informar, enterar, notificar, expresar, formular, anunciar. — Dar cuenta, explicar, desarrollar.*
458 *Fundamentar, cimentar, basar, apoyar, gravitar, estriber, consistir, fundamentarse. — Inferir, deducir, concluir.*

---

459 *Opinión, juicio, dictamen, concepto, apreciación, parecer, sentir. — Idea, imagen, impresión, sensación, pensamiento.*
460 *Examinar, analizar, comparar, pesar, ponderar. — Opinar, juzgar, calificar, considerar, reputar, estimar, conceptuar.*

---

461 Murmuración, habladuría, chisme, cuento, hablilla, enredo. — Difamación, calumnia, detracción, denigración. — Maledicencia, chismografía, mentira, falsedad.
462 Elogio, lisonja, alabanza, encomio, ditirambo, adulación, ensalzamiento. — Apología, panegírico, loa.

---

463 Ofensa, agravio, afrenta, oprobio, baldón. — Burla, menosprecio, escarnio. — Invectiva, diatriba, denuesto, vituperio. — Filípica, catilinaria, sermón, reprimenda.
464 Desagravio, reparación, explicación. — Excusa, disculpa, perdón. — Descargo, justificación, justificativo.

---

465 Chismoso, cuentero, cuentista. — Maledicente, intrigante, murmurador, difamador, infamador, detractor, calumniador, embustero, mentiroso. — Enredador, embrollón.
466 Veraz, exacto, verídico, fidedigno, verdadero. — Imparcial, desapasionado, objetivo. — Formal, confiable, fiable.

467 Exagerar, extremar, abultar, aumentar, agrandar, acentuar, ponderar. — Acrecentar, acrecer, multiplicar, engrandecer, agigantar, magnificar. — Propagar, expandir, extender. — Acentuarse, tomar cuerpo, crecer, cundir, extenderse.

468 Disminuir, aminorar, minorar, cercenar, mermar, restar, achicar, atenuar, amortiguar, reducir, contraer. — Decrecer, menguar, amenguar, amainar. — Disipar, desvanecer, esfumar, borrar, deshacer. — Empequeñecer, minimizar.

469 Exageración, ponderación, abultamiento, aumento, hipérbole. — Exagerado, aumentado, inflado, abultado.

470 Atenuación, aminoración, achicamiento, achicadura, minoración. — Reducción, disminución, decrecimiento.

471 Abreviación, resumen, extracto, compendio, breviario, manual. — Síntesis, epítome, sinopsis. — Prontuario, esquema, sumario. — Minuta, apunte, anotación, esbozo, nota.

472 Ampliación, ensanche, dilatación. — Incremento, desarrollo, crecimiento, engrandecimiento, acrecentamiento.

473 Abreviar, extractar, resumir, sincopar, reducir, condensar, acortar, sintetizar, recapitular, concretar. — Substanciar, compendiar, esquematizar, epilogar, trasuntar. — Limitarse, concretarse, reducirse, circunscribirse, ceñirse, atenerse.

474 Ampliar, amplificar, prolongar, dilatar, extender, expandir, ensanchar. — Estirar, alargar, desarrollar, profundizar, ahondar, detallar, pormenorizar. — Extenderse, alargarse.

475 Abreviado, resumido, sintetizado, compendiado, compendioso. — Disminuido, reducido, simplificado. — Limitado, restringido, circunscrito, condicionado.

476 Ampliado, amplificado, aumentado, desarrollado, extendido, alargado, dilatado.

477 Esparcir, desparramar, dispensar, extender, espaciar, diseminar, desperdigar. — Disperso, desparramado, esparcido, diseminado, desperdigado.

478 Concentrar, agrupar, centralizar, centrar. — Aunar, unir, unificar, juntar. — Unido, junto, agrupado. — Concentrado, centralizado, reunido.

479 Detalladamente, sin omisiones, punto por punto, circunstanciado, con todos los pormenores, in extenso.

480 Resumidamente, abreviadamente, en pocas palabras, para abreviar, en síntesis, en resumen, en conclusión. — A grosso modo, sin detalles, brevemente.

481 Achicar, acortar, reducir, encoger, contraer. — Acortamiento, reducimiento, encogimiento, reducción, abreviamiento.

482 Extender, prolongar, alargar, estirar. — Prolongación, alargamiento, estiramiento, prolongamiento.

483 Agudeza, ingenio, chispa, salero, donaire, gracejo, ingeniosidad. — Ocurrencia, arranque, salida.

484 Boberí, simpleza, bobada, necedad, insulsez, sandez, vaciedad, majadería. — Disparate, dislate, embarrada, plancha. — Patochada, desatino, desacierto, chambonada, desaguisado, despropósito, pesadez, incoveniencia, exabrupto.

485 Complacer, satisfacer, contentar, agradar, regocijar.

486 Ridiculizar, avergonzar, abochornar, mortificar, escarnecer, satirizar, zaherir, ironizar, humillar, acomplejar, aplastar, inhibir. — Mofarse, burlarse, reírse, befarse, pitorrearse. — Poner en ridículo, tomar el pelo, hostilizar, irritar.

487 Gracia, humor, humorismo, humorada, comicidad, jocosidad, jovialidad. — Chiste, broma, chanza, chacota.

488 Burla, pulla, pitorreo, tomadura de pelo, mofa, chunga, befa. camelo. — Sarcasmo, mordacidad, causticidad, irrisión.

489 Rezongón, gruñón, refunfuñador, regañón, descontento.

490 Juguetón, travieso, vivaracho. — Contento, alegre, feliz.

491 Gracioso, chistoso, humorístico, cómico, jocoso, divertido, alegre, festivo, donoso, sandunguero. — Bromista, dicharachero, chusco, chancero. — Revoltoso, travieso.

492 Aburrido, aburridor, latoso, tedioso, cansado. — Desganado, inexpresivo, insípido, insulso, soso, deslucido, sin gracia. — Cansador, agotador, agobiante, importuno.

493 Simpatizar, caer bien, congeniar, avenirse, congraciarse.

494 Antipatizar, ser desagradable, ser antipático, caer mal.

152

495 Imperturbable, impasible, flemático, apático, inconmovible, impertérrito, impávido, displicente, insensible, sordo.
496 Estupefacto, asombrado, atónito, desconcertado, sorprendido, admirado, pasmado, sobrecogido, embobado, atontado, alelado, turulato. — Intrigado, extrañado, perplejo.

497 Serenidad, aplomo, sangre fría, impavidez, impasibilidad.
498 Asombro, admiración, sorpresa, extrañeza, estupefacción, pasmo, estupor. — Expectación, perplejidad, desconcierto.

499 Admirable, notable, prodigioso, asombroso, extraordinario. — Sorprendente, pasmoso, extraño, inusitado, insólito, desconcertante, increíble, chocante, turbador.
500 Corriente, usual, habitual, acostumbrado, común, normal, ordinario, frecuente. — Cotidiano, diario.

501 Entretener, divertir, recrear, amenizar, distraer, solazar.
502 Molestar, fastidiar, hastiar, agobiar, marear, abrumar, jorobar, fregar, hartar. — Incomodar, importunar, estorbar, aburrir, cansar, cabrear. — Contrariar, enojar.

503 Jugar, juguetear, travesear, divertirse, retozar, triscar. — Corretear, correr. — Brincar, cabriolar, saltar, botar, rebotar. — Bote, rebote, salto. — Saltarín, brincador.
504 Aburrirse, latearse, bostezar. — Cansarse, fatigarse, rendirse. — Cansado, fatigado, rendido, extenuado, agotado.

505 *Club, casino, círculo, sociedad. — Reunión, tertulia, velada. — Peña, kermesse, feria. — Picnic, excursión. — Plaza, plazuela, plazoleta, parque. — Columpio, balancín. — Balancearse, columpiarse. — Caballitos, tiovivo, carrusel.*
506 *Adivinanza, charada, acertijo, rompecabezas, crucigrama, puzzle. — Baraja, naipes, cartas. — Barajar, mezclar, revolver, repartir, dar. — Brujulear, suponer, imaginar, adivinar.*

507 Entretenimiento, diversión, recreación, recreo, juego, pasatiempo. — Distracción, divertimiento, esparcimiento, jolgorio. — Solaz, expansión, amenidad. — Fiesta, festividad, festejo, festín, festival.
508 Aburrimiento, fastidio, tedio, hastío, desgana, esplín, lata. — Turbar, interrumpir, aguar, estropear, perturbar.

509 Entretenido, ocurrente, oportuno, ameno. — Jovial, alegre.
510 Aburrido, latoso, cansado, tedioso, pesado. — Hastiado, desanimado; desganado, inanimado, abúlico, amorrado.

511 Seriedad, gravedad, austeridad, sobriedad, dignidad.
512 Juerga, parranda, jarana, farra, jaleo, diversión.

513 Alegrador, fiestero, animador, regocijador, bromista.
514 Lloroso, desolado, apesadumbrado, tristón. — Quejumbroso, plañidero, quejoso, melancólico, taciturno, mohíno. — Llorón, gamebundo, jeremías, aguafiestas. — Hipocondríaco, sombrío, lúgubre, pesimista.

515 Bromista, chacotero, chancero, humorista, guasón, zumbón, chistoso, burlón, socarrón, irónico, burlesco, jocoso.
516 Serio, severo, riguroso, inflexible, estricto, inquebrantable. — Grave, formal, puritano, rígido, austero, adusto.

517 Broma, chiste, chanza, chacota, payasada, humorismo, cuchufleta, chirigota. — Sorna, socarronería, burla.
518 Seriedad, severidad, mesura, rigor, rigurosidad, adustez.

519 Bromear, embromar, chacotear, chancear. — Divertir, recrear, entretener, alegrar. — Recogijarse, reírse.
520 Refunfuñar, rezongar, gruñir, mascullar, barbotar.

521 Travesura, diablura, picardía, barrabasada, trastada, chiquillada. — Tunantada, tunantería, truhanería.
522 Formalidad, compostura, sensatez, discreción, mesura.

523 Alegrar, alborozar, regocijar, contentar, deleitar.
524 Entristecer, apenar, amargar, acongojar, afligir, apesadumbrar, apesarar, desconsolar, angustiar, consternar, atribular. — Aquejar, atormentar, desolar, contristar, congojar.

525 Alegría, dicha, júbilo, alborozo, regocijo, felicidad, contento, contentamiento, buen humor. — Agrado, satisfacción, gusto, gustazo. — Exultación ¡albricias!, ¡aleluya!
526 Tristeza, aflicción, pena, desconsuelo, amargura, pesar, afligimiento, entristecimiento, quebranto, sinsabor, pesadumbre, tribulación, cuita. — Infelicidad, desdicha, infortunio, consternación, angustia, congoja, opresión.

527 Alegre, contento, dichoso, risueño, sonriente, gozoso, feliz, regocijado. — Radiante, alborozado, jubiloso, eufórico. Juvenil, juguetón, travieso, vivaracho, pícaro, picarón.

528 Triste, afligido, apenado, amargado, dolorido, desconsolado, apesadumbrado, angustiado, inconsolable. — Compungido, conmovido, entristecido, consternado, transido, acongojado, adolorido, atormentado. — Cariacontecido, turbado.

529 Ufano, complacido, satisfecho, campante, encantado, rozagante, venturoso, afortunado, dichoso, fausto.

530 Desdichado, infortunado, desventurado, insatisfecho. — Desgraciado, infeliz, cuitado, malhadado, calamitoso, desafortunado, malaventurado, mísero, miserable.

531 Llanto, sollozo, lloro, lágrima, pena. — Lamento, lamentación, quejido, gemido, queja, clamor, plañido, lloriqueo.

532 Risa, risotada, carcajada, sonrisa. — Hilaridad, jocosidad.

533 Goce, placer, deleite, gozo, delicia, fruición, agrado, gusto. — Alegría, alegrón, regocijo, alborozo, deleitación.

534 Sufrimiento, padecimiento, dolor, congoja, malestar, angustia. — Desconsuelo, aflicción, tristeza, ansiedad.

535 Alegrarse, reír, sonreír, carcajear, gozar, regocijarse, estar feliz. — Recrearse, exaltarse, regodiarse, exultar.

536 Lagrimear, llorar, lloriquear, sollozar, gimotear, plañir, gemir. — Suspirar, quejarse, lamentarse, afligirse.

537 Apenarse, entristecerse, amargarse, afligirse, acongojarse.

538 Consolar, esperanzar, animar, calmar, tranquilizar, reanimar, confortar. — Aplacar, mitigar, aligerar.

539 Apreciar, estimar, considerar, distinguir, preciar, respetar, venerar, reverenciar. — Respetable, apreciable.

540 Menospreciar, desestimar, desairar, vilipendiar, despreciar, desdeñar. — Repeler, desechar, repudiar, repulsar.

541 Aprecio, estimación, estima, consideración, miramiento, deferencia, respeto, veneración. — Afecto, apego, cariño.

542 Desprecio, menosprecio, desdén, desaire, indiferencia. — Desafecto, desinterés, desapego, frialdad, antipatía.

543 Apreciado, respetado, distinguido, estimado, bienquisto. — Preciado, precioso, excelente y de mucha estimación.

544 Menospreciado, desairado, desdeñado, despreciado, desatendido. — Desestimado, malquisto, desacreditado.

545 Agradar, atraer, encantar, gustar, deleitar. — Simpatizar, avenirse, congeniar, interesar. — Granjear, captar, caer en gracia, conquistar, fascinar, hechizar, cautivar.

546 Desagradar, disgustar, descontentar, fastidiar, molestar, hostigar. — Enfadar, contrariar, irritar, enojar.

547 Simpático, amable, gentil, agradable, grato, placentero. — Complaciente, servicial, atento, galante, ideal.

548 Antipático, molesto, pesado, cargante, majadero, fastidioso, enojoso. — Chocante, desagradable, insoportable, pelmazo, incordio. — Repelente, despreciable, odioso.

549 Atractivo, atrayente, cautivador, cautivante, seductor, fascinador, fascinante, interesante, encantador. — Irresistible, adorable, arrebatador. — Insinuante, provocativo.

550 Satírico, irónico, burlón, mordaz, sarcástico. — Hiriente, incisivo, virulento, cáustico, sardónico. — Tajante, cortante, punzante, acerado. — Mortificante, ofensivo, humillante.

551 Seducción, atracción, encanto, fascinación, embeleso, tentación, hechizo, coquetería. — Atrayente, atractiva, sexy.

552 Aversión, disgusto, repulsión. — Repugnancia, asco, fobia. — Antipatía, animadversión, tirria, ojeriza.

553 Repeler, repudiar, desechar, rechazar, desdeñar. — Ahuyentar, repulsar, apartar. — Plantar, abandonar, dejar.

554 Seducir, flechar, cautivar, fascinar, encantar, embelesar, hechizar, embrujar. — Cortejar, atraer, conquistar.

555 Amor, cariño, afecto, apego, simpatía, inclinación, interés, afición, predilección. — Adoración, idolatría, pasión, frenesí, excitación. — Enamoramiento, amartelamiento, apasionamiento. — Idilio, flirt, amorío, devaneo.

556 Odio, aborrecimiento, rencor, encono, abominación, desamor, descariño, desapego, despecho, antipatía, enemistad. — Desafecto, desinterés, indiferencia, desprecio.

557 Amar, querer, adorar, idolatrar, desear, preferir. — Cortejar, flirtear, galantear, coquetear, piropear. — Encariñar, enamorar, camelar. — Ilusionarse, confiar, esperar.

558 Odiar, aborrecer, detestar, abominar, execrar, desarmar. — Desconfiar, dudar, temer. — Desilusionarse, desengañarse.

559 Odiado, detestado, aborrecido, abominado, execrado.

560 Amado, adorado, querido, estimado, caro, idolatrado.

561 Amoroso, tierno, cariñoso, amante, afectuoso, cordial, querendón. — Meloso, melifluo, dulce, suave, delicado.

562 Odioso, detestable, aborrecible, desagradable, antipático, repelente, indigno, despreciable. — Ruptura, rompimiento.

563 Gustarse, prendarse, apegarse, encariñarse. — Enamorarse, chiflarse, chalarse, encapricharse, declararse. Amarse, corresponderse, quererse, apasionarse, intimar. Enamorado, flechado, encariñado, amartelado, prendado.

564 Disgustarse, desavenirse, enemistarse, enojarse, picarse, enfadarse, pelear, regañar, reñir, disputar, porfiar. — Distanciarse, romper. — Enemistado, desavenido, disgustado.

565 Romántica, sentimental, sensible, afectiva. — Tierna, afectuosa, mimosa, delicada. — Fiel, constante, leal.

566 Coqueta, frívola, casquivana. — Veleta, veleidosa, caprichosa, inconstante. — Versátil, voluble, infiel, desleal.

567 Desconfianza, incredulidad, recelo, suspicacia. — Celos, sospecha, duda, recelo, temor, aprensión, escrúpulo. — Celoso, desconfiado, receloso, suspicaz. — Celar, desconfiar.

568 Confianza, seguridad, esperanza, creencia, fe, convicción.

569 Desilusión, desengaño, decepción, desencanto, desesperanza, frustración, malogro. — Desesperación, desmoralización, despecho. — Desilusionado, decepcionado, desengañado.

570 Ilusión, anhelo, deseo, ansia, aspiración, pretensión.

571 Elegido, predilecto, preferido, favorito, privilegiado, apreciado, distinguido. — Mimado, consentido, regalón.

572 Apartado, alejado, pospuesto. — Rechazado, desdeñado, despreciado, desairado, desestimado. — Relegado, postergado.

573 Mimo, ternura, terneza, cariño, dulzura. — Piropo, requiebro, coqueteo, galanteo, flirteo, zalamería, arrumaco, melindre. — Caricia, roce, contacto. — Abrazo, beso, ósculo.

574 Maltrato, golpe, paliza, bofetada, bofetón, puñetazo, puñete, trompada, zurra, apaleo. — Moquete, coscorrón, puñada.

---

575 Pegar, golpear, maltratar, apalear, zurrar, zamarrear, vapulear, abofetear, cachetear, aporrear, azotar. — Herir, machucar, magullar. — Plantificar, propinar, asestar, dar.

576 Mimar, arrullar, halagar, adular, lisonjear, piropear, requebrar, cortejar. — Abrazar, estrechar, acariciar, rozar, tocar, palpar. — Besar, besuquear. — Besucón, besucador.

---

577 *Congeniar, simpatizar, avenirse, entenderse, concordar. — Comprometerse, enlazarse, vincular, emparentar, unirse.*

578 *Pretendiente, prometido, comprometido, novio, futuro. — Noviazgo, relaciones amorosas, desposorios, esponsales.*

---

579 Matrimonio, casamiento, nupcias, boda, enlace, unión, vínculo, himeneo. — Casorio, bodijo, luna de miel. — Nupcial, matrimonial, conyugal. — Ajuar, vestuario.

580 Divorcio, separación, disolución, repudio, abandono. — Ruptura, discordia, desavenencia, desacuerdo, incompatibilidad. — Invalidar, deshacer, anular. — Nulidad, anulación.

---

581 Casarse, unirse, contraer nupcias, desposarse. — Vivir, convivir, habitar, cohabitar. — Unir, juntar, enlazar.

582 Separarse, divorciarse, desunirse, apartarse. — Incomprensión, intolerancia, intransigencia, desacuerdo, disputas.

---

583 Soltera, señorita. — Soltero, célibe, solterón. — Celibato, soltería. — Casadera, núbil, púber.

584 Casada, esposa, señora, dama. — Casado, marido, esposo. Caballero, señor. — Cónyuge, consorte, pareja, par.

---

585 *Unión, coito, cópula, ayuntamiento, procreación.*

586 *Reproducirse, cundir, crecer, aumentar, multiplicarse.*

---

587 Fértil, fecundo, feraz, productivo, fructuoso. — Ubérrimo, prolífico, prolífero. — Reproductor, propagador.

588 Estéril, infértil, infecundo, infructífero, improductivo.

589 Fertilidad, fecundidad, fecundación. — Procreación, engendramiento. — Polinización, fecundación por el polen de las flores. — Proliferación, reproducción, multiplicación.
590 Infecundidad, esterilidad. — Impotencia, frialdad, frigidez.

591 Fertilizar, fecundizar, fecundar, embarazar, preñar.
592 Esterilizar, castrar, capar, emascular. — Esterilización, castración, vasectomía. — Anticonceptivo, anticoncepcional.

593 *Germen, embrión, óvulo, huevo. — Semen, simiente, polen, semilla. — Principio, rudimento, esbozo, yema, brote.*
594 *Provenir, proceder, dimanar, originarse. — Descender, derivar, emanar. — Nacer, aparecer, manifestarse, surgir.*

595 Génesis, origen, causa, procedencia, fuente, principio, raíz. — Formación, creación. — Desarrollo, crecimiento.
596 Efecto, resultado, consecuencia, secuela, corolario, ilación, inferencia, derivación. — Relación, enlace, conexión.

597 Procrear, engendrar, concebir. — Germinación, gestación, desarrollo. — Embarazo, preñez, gravidez. — Fecundada, embarazada, encinta, preñada, grávida.
598 Parir, alumbrar, dar a luz. — Parto, alumbramiento, nacimiento. — Aborto, parto prematuro. — Abortar, malparir.

599 Germinar, brotar, nacer, venir al mundo. — Vivir, existir, ser, subsistir. — Desarrollarse, crecer, formarse.
600 Agonizar, morir, fallecer, expirar, fenecer, perecer, sucumbir, extinguirse, finar, dar el último suspiro.

601 Muerte, fallecimiento, defunción, expiración, óbito, deceso, fin, extinción. — Fenecimiento, perecimiento. — Difunto, finado, cadáver. — Mortalidad, muertes, fallecimientos.
602 Nacimiento, vida, existencia, ser. — Natalidad, nacimientos. — Humano, hombre, género humano, animal racional.

603 Femenino, femenil, femíneo. — Feminidad, femineidad. — Mujer, hembra, fémina, sexo femenino. — Niña, señorita.
604 Masculino, varonil, viril. — Masculinidad, virilidad, hombría. — Hombre, varón, macho, machote, sexo masculino. — Niño, joven, mocete, mocetón, muchacho, jovenzuelo.

605 Bebé, rorro, crío, criatura, chico, chiquitín, nene, chicuelo, chiquillo, rapaz, mocoso, mozalbete, infante, mancebo, zagal. — Joven, adolescente, párvulo. — Adulto, maduro.

606 Anciano, vejestorio, viejo, veterano, longevo, provecto. — Avejentado, envejecido, acabado, decrépito, caduco, senil, senescente. — Añoso, vetusto. — Ruinoso, decadente.

607 Rejuvenecer, lozanear, remozar. — Rejuvenecimiento, renovarse, mejorar. — Apariencia, aspecto, figura, pinta.

608 Encanecer, envejecer, avejentarse. — Envejecimiento, arrugarse, acartonarse, ajarse, mustiarse, marchitarse. — Chochear, desatinar, disparatar, desbarrar, desvariar.

609 Vejez, ancianidad, vetustez, senectud, decrepitud. Longevidad, largo vivir, edad avanzada. — Edad, años, tiempo.

610 Infancia, niñez. — Lactancia, crianza. — Amamantar, lactar, dar de mamar. — Chupete, biberón. — Mamar, chupetear. — Alimentar, nutrir, sustentar, mantener, criar.

611 *Juventud, adolescencia, pubertad, mocedad. — Menor de edad, menores, menoría. — Albores, principios, comienzos.*

612 *Nombre, apellido, apelativo. — Apodo, mote, sobrenombre, alias, seudónimo — Apellidar, nombrar, llamar, denominar, nominar, intitular. — Epíteto, calificativo. — Cualquiera, fulano, mengano, zutano, perengano. — Tocayo, homónimo.*

613 *Bautismo, bautizo. — Ablución, purificación. — Ahijar, prohijar, apadrinar. — Niñera, nodriza, ama de cría.*

614 *Mecer, acunar, columpiar, balancear. — Arrullo, susurro, canción. — En brazos, regazo, falda, refugio.*

615 Pataleta, rabieta, impaciencia. — Lloriqueo, vagido, gimoteo. — Rezongo, refunfuño. — Balbucir, chapurrear. — Gimotear, verraquear, patalear, rabiar, llorar, lloriquear.

616 Regalonear, mimar, consentir, condescender, malcriar. — Mimado, consentido, malacostumbrado, malcriado.

617 Ascendencia, alcurnia, linaje, cuna, tronco, origen, prosapia. — Abolengo, estirpe, cepa. — Casta, raza, sangre.

618 Descendencia, sucesión, generación, prole, hijos, herederos, posteridad, familia, dinastía. — Clan, secta, tribu.

619 Ascendientes, antepasados, antecesores, progenitores. —Progenie, tronco, mayores. —Padres, abuelos, bisabuelos. —Mamá, madre. —Maternidad, maternal, materno. —Papá, padre. —Paternidad, paternal, paterno.
620 Descendiente, sucesor, heredero, primogénito, vástago, retoño, hijo. — Nieto, bisnieto. — Adoptar, prohijar.

621 *Familiares, parientes, parentela. — Parentesco, consanguinidad, cognación. — Origen, genealogía, árbol genealógico.*
622 *Pariente, deudo, familiar, consanguíneo, colateral, cognado. — Adoptivo, adoptado, allegado. — Admitido, recibido.*

623 *Mellizo, gemelo, hermano. — Fraterno, fraternal, hermanable.*
624 *Persona, individuo, sujeto, prójimo, semejante. — Hombre, humano, criatura, cristiano, mortal, ser. — Ente, quidam.*

625 Abastecimiento, suministro, provisión, aprovisionamiento. — Comestibles, víveres, subsistencias, alimentos, provisiones, vituallas. — Abastecer, surtir, proveer, aprovisionar. — Provisto, surtido. — Reserva, stock, existencias.
626 Desabastecimiento, falta, escasez, insuficiencia, carencia.

627 *Cáscara, cascarón, costra, corteza, cubierta, vaina, cascarilla. — Hollejo, pellejo, piel, cuero. — Concha, caparazón.*
628 *Pelar, mondar, descascarar, descortezar, deshollejar, desvainar, desgranar. — Despellejar, desollar.*

629 *Aliño, condimento, aderezo, adobo, salsa. — Ingrediente, agregado, comino. — Batir, agitar. — Revolver, mezclar.*
630 *Aliñar, condimentar, aderezar, adobar, sazonar. — Condimentado, aliñado, sazonado. — Sabroso, apetitoso, rico.*

631 *Cocina, arte culinario, gastronomía. — Horno, hornillo, anafe. — Olla, cacerola, marmita. — Batidora, licuadora.*
632 *Cocinar, guisar, cocer. — Asar, freír, tostar, dorar. — Hervir, bullir, burbujear. — Hervor, ebullición, cocción.*

633 *Cortar, tajar, partir, rebanar, cercenar, tronchar, trozar, trinchar. — Faenar, descuartizar, carnear, rajar, cuartear.*
634 *Parte, porción, trozo, cantidad, pedazo, lonja, tajada, rebanada, loncha. — Mendrugo, migaja, pellizco, pizca, poco.*

635 *Moler, triturar, pulverizar, aciberar, desmenuzar, rallar, picar.* — *Machacar, macerar, ablandar.* — *Estrujar, exprimir.* — *Cerner, cernir, filtrar, colar, tamizar.*
636 *Raspador, rallador.* — *Cedazo, harnero, tamiz, filtro, colador.* — *Molido, triturado, pulverizado, atomizado.*

637 Endurecer, solidificar, cuajar, coagular, congelar.
638 Derretir, disolver, desleír, licuar, diluir, liquidar, descuajar, deshelar, fundir. — Ablandar, reblandecer, molificar.

639 Derretido, licuado, diluido, disuelto, desleído. — Jugoso, acuoso, zumoso. — Mezcla, mixtura, combinado, mixto.
640 Endurecido, solidificado, cuajado, coagulado, congelado. — Coagulación, solidificación, endurecimiento.

641 Fresco, reciente, recién hecho. — Nuevo, flamante.
642 Añejo, rancio, descompuesto, podrido. — Avinagrarse, picarse, descomponerse, pudrirse, podrirse, agusanarse.

643 Alimentación, nutrición, mantenimiento, manutención. — Alimenticio, alimentoso, nutritivo, suculento, substancioso. — Asimilación, digestión, aprovechamiento.
644 Desnutrición, debilidad, anemia, agotamiento. — Enflaquecimiento, raquitismo, atrofia, depauperación.

645 *Barril, barrica, cuba, pipa, tonel.* — *Damajuana, garrafa, botella, frasco, redoma.* — *Botijo, porrón, cántaro.*
646 *Gollete cuello.* — *Tapa tapón, corcho.* — *Sacacorchos, descorchador, tirabuzón, abridor, abrelatas.* — *Destapar, descorchar, abrir.* — *Trasegar, transvasar, decantar.*

647 *Líquido, bebida, refresco, sorbete, poclóon, brebaje.* — *Agua, jugo, zumo.* — *Néctar, ambrosía.* — *Alcohol, licor, vino.* — *Aguar, mezclar con agua.* — *Borra, sedimento, residuo, poso.*
648 *Sed, dipsomanía.* — *Sorbo, trago, libación.* — *Beber, sorber, libar, tomar, escanciar.* — *Potable, bebible.*

649 *Catador, degustador, saboreador, probador.* — *Sibarita, voraz, heliogábalo.* — *Lista, menú, minuta.* — *Emparedado, bocadillo, sandwich.* — *Caldo, sopa, potaje.*
650 *Probar, paladear, saborear, degustar.* — *Catar, gustar.*

651 Convite, invitación. — Comida, ágape, banquete, festín.
652 Rehusar, excusarse, disculparse, declinar, negarse, rechazar, hacerse de rogar, pretextar. — Zafarse, librarse.

653 Convidar, invitar, brindar, agasajar, festejar, ofrecer, dedicar. — Conmemorar, homenajear, banquetear, atender, servir.
654 Concurrir, asistir, ir, acudir, comparecer, presentarse, llegar, visitar. — Aparecer, apersonarse, personarse. — Colarse, meterse, introducirse. — Afluir, reunirse.

655 *Audiencia, recepción. — Cita, entrevista, recibimiento, visita. — Introducir, presentar, conocer, conversar.*
656 *Visitarse, frecuentar, tratar, alternar. — Fraternizar, congeniar, avenirse, intimar. — Amistarse, relacionarse, codearse, rozarse. — Relación, trato, amistad.*

657 Invitado, convidado, comensal, huésped.
658 Anfitrión, invitador, invitante, convidador. — Sentarse, tomar asiento. — Preferencia, cabecera, sitio de honor.

659 *Bar, taberna, cantina. — Restaurante, bodegón, figón. — Comedor, refectorio. — Cubierto, servicio. — Bandeja, azafate. — Plato, escudilla. — Vaso, copa. — Cucharón, cuchara, cucharilla. — Taza, tacita, pocillo, tazón.*
660 *Alimento, sustento, comida. — Comestible, manjar. — Ración, porción, pedazo, parte, cantidad. — Mucho, poco, bastante.*

661 *Aperitivo, estimulante. — Tentempié, refrigerio, bocadillo.*
662 *Desayuno, almuerzo, once, comida, cena, merienda, colación.*

663 Desayunar, almorzar, comer, cenar, merendar. — Alimentar, nutrir, mantener. — Ingerir, tragar, zampar, devorar, manducar, engullir, deglutir. — Bastante, suficiente.
664 Ayunar, privarse, desnutrirse, estar a dieta. — En ayunas, sin comer, perder el apetito. — Basta, no más, suficiente.

665 *Comilona, francachela, orgía, bacanal, festín. — Atracón, hartazgo, panzada. — Saciedad, saturación, hartura.*
666 *Hartarse, atiborrarse, saciarse, llenarse, empacharse, apiparse, indigestarse, abotagarse, hincharse. — Atragantarse, atorarse. — Indigesto, indigestible, nocivo dañino.*

667 Suficiente, abundante, opíparo, pantagruélico, orgiástico.
668 Escaso, exiguo, insuficiente, poco. — Incompleto, mezquino, pobre. — Apenas, limitado, restringido.

---

669 Morder, mordisquear, mordiscar. — Mascar, masticar.
670 Mordisco, dentallada, mordedura, bocado. — Ingestión, masticación, mascada, mascadura. — Tarascada, tarascón.

---

671 Sabroso, apetitoso, agradable, exquisito, gustoso, deleitable, delicioso, deleitoso, rico. — Suculento, substancioso. — Gusto, gustillo, sabor, dejo, paladar.
672 Desabrido, insípido, sin sabor, incomible, desaborido.

---

673 Saciado, harto, satisfecho. — Henchido, ahito, repleto, lleno. — Inapetente, desganado, sin apetito.
674 Hambriento, famélico, insatisfecho, insaciable. — Tragón, engullidor, glotón, comilón. — Voraz, ansioso, muerto de hambre. — Hambrear, malcomer, padecer hambre.

---

675 Inapetencia, desgana. — Empacho, indigestión, asco. — Náusea, arcada, vómito. — Vomitar, arrojar, expulsar, expeler.
676 Hambre, apetito, apetencia, gana, deseo, antojo. — Hambruna, hambre insaciable, bulimia. — Más, otro poco. Mucho, harto, bastante, más y más.

---

677 Abstinencia, ayuno, frugalidad, sobriedad, parquedad, moderación. — Continencia, templanza, temperancia. — Régimen, dieta, privación. — Adelgazar, enflaquecer.
678 Intemperancia, inmoderación, incontinencia, exceso, abuso. — Gula, glotonería, voracidad. — Engordar, engrosar.

---

679 Abstemio, temperante, abstinente, sobrio, frugal, moderado, mesurado. — Antialcohólico, opuesto al alcoholismo.
680 Bebedor, tomador. — Bebido, achispado, beodo, ebrio, embriagado, emborrachado. — Borrachín, borracho, alcohólico, alcoholizado. — Sediento, dipsómano, dipsomaníaco.

---

681 Embriaguez, ebriedad, borrachera, emborrachamiento, curda, alcoholismo. — Agitación, temblor, delirium tremens.
682 Embriagarse, emborracharse, achisparse. — Beber, empinar el codo. — Descomponerse, marearse, sentirse mal.

164

683 *Pastelería, confitería, dulcería, chocolatería, repostería. — Pastelero, confitero. — Dulcero, bizcochero.*
684 *Bizcocho, galleta. — Confite, caramelo, chocolate, chocolatín, bombón. — Confitera, bombonera. — Torta, pastel, dulce. — Miel, almíbar, mermelada, confitura. — Golosina, exquisitez, delicia. — Pan, panecillo. — Panera, cesta.*

685 Endulzar, azucarar, enmelar, dulcificar, almibarar, confitar.
686 Amargar, acibarar, acidular. — Agriar, acedar.

687 Agrio, ácido, acedo. — Amargo, acerbo, amargoso. — Avinagrado, agriado, acre, áspero, agridulce. — Acidez, amargor.
688 Dulce, dulzón, almibarado, azucarado, acaramelado.

689 Adelgazar, enflaquecer, enmagrecer, demacrarse, desmejorar.
690 Engordar, engrosar, encarnecer, echar carnes. — Sobrealimentar, sobrealimentación, exceso.

691 Delgadez, flacura, magrura. — Adelgazamiento, enflaquecimiento. — Demacración, desmejoramiento, consunción.
692 Gordura, obesidad, corpulencia, grosor, adiposis, adiposidad, exceso de grasa. — Grasa, crasitud.

693 Delgado, flaco, adelgazado, enflaquecido, enjuto, apergaminado. — Demacrado, esquelético, magro, chupado, consumido. — Extenuado, desmirriado, esmirriado.
694 Gordo, obeso, grueso. — Rollizo, regordete, gordiflón, corpulento, voluminoso, barrigón, ventrudo, adiposo. — Retaco, rechoncho, regordete, achaparrado.

695 Robustez, fuerza, vigor, reciedumbre. — Vitalidad, fortaleza, potencia. — Salud, bienestar, lozanía, euforia.
696 Debilidad, abatimiento, depresión, lasitud, languidez, desfallecimiento, desaliento, desánimo, descaecimiento, flaqueza. — Postración, decaimiento, agobio, agotamiento, impotencia, inanición, aplanamiento, extenuación.

697 Debilitar, agotar, fatigar, extenuar, descaecer, desfallecer, languidecer. — Desanimarse, desalentarse, decaer.
698 Robustecer, fortalecer, vigorizar, tonificar, fortificar. — Remozar, rejuvenecer, mejorar, renovarse.

699 Robusto, fornido, recio, vigoroso, sano, fuerte, potente, pujante, viril. — Membrudo, corpulento. — Forzudo, musculoso, hercúleo, atlético. — Forcejar, forcejear, forzar.
700 Débil, enfermo, delicado, enfermizo, enclenque, raquítico, achacoso, morboso, endeble, alfeñique, canijo. — Debilitado, macilento, enteco, flaco, escuálido, anémico, desnutrido, subalimentado. — Indispuesto, cansado, laso, valetudinario. — Demudado, pálido, cadavérico, lívido.

701 Encorvarse, gibarse, arquearse. — Encogerse, inclinarse, agacharse, doblarse. — Acuclillarse, acurrucarse.
702 Estirarse, erguirse, desencogerse, enderezarse, levantarse. — Empinarse, alzarse, elevarse.

703 Erguido, erecto, derecho, enderezado, parado, levantado, empinado. — Tieso, rígido, eréctil, enhiesto, alzado.
704 Encorvado, gibado, arqueado, encogido. — Agachado, inclinado. — Giba, corcova, joroba. — Deformación, deformidad.

705 Arquear, encorvar, doblar, curvar, combar, torcer, retorcer.
706 Enderezar, desencorvar, destorcer. — Estirar, atirantar.

707 Alto, desarrollado, crecido, grande, grandote. — Estatura, talla, tamaño, altura, altitud. — Porte, medida.
708 Bajo, pequeño, chico, petiso. — Contextura, complexión.

709 Enano, pequeñísimo, pigmeo, pequeñín, diminuto.
710 Gigante, gigantón. — Titán, coloso, cíclope.

711 Semejar, parecerse, asemejarse, igualarse.
712 Diferenciarse, distinguirse. — Desemejar, contrastar.

713 Semejanza, similitud. — Analogía, afinidad, uniformidad, igualdad, paridad, identidad. — Parecido, sinonimia.
714 Diferencia, disparidad, diversidad, desigualdad, variedad, disimilitud. — Desemejanza, antinomía, contraste, oposición, antítesis. — Discriminación, diferenciación.

715 Diferenciar, distinguir, desigualar, desnivelar. — Separar, segregar, disgregar, discriminar, apartar.
716 Igualar, uniformar, asemejar, asimilar, identificar. — Emparejar, aparear, nivelar, estabilizar, equilibrar, compensar.

717 Semejante, parecido, uniforme, similar, equivalente, afín, símil, homólogo, sinónimo, análogo, homogéneo. — Igual, par, idéntico, parejo, gemelo, mismo. — Sosía: muy parecido.
718 Diferente, desigual, disímil, distinto, otro, dispar. — Opuesto, antagónico, antónimo, contrario, antitético, contradictorio. — Desemejante, heterogéneo, abigarrado. — Disparejo, desparejo. — Diverso, contrario, inverso, al revés.

719 Variedad, clase, tipo, especie, género, grupo, familia. — Raza, tipo, individuo, ejemplar. — Entremezclar, abigarrar.
720 Promiscuidad, mezcolanza, mezcla, revoltijo, miscelánea.

721 Atavismo, herencia, sangre. — Atávico, ancestral, hereditario. — Connatural, innato, congénito, ingénito, ínsito.
722 Típico, característico, peculiar, significativo, propio, simbólico, inconfundible. — Costumbrista, folclórico. — Originario, autóctono, exclusivo, representativo, pintoresco.

723 Arraigado, tradicional, acostumbrado, inveterado, consuetudinario. — Habitual, rutinario, frecuente. — Usual, proverbial, común. — Permanente, invariable, crónico.
724 Desacostumbrado, inusitado, infrecuente, insólito, desusado. — Raro, extraño, anómalo, inimaginable, inaudito, increíble. — Sensacional, impresionante, desconcertante.

725 Extraordinario, excepcional, desconocido, nuevo, nunca visto, original. — Especial, singular, exótico, peregrino.
726 Ordinario, normal, común, vulgar. — Corriente, trivial, conocido, repetido, trillado, manido. — Diario, cotidiano.

727 Normalidad, regularidad, rutina, hábito. — Práctica, uso, moda, estilo, tradición, usanza, costumbre, maña, resabio.
728 Extravagancia, rareza, anomalía, anormalidad. — Excepción, novedad, excentricidad, particularidad, esnobismo.

729 Acostumbrar, habituar, familiarizar, tener costumbre. — Soler, estilar, avezar. — Arraigar, radicar, echar raíces, enraizar. — Persistir, mantenerse, permanecer.
730 Desacostumbrar, deshabituar, perder la costumbre, abandonar, dejar el hábito, suprimir, desterrar. — Desarraigar, extirpar, suprimir, arrancar, erradicar. — Cambiar, variar.

731 Acorde, conforme, de acuerdo, concorde. — Compatible, conciliable, coincidente, concordante, sincrónico.
732 Discorde, discrepante, disconforme, desconforme. — Contrario, opuesto, antagónico, malavenido, desavenido. — Incompatible, inconciliable, en desacuerdo, contrario.

733 Concordancia, correspondencia, conformidad, concomitancia, unión, coincidencia. — Compatibilidad, reciprocidad, solidaridad. — Unánimemente, por unanimidad, al unísono, conteste, sin discrepancia. — Solidariamente, conjuntamente. — Solidario, junto, unido, adherido.
734 Divergencia, disconformidad, discrepancia, incompatibilidad, desacuerdo, disentimiento, desavenencia, disensión, oposición. — Contraste, contrariedad, discordancia.

735 Concordia, unión, armonía. — Amistad, camaradería, compañerismo, fraternidad, familiaridad, intimidad, confraternidad, hermandad. — Relación, afinidad, lazo.
736 Discordia, desunión, desavenencia, desarmonía, enemistad, disensión. — Rivalidad, envidia, antagonismo. — Resentimiento, animosidad, resquemor, malquerencia, inquina, ojeriza, tirria, animadversión, desafección, desafecto. — Diferencia, discrepancia, oposición, hostilidad.

737 Amigo, compañero, amigote, compadre, camarada, colega, compinche. — Inseparable, íntimo, entrañable, muy querido.
738 Enemigo, adversario, contrario, adverso. — Opositor, opuesto, hostil. — Antagonista, rival, competidor, émulo. — Contrincante, adversario, contendiente, contrincante.

739 Amistar, amigar, unir, relacionar, hermanar. — Armonizar, congeniar, fraternizar, avenir, conciliar, reconciliar. — Conciliable, avenible. — Conciliatorio, conciliativo.
740 Enemistar, desavenir, desunir, indisponer, malquistar. — Chismear, enredar, intrigar. — Cizañar, meter cizaña. — Enemistado, irreconciliable. — Enojado, distanciado.

741 Apacible, sosegado, inmutable, tranquilo, pacífico, reposado. — Manso, quieto, benigno, bondadoso, abnegado.
742 Peleador, provocador, pendenciero, camorrista, belicoso, agresivo, provocativo. — Inmoderado, desmedido, desaforado.

168

743 Bravata, fanfarronada, jactancia, guapeza, baladronada.
744 Reto, amenaza, provocación, agresividad, desafío, pelea.

745 Tolerar, aguantar, condescender, transigir, transar, ceder, claudicar, admitir, dejar. — Contemporizar, temporizar.
746 Resistir, afrontar, arrostrar, encarar, enfrentar. — Desaflar, retar, provocar, amenazar, conminar, amagar.

747 Soportar, aguantar. — Amoldarse, acostumbrarse, acomodarse, familiarizarse. — Adaptarse, habituarse, aclimatarse, aficionarse. — Adaptación, aclimatación, habituación.
748 Resistir, protestar, reaccionar. — Rebelarse, sublevarse, levantarse, insurreccionarse, alzarse, amotinarse.

749 Admitir, aceptar, recibir, acoger, adoptar. — Hospedar, alojar, albergar, cobijar, asilar, aposentar, acomodar.
750 Expulsar, despedir, echar, arrojar, aventar. — Erradicar, marginar. — Desalojar, lanzar, desalquilar, desaposentar.

751 Admitido, aceptado, recibido, acogido. — Tolerado, soportado, aguantado, consentido.
752 Rechazado, desechado, desplazado. — Expulsado, despedido, echado, lanzado, repudiado, alejado, eliminado.

753 Consentir, asentir, acceder, conceder, otorgar, permitir, autorizar, facultar, condescender. — Dignarse, servirse.
754 Rehusar, denegar, rechazar, recusar, negar. — Prohibir, impedir, oponerse, vedar, interdecir. — Anular, desautorizar, desconocer, descalificar, privar, proscribir.

755 Tolerancia, transigencia, indulgencia, codescendencia, comprensión. — Paciencia, aguante, conformidad, resignación.
756 Intolerancia, intransigencia, terquedad, testarudez, empecinamiento, porfía, obstinación. — Fanatismo, sectarismo.

757 Tolerante, paciente, comprensivo, indulgente, condescendiente, complaciente, transigente. — Conciliador, conformista, acomodadizo, acomodaticio. — Resignado, sufrido.
758 Intolerante, intransigente, terco, testarudo, porfiado, tozudo, empecinado, obstinado, voluntarioso, exigente, cabezudo. — Obcecado, aferrado, fanático, sectario, extremista.

759 Aprobación, aceptación, admisión, aquiescencia, conformidad, asentimiento, autorización, consentimiento, licencia, beneplácito, venia, anuencia. — Asenso, consenso.
760 Desaprobación, reprobación, rechazo, desautorización, negativa. — Contraposición, antagonismo, oposición, contra, denegación, veto. — Prohibición, vedamiento, interdicción.

761 Aceptable, pasable, permisible, tolerable, soportable, aguantable, sufrible, resistible. — Pasadero, llevadero, admisible. — Soportar, resistir, aguantar, tolerar.
762 Inaceptable, intolerable, insoportable, insufrible, inaguantable, inadmisible. — Desesperante, irritante, exasperante.

763 Probidad, rectitud, deber, responsabilidad, cumplimiento.
764 Imperfección, defecto, falta, culpa, pecado, desliz, caída.

765 Virtud, pureza, honestidad, moralidad, decencia, decoro.
766 Vicio, inmoralidad, indecencia, deshonestidad, corrupción, impureza, perversión, depravación, denegación, libertinaje, desenfreno. — Mala costumbre, resabio, maña.

767 Virtuoso, incorruptible, ejemplar, intachable, irreprochable. — Casto, puro. — Inocente, incorrupto, íntegro.
768 Vicioso, pervertido, corrompido, acanallado, degenerado, depravado, disoluto, crápula, libertino, calavera. — Desenfrenado, inmoderado, enviciado. — Drogadicto, drogado.

769 Moral, decente, recatado, honesto, púdico, correcto, decoroso. — Pudoroso, gazmoño, mojigato, puritano, pudibundo.
770 Inmoral, indecente, impúdico, indecoroso, deshonesto, obsceno, antimoral. — Crapuloso, licencioso, escandaloso.

771 Castidad, virginidad, pureza, continencia, inocencia, incorrupción. — Pudor, recato, decoro, pudicia, decencia.
772 Lujuria, concupiscencia, sensualidad, sensualismo, lascivia, voluptuosidad, erotismo, libídine. — Pornografía, obscenidad, impudicia, indecencia, impudor. — Estupro, violación.

773 Inocente, casto, inmaculado, puro, impoluto, incorrupto, virgen, virginal. — Romántico, idealista, platónico, espiritual.
774 Pornográfico, lujurioso, libidinoso, concupiscente, sensual, voluptuoso, lascivo, carnal, erótico. — Corruptor, impuro.

775 Enviciar, pervertir, degenerar, corromper, viciar, prostituir, depravar, malear, envilecer, inficionar. — Abusar, forzar, violar, desflorar, deshonrar, desvirgar. — Alcahueta, encubridora, tapadera, celestina, proxeneta.

776 Regenerar, reformar, corregir, rehacer, renovar. — Moralizar, enmendar, escarmentar. — Aconsejar, prevenir, advertir.

777 Enviciarse, corromperse, pervertirse, envilecerse. — Prostituirse, deshonrarse. — Prostituta, ramera, puta.

778 Arrepentirse, reformarse, corregirse, enmendarse.

779 Afeminado, homosexual, sodomita, invertido, maricón, marica, feminoide, pederasta. — Misógino: odia a las mujeres.

780 Hombruna, sargentona. — Machota, marimacho, mujer varonil.

781 *Cigarrillo, pitillo, pito, cigarro, habano, puro. — Colilla, pucho. — Fósforo, cerilla, encendedor. — Fumar, pitar.*

782 *Cigarra, pitillera, petaca, tabaquera. — Pipa, cachimba.*

783 Errante, errabundo, vagabundo, ambulante, errático. — Trotamundos, andarín, vagamundo, nómada, nómade, vago.

784 Sedentario, estacionario, asentado, estable, permanente, aposentado. — Inmóvil, quieto, detenido.

785 *Espacio, distancia, trecho, recorrido, trayecto. — Itinerario, dirección, rumbo, sentido.*

786 *Vías camineras. — Camino, carretera, vía, calzada. — Senda, sendero, atajo, derrotero, ruta, arteria, avenida, calle, calleja, callejón, pasaje, pasadizo. — Vereda, acera, berma, orilla. — Pista, autopista.*

787 Andar, caminar, pasear, deambular, transitar, circular, recorrer, marchar, trasladarse. — Cruzar, atravesar, pasar. — Callejear, trajinar, errar, vagar. — Vagabundear, zanganear, merodear, vaguear. — Paso, tranco, trancada, zancada.

788 Detenerse, parar. — Descansar, apoyarse, acodarse.

789 Unirse, juntarse, agruparse, aglomerarse, amontonarse. — Arrimarse, aproximarse, acercarse.

790 Separarse, dispersarse, desparramarse. — Alejarse, distanciarse. — Marcharse, largarse, irse.

791 Algunos, varios, unos, ciertos, diversos, unos cuantos. — Alguien, algún, alguno, cualquier, cualquiera. — Un, uno.
792 Ninguno, nadie, ni uno, ninguna persona.

793 *Gente, público, concurrencia, afluencia. — Gentío, muchedumbre, multitud, turba, tropel, caterva. — Montón, hacinamiento, amontonamiento, acumulación, congestión, agolpamiento, apiñamiento, aglomeración, masa, aluvión, río humano. — Grupo, conjunto, puñado, cáfila, hatajo. — Oleada, enjambre, hormiguero, hervidero, turbamulta.*
794 *Apretón, aprieto, apretujón, apretura, estrujón, opresión, presión. — Empujón, rempujón, empellón, atropello. — Empujar, atropellar. — Derribar, botar, arrojar. — Derribado, desplomado, caído, tumbado, tirado, botado.*

795 *Muchos, sinnúmero, incontables. — Cúmulo, infinidad, sinfín. — Promiscuidad, mezcolanza, mezcla, revoltijo.*
796 *Desfile, manifestación, procesión, acto multitudinario.*

797 Tropezar, chocar, topar. — Tropezón, trastabillón, tropiezo, encontronazo, encontrón, estrellón. — Traspié, resbalón. — Perder el equilibrio, resbalar, caer, desplomarse, rodar. — Caída, porrazo, trastazo, costalada, costalazo, golpe.
798 Recoger, levantar, alzar. — Levantarse, alzarse, pararse.

799 *Resbaladizo, escurridizo, resbaloso, deslizante.*
800 *Tambalear, oscilar, trastabillar, vacilar, bambolear. — Moverse, agitarse, bullir, pulular. — Zangolotear, zarandear.*

801 *Trajín, ajetreo, movimiento, correría, andanza. — Tránsito, tráfico, tráfago. — Circulación, locomoción, movilización, transporte. — Peaje, derecho, tributo, pago por tránsito.*
802 *Cruce, intersección, crucero, cruzamiento, encrucijada.*

803 *Arrabal, suburbio, barrio, afueras, periferia, contornos.*
804 *Centro, medio, interior, corazón, centro urbano.*

805 Bifurcación, desvío, separación, división, divergencia, desviación. — Ramificación, rama, ramal.
806 Convergencia, concurrencia, coincidencia, juntura, empalme, unión. — Conexión, enlace, acoplamiento.

807 Converger, convergir, concurrir, confluir, coincidir. — Empalmar, conectar, unirse, juntarse.
808 Bifurcarse, dividirse, subdividirse, ramificarse, diversificarse. — Separarse, apartarse, desviarse, divergir.

---

809 *Redondo, redondeado, esférico, circular, cilíndrico.*
810 *Circunferencia, círculo. — Esfera, bola, globo, redondel, ruedo, disco. — Redondez, curvatura.*

---

811 Horizontal, tendido, yacente. — Extendido, plano, alargado.
812 Vertical, perpendicular. — Erecto, a plomo, parado.

---

813 Recto, derecho, directo. — Paralelo, equidistante.
814 Curvo, torcido, retorcido, sinuoso, tortuoso, zigzagueante. — Diagonal, transversal, oblicuo. — Recodo, codo, ángulo, esquina. — Curva, vuelta, rodeo. — Entrada, bocacalle.

---

815 *Vacaciones, asueto, fiesta, festividad. — Veraneo, descanso, días festivos. — Feriado, festivo, día de descanso.*
816 *Excursión, paseo, camping. — Correría, caminata, travesía, viaje, gira, expedición, peregrinación, romería, caravana. — Turismo, recorrido, tour, tournée. — Viajar, salir, partir.*

---

817 *Pasajero, viajero, excursionista, explorador. — Turista, veraneante. — Peregrino, viajante, caminante, viandante.*
818 *Transeúnte, peatón, paseante, callejero, andariego, andador. — Callejear, trajinar. — Caminar, andar, pasear.*

---

819 *Filiación, datos, señas. — Dirección, domicilio. — Identificación, carné, cédula de identidad, señas personales. — Ficha, papeleta. — Identificar, registrar, fichar.*
820 *Pasaporte, pase, permiso, salvoconducto, licencia, autorización. — Visado, visa. — Salvaguardia, garantía.*

---

821 *Paraje, lugar, sitio, parte, punto. — Ambiente, medio.*
822 *Avenida, alameda, paseo, bulevar. — Parque, jardín, huerto, vergel. — Prado, césped. — Arbusto, maleza.*

---

823 *Instalarse, estacionarse, situarse, ubicarse, colocarse. — Estacionamiento, aparcamiento.*
824 *Hospedar, alojar, albergar, aposentar. — Pernoctar, pasar la noche, posar. — Reposar, descansar, dormir.*

173

825   *Habitación, cuarto, pieza, alcoba, dormitorio, aposento, departamento, suite. — Antesala, cámara, recámara.*
826   *Camarote, gabinete, cabina, compartimiento, dependencias.*

827   *Cuartucho, cuchitril, chiribitil, tugurio, pocilga, zahurda, tabuco. — Barracón, chamizo, chabola, cobijo.*
828   *Cabaña, choza, rancho, granja. — Alquería, cortijo.*

829   *Hotel, hostería, motel. — Posada, parador, albergue, refugio, fonda. — Pensión, residencial, casa de huéspedes.*
830   *Hotelero, hospedero, posadero. — Mesonero, fondista. — Alojamiento, hospedaje, hospedamiento, aposentamiento.*

831   *Huésped, pensionista, alojado, hospedado. — Invitado, convidado, comensal. — Compañero, vecino de mesa.*
832   *Permanencia, estada, estadía, estancia. — Detención, parada, alto. — Estar, quedar, permanecer.*

833   Radicarse, establecerse, instalarse, domiciliarse, avecindarse. — Arraigarse, afincarse, aposentarse, albergarse, alojarse. — Vivir, morar, residir, habitar, parar.
834   Mudarse, cambiarse, trasladarse, largarse, irse. — Mudanza, cambio, traslado. — Cambiar, trasladar, deshabitar.

835   Llanura, llano, meseta, planicie, pampa, pradera, estepa. — Valle, cuenca. — Desfiladero, quebrada, cañón, paso.
836   Montaña, sierra. — Macizo, alturas, cordillera. — Cerro, monte, montículo, morro, colina, collado, loma, altozano. — Pico, picacho, altiplanicie, meseta, ajarefe.

837   *Roca, peñasco, risco, piedra, peña, guijarro, pedrusco.*
838   *Rocoso, pedregoso, peñascoso, riscoso, pétreo. — Cantera, pedrera. — Mina, yacimiento, filón. — Mineral, veta, vena. — Excavación, extracción. — Entibar, apuntalar, asegurar.*

839   *Andinista, escalador, montañero, alpinista, excursionista.*
840   *Esquiar, patinar, deslizarse. — Esquiador, patinador.*

841   Subida, ascensión, elevación. — Cuesta, repecho, rampa. — Pendiente, ladera, falda.
842   Bajada, descenso, descendimiento. — Declinación, caída, declive, inclinación.

843 Subir, ascender, trepar, remontar, escalar, encaramar. — Alzar, levantar, elevar, encumbrar. — Izar, enarbolar, colgar. — Subida, ascensión, elevación, encumbramiento.
844 Bajar, descender. — Descolgar, arriar. — Agachar, inclinar.

845 Arriba, encima, sobre, en lo alto. — En la parte alta, en la parte superior, hacia lo alto, de abajo arriba.
846 Abajo, bajo, debajo, en la parte inferior.

847 Grande, enorme, descomunal, inmenso, monumental. — Excesivo, exagerado, desmedido, abultado. — Exorbitante, garrafal, desmesurado. — Formidable, gigantesco, colosal, tremendo, titánico. — Grandioso, ingente, máximo. — Lo más, el máximun, lo sumo, el súmmum, el colmo.
848 Chico, diminuto, pequeño, menudo, pequeñísimo. — Exiguo, reducido, mínimo, menor. — Minúsculo, ínfimo, infinitesimal, microscópico. — Lo menos, el mínimum, la menor parte.

849 *Molécula, átomo, partícula, célula, corpúsculo.*
850 *Elemento, principio, componente, materia, substancia, cosa.*

851 Duro, sólido, resistente, fuerte, firme, consistente, macizo, férreo, inflexible. — Indestructible, irrompible.
852 Blando, inconsistente, deleznable. — Flexible, dúctil, elástico, correoso, plástico, maleable. — Destructible, rompible. — Frágil, quebradizo, endeble.

853 Suelto, fofo, esponjoso, poroso, fungoso. — Mullido, acolchado. — Hueco, ahuecado. — Huero, vacío.
854 Apretado, compacto, denso, tupido, espeso.

855 Consistencia, resistencia. — Solidez, firmeza, dureza. — Densidad, espesor, macicez. — Cohesión, adherencia.
856 Inconsistencia, fragilidad. — Blandura, flexibilidad.

857 Liviano, ligero, vaporoso, ingrávido, leve, tenue, sutil. — Grácil, suave, delicado, fino.
858 Pesado, amazacotado, recargado. — Basto, tosco.

859 Parejo, igual, plano, liso, raso, llano.
860 Abrupto, escarpado, montañoso, escabroso, enriscado, barrancoso, accidentado, quebrado, acantilado, desigual.

861 Cima, cumbre, cúspide, pináculo, picacho, culminación, extremidad, altura, vértice. — Pico, punta, cresta, fastigio.

862 Sima, abismo, profundidad, depresión, hondura, fondo. — Precipicio, despeñadero, barranco. — Hondo, profundo.

863 *Río, riachuelo, estero, arroyo. — Lago, laguna. — Represa, estanque, embalse. — Desembocadura, desembocadero, estuario, delta. — Desembocar, desaguar, vaciar, salir, afluir. — Vadear, cruzar, pasar, orillar.*

864 *Catarata, torrente, raudal, cascada. — Acueducto, canal, acequia, cauce, cuneta, zanja, excavación.*

865 *Mar, océano, piélago. — Desalar, quitar la sal, desalación.*

866 *Golfo, ensenada, bahía, rada. — Caleta, cala, ancón.*

867 *Marea, flujo, pleamar. — Reflujo, resaca, bajamar. — Marejada, olas, oleada, oleaje, cachón, ondulación.*

868 *Costa, litoral, ribera, playa. — Vera, orilla, lado, borde, canto, extremo. — Balneario, baños, natación.*

869 *Malecón, espigón, dique, escollera, rompeolas, terraplén.*

870 *Puerto, desembarcadero, embarcadero. — Fondeadero, ancladero, dársena, muelle. — Aduana, resguardo. — Boya, baliza. — Ancla, áncora. — Grúa, árgana, cabrestante, torno.*

871 *Embarcación, nave, buque, barco, vapor, yate, lancha, lanchón, barcaza, bote, batel, navío, bajel, barca, falúa, canoa, velero, bergantín, balandra, chalupa, piragua, falucho. — Destructor, destroyer, torpedero, corbeta, fragata, crucero, portaaviones. — Sumergible, submarino, batíscafu.*

872 *Eslora, largo del barco, longitud. — Proa, parte delantera. — Popa, parte trasera. — Babor, lado derecho. — Estribor, lado izquierdo. — Costado, lado, flanco. — Gallardete, banderola, insignia, distintivo. — Vela, velamen, lona, toldo.*

873 *Brújula, bitácora, compás, aguja de marear, cuadrante.*

874 *Flota, escuadra, armada, marina. — Náutica, navegación.*

875 Oscilación, vaivén, barquinazo, balanceo, bandazo, tumbo, bamboleo, cabeceo. — Contrapeso, compensación.

876 Estabilidad, equilibrio. — Fijeza, inmovilidad.

877 *Marinería, tripulación, dotación, hombres de mar.*
878 *Marino, marinero, náutico, naval, nauta, navegante, tripulante, lobo de mar. — Timonel, piloto, conductor, batelero, práctico. — Conducir, pilotear, gobernar, dirigir.*

879 Recalar, llegar, entrar, atracar, abarloar. — Fondear, echar anchas, anclar, ancorar. — Desembarcar, bajar, descender.
880 Levar anclas, soltar, amarras, desamarrar. — Alzar velas, desatracar, zarpar, hacerse a la mar, partir. — Embarcarse, navegar, timonear, dirigir, gobernar. — Cabotaje, tráfico marítimo. — Navegación, crucero, travesía.

881 *Pirata, corsario, filibustero, bucanero, contrabandista, raquero. — Contrabando, fraude, matute, alijo.*
882 *Embarcarse, bogar, remar, halar. — Remero, bogador, remador, barquero, batelero, lanchero, botero.*

883 *Al garete, a la deriva. — Perdido, extraviado, desorientado, despistado. — Desorientarse, perder el rumbo.*
884 *Propulsor, hélice, remo, pagaya. — Estela, rastro, señal.*

885 Encallar, varar, abarrancar, embarrancar, zabordar.
886 Desencallar, desembarrancar, desvarar, zafarse. — Desembarazar, despejar, desobstruir, desatascar, zafar.

887 *Tumbarse, escorar. — Naufragar, zozobrar, hacer agua, anegarse. — Irse a pique, hundirse, sumergirse, afondar.*
888 *Naufragio, encalladura, hundimiento, inmersión, sumersión.*

889 Sumergir, hundir, inmergir. — Zambullir, bucear, chapuzar. — Buceo, zambullida, chapuzón.
890 Emerger, surgir. — Nadar, bracear, flotar, sobrenadar, mantenerse a flote. — Natación, flotación, inmersión. — Deporte acuático, arte de nadar. — Piscina, estanque, baño.

891 *Aviación, aeronáutica, aerostación, navegación aérea. — Astronavegación, astronáutica.*
892 *Avión, aeroplano, avioneta, helicóptero, autogiro, dirigible, globo, aeronave, aeróstato. — Hidroavión, anfibio, que puede posarse en tierra o en el agua. — Astronavío, astronave, cosmonave. — Hangar, cobertizo grande.*

893 Partida, despegue, arranque. — Despegar, elevarse, remontarse, levantar el vuelo, volar. — Surcar, navegar. — Trayectoria, órbita, curva. — Vuelo, navegación aérea.
894 Planear, descender, bajar, aterrizar, amarar, alunizar. — Aterrizaje: posarse en la tierra. — Amaraje: posarse en el agua.
— Alunizaje: posarse en la luna.

895 *Aeródromo, aeropuerto, base aérea, pista de aterrizaje. — He-*
lipuerto, pista de aterrizaje para helicópteros. — Aerovía, ruta
aérea. — Aerolínea, servicio aéreo.
896 *Aviador, piloto, tripulante. — Aeronauta, astronauta, cosmo-*
nauta. — Auxiliar de vuelo, hostess, azafata, aeromoza.

897 *Automovilista, piloto, conductor, chofer, taxista, motorista,*
maquinista, camionero. — Cochero, auriga, postillón, carrete-
ro. — Guía, baqueano, cicerone. — Lazarillo, acompañante.
898 *Manejar, dirigir, conducir, guiar, maniobrar, gobernar, timo-*
near, pilotar, manipular, encaminar.

899 *Vehículo, auto, automóvil, camión, camioneta, jeep. — Ómni-*
bus, trolebús, autobús, furgón. — Tractor, remolcador. — Co-
che, carro, carromato. — Carricoche, cacharro. — Chasis, ar-
mazón, caja, armadura, esqueleto.
900 *Ferrocarril, tren, metro, subte. — Automotor, locomotora,*
máquina, vehículo. — Vagón, coche, compartimiento.

901 *Coche, carruaje, diligencia, carro, carreta, carretón, carretilla.*
902 *Bicicleta, triciclo, velocípedo, biciclo, ciclomotor, tándem.*
— Moto, motocicleta, sidecar, acoplado.

903 *Aparato, instrumento, artefacto, máquina. — Mecanismo,*
dispositivo, maquinaria, motor, turbina, reactor. — Repuesto,
accesorio, pieza, recambio, complemento, reserva.
904 *Garaje, hangar, cobertizo, cochera. — Estación, andén, apea-*
dero. — Estacionamiento, aparcamiento.

905 *Neumático, cámara, cubierta, llanta, forro, rueda.*
906 *Carburante, gasolina, nafta, petróleo, bencina, esencia, kero-*
sene, parafina, combustible. — Carbón, hulla, antracita, co-
que, cisco. — Leño, madera, leña.

907 Lubricar, lubrificar, engrasar, aceitar, untar. — Lubricación, engrase. — Lubricante, lubrificante. — Grasoso, aceitoso.
908 Desengrase, desengrasar, lavar, limpiar.

909 Movimiento, funcionamiento, marcha, circulación, locomoción. — Funcionar, moverse, marchar, circular. — Doblar, torcer. — Transitar, pasar, andar, recorrer.
910 Dificultad, entorpecimiento, interrupción, impedimento. — Frenada, detención, alto, parada. — Frenar, detener.

911 *Estacionado, detenido, parado. — Estacionario, invariable, inmóvil, quieto, estancado, inmovilizado, fijo, clavado.*
912 *Paradero, destino, terminal. — Meta, fin, final, término. — Estacionarse, colocarse, situarse, ubicarse.*

913 *Rotación, giro, vuelta, viraje. — Movimiento, revolución.*
914 *Ruta, rumbo, dirección, curso. — Derrotero, camino.*

915 Girar, rodar, rotar, virar, voltear, circular. — Torcer, doblar, cambiar. — Bordear, orillar.
916 Estacionar, colocar, situar, ubicar, instalar, acomodar. — Parquear, aparcar. — Hacer alto, parar, detenerse.

917 Orientarse, informarse. — Encaminarse, dirigirse, marchar, trasladarse, enfilar. — Dirección, ir a, para, hacia.
918 Confundirse, extraviarse, perderse. — Equivocarse, desviarse, desorientarse, descarriarse, descaminarse, aberrar.

919 Confundir, extraviar, desviar, perder, desorientar, despistar. — Perdido, extraviado. — Errado, descaminado.
920 Encontrar, hallar, descubrir, topar, ubicar, localizar. — Orientar, informar, dirigir, guiar, encaminar, encarrilar.

921 Intransitable, infranqueable. — Obstruido, cortado, interrumpido. — Obstrucción, atasco, atascamiento, escollo.
922 Transitable, viable, expedito, franco, franqueable, libre, despejado, abierto. — Paso, vía, libre.

923 *Bache, hoyo, depresión, hondura, agujero, cavidad, concavidad, fosa. — Prominencia, montículo, saliente, protuberancia, relieve. — Desnivel, altibajo, desigualdad.*
924 *Obstruir, obstaculizar, atascar, bloquear, detener.*

925 Partir, arrancar. — Acelerar, aligerar, apresurar, apurar, correr, precipitar, disparar, adelantar. — Darse prisa, apresurarse, apurarse. — Apurado, apresurado, impaciente.

926 Sujetar, atajar, detener, interrumpir. — Lento, despacio, a la vuela de la rueda. — Frenar, parar.

---

927 *Celeridad, aceleración, aceleramiento, apresuramiento, velocidad. — Serpentear, zigzaguear, culebrear. — Pinchazo, reventón. — Vaivén, voltereta, vuelco, tumbo.*

928 *Choque, colisión, estrellón, encontronazo, atropello. — Estrellarse, hacerse añicos. — Arremeter, atropellar, arrollar, derribar, botar. — Abollado, averiado, hundido, aplastado.*

---

929 *Accidente, desgracia, descalabro, infortunio, percance, atropello, catástrofe. — Malherir, dislocar, descoyuntar.*

930 *Accidentarse, desvanecerse, desmayarse, perder el conocimiento. — Desmayado, desvanecido. — Desangrado, exangüe.*

---

931 *Lesión, herida, contusión, traumatismo, magulladura, golpe, fractura, quebradura, desgarradura, daño, trauma.*

932 *Luxación, dislocación, zafadura, torcedura. — Hinchazón, inflamación, edema, tumor, quiste, absceso, tumefacción, llaga. — Hematoma, chichón. — Supurar, madurar.*

---

933 Atropellado, arrollado, accidentado, contuso. — Dañado, lastimado, fracturado, dislocado, descoyuntado, magullado, maltrecho, malparado. — Víctima, herido, lesionado.

934 Indemne, incólume, ileso, salvo, intacto, sano y salvo. — Sobreviviente, superviviente, vivo. — Salvarse, sobrevivir.

---

935 *Desmayo, desfallecimiento, desvanecimiento. — Ataque, colapso, síncope, vahído. — Mareo, vértigo, deliquio.*

936 *Mutilado, inválido, lisiado, baldado, tullido, anquilosado, atrofiado, paralítico. — Impedido, imposibilitado, incapacitado. — Cojo, cojuelo, rengo. — Cojear, renguear.*

---

937 *Hospital, clínica, consultorio, enfermería, policlínica, nosocomio, dispensario, sanatorio. — Asilo, horfanato, hospicio. Ambulancia, asistencia. — Hospitalizar, internar, recluir.*

938 *Médico, doctor, facultativo, galeno, cirujano. — Dentista, odontólogo. — Matrona, partera. — Enfermera, practicante.*

939 Síntomas, síndrome. — Examen, reconocimiento, ausculta-
ción. — Examinar, auscultar. — Control, chequeo.
940 Analizar, diagnosticar. — Diagnóstico, análisis.

941 Medicación, tratamiento, régimen, cura, curación, terapéutica. — Dieta, régimen alimentario. — Cuidar, atender, asistir.
942 Receta, prescripción, fórmula, récipe. — Recetar, prescribir,
ordenar. — Recetario, formulario.

943 Medicamento, medicina, remedio. — Específico, droga, poción, pócima, mejunje, menjunje. — Tónico, fortificante, estimulante, tonificante, reconstituyente, panacea.
944 Dosis, cantidad, porción, toma, dosificación, posología.
— Dosificar, graduar. — Medir, rasar, equilibrar.

945 Tableta, comprimido, píldora, gragea, pastilla, oblea. — Trocisco, trozo, pedazo. — Cápsula, envoltura.
946 Botica, farmacia, droguería. — Boticario, farmacéutico.

947 Afiebrado, calenturiento, febril. — Convulsiones, escalofrío,
calofrío. Termómetro, instrumento para medir la temperatura.
948 Fiebre, temperatura, calentura, terciana.

949 Malsano, nocivo, dañino, perjudicial, malo, insalubre, pernicioso, infecto. — Infeccioso, contagioso, pegajoso.
950 Saludable, sano, conveniente, benéfico, provechoso, beneficioso. — Salubre, salubérrimo, salutífero.

951 Contagiar, infectar, contaminar, intoxicar, podrir. — Emponzoñar, inficionar, infestar, infeccionar, inocular.
952 Desinfectar, esterilizar, pasteurizar, desintoxicar. — Sanear, hi-
gienizar, purificar, depurar, absterger. — Vacunar, inmunizar.
— Desinfectante, antiséptico, aséptico, antipútrido.

953 Infección, contagio, epidemia. — Contaminación, polución.
— Intoxicación, envenenamiento. — Séptico, putrefacto, descompuesto, infectado, podrido, pútrido. — Putrefacción, carroña, podredumbre, descomposición. — Antihigiénico, malsano, nocivo, dañoso. — Smog: aire contaminado.
954 Higiene, desinfección. — Antisepsia, profilaxis, asepsia, preservación, limpieza, depuración. — Profiláctico, higiénico.

955 Veneno, ponzoña, toxina, tósigo. — Envenamiento, intoxicación, infección. — Supuración, inflamación, secreción.
956 Antídoto, contraveneno, antitoxina, mitridato.

957 Venenoso, ponzoñoso, purulento, tóxico. — Mortífero, letal, deleterio. — Mefítico, malsano, insalubre, dañino.
958 Atóxico, no venenoso. — Innocuo, inocuo, inofensivo.

959 *Microbio, bacilo, bacteria. — Virus, miasma. — Epidemia, plaga, peste, flagelo. — Epidémico, endémico.*
960 *Comezón, picazón, hormigueo, escozor, prurito, urticaria.*

961 *Laxante, purgante. — Excusado, urinario, retrete, letrina, W. C., water. — Bacinica, bacín, orinal. — Evacuar, defecar, obrar, cagar, laxar, excretar. — Orinar, mear.*
962 *Excremento, caca, estiércol, bosta, fimo. — Mojón, cagada, zurullo, excreto. — Orina, pipí.*

963 Convalecencia, mejoría, recuperación, restablecimiento. — Curación, salud. — Sano, robusto.
964 Recaída, empeoramiento, agravación, agravamiento. — Desmejoramiento, recrudecimiento.

965 *Anestésico, narcótico, soporífero, dormitivo, somnífero. — Cloroformo, éter, morfina, cocaína. — Anestesia, insensibilidad, adormecimiento, inconsciencia.*
966 *Anestesiar, cloroformizar, insensibilizar, narcotizar. — Hipnotizar, magnetizar. — Sugestionar, adormecer, aletargar.*

967 *Anestesiado, insensible, inerte, aletargado, inconsciente.*
968 *Quirófano, sala de operaciones. — Cirugía, intervención, operación. — Venda, vendaje, apósito. — Compresa.*

969 *Amputación, corte, tajo, incisión, punción, cisura, cortadura. — Sajar, cortar, amputar. — Sangrar, desangrar. — Cauterizar, restañar, estancar, detener. — Cicatrizar, cerrar.*
970 *Prótesis, órgano artificial, aparato ortopédico. — Muleta, bastón, apoyo, silla de ruedas.*

971 Respiración, aspiración, inhalación. — Espiración, exhalación. — Aliento, hálito, resuello, soplo, vaho.
972 *Asfixia, ahogo, ahogamiento, jadeo, sofocación, opresión.*

973 Respirar, inhalar, aspirar, inspirar. — Espirar, exhalar.
974 Asfixiarse, ahogarse, sofocarse.

---

975 *Resollar, resoplar, jadear, acezar, soplar, bufar.*
976 *Latido, pulsación, palpitación. — Latir, palpitar, pulsar.*

---

977 *Constipado, resfriado, arromadizado. — Resfrío, romadizo, catarro. — Estornudo, tos. — Ronquera, carraspera, afonía.*
978 *Resfriarse, acatarrarse, arromadizarse, constiparse, estornudar. — Carraspear, esgarrar, toser. — Afónico, ronco.*

---

979 *Desflemar, escupir, expectorar, esputar. — Expectoración, escupitajo. — Saliva, baba.*
980 *Flema, escupo, esputo, desgarro, gargajo.*

---

981 Salud, vigor, robustez. — Vitalidad, energía, potencia.
982 Enfermedad, malestar, mal, dolencia, padecimiento, indisposición, acceso, afección, achaque. — Debilidad, desánimo, desaliento. — Incurable, insanable, muy mal.

---

983 Mejorar, sanar, aliviar, curar. — Restablecerse, reponerse, recobrarse, recuperarse, convalecer, aliviarse, curarse, dar de alta. — Repuesto, mejorado, restablecido, recuperado.
984 Debilitarse, indisponerse, agravarse, agotarse. — Enfermar, decaer, empeorar, agravar, recrudecer, desmejorar. — Adolecer, padecer, sufrir, soportar. — Muy mal, pésimo, grave, agónico, moribundo. — Ataque, crisis, peligro.

---

985 Angustia, aflicción, sobresalto, desasosiego, alteración. — Congoja, temor, pesadilla, nerviosismo, nerviosidad. — Ansiedad, expectación, suspenso. — Preocupación, inquietud, desvelo, zozobra. — Tensión, agotamiento, estrés.
986 Sosiego, serenidad, quietud, moderación, reportación. — Sedante, calmante, analgésico, somnífero, dormitivo, tranquilizante, estupefaciente. — Sedativo, paliativo, lenitivo.

---

987 Sufrir, padecer. — Sentir, experimentar, percibir. — Afligirse, amargarse, atormentarse, apenarse, entristecerse.
988 Consolar, reanimar, tranquilizar, aliviar. — Confortar, esperanzar, alentar, reconfortar. — Distraer, entretener. — Atender, cuidar, acompañar, asistir.

989 Sufrir, padecer. — Quejarse, lamentarse, clamar, gemir, dolerse. — Pena, amargura, tristeza, aflicción, congoja.
990 Consolarse, calmarse, conformarse, resignarse, tranquilizarse, reanimarse. — Sobrellevar, aguantar, soportar, resistir, tolerar, conllevar. — Adaptable, amoldable.

991 Sufrimiento, padecimiento, dolor, tormento, duelo, desolación, desconsuelo, aflicción, martirio, tortura, suplicio.
992 Consuelo, alivio, desahogo, consolación, apaciguamiento. — Resignación, conformidad, paciencia, estoicismo.

993 Emocionar, impresionar, alterar, turbar, sobresaltar, perturbar, trastornar, inquietar. — Afectar, conmover.
994 Tranquilizar, calmar, sosegar, apaciguar, aquietar, pacificar, serenar, sedar. — Mitigar, paliar, atenuar, aligerar.

995 Enternecedor, emotivo, patético, conmovedor. — Apasionante, impresionante. — Dramático, inquietante, emocionante, alarmante, turbador. — Desolador, penoso, triste.
996 Hilarante, risible, cómico. — Grotesco, ridículo, irrisorio, extravagante, raro. — Tragicómico, jocoserio.

997 Lamentable, deplorable, sensible, lastimoso, entristecedor, aflictivo, doloroso. — Triste, angustioso, penoso, amargo, luctuoso. — Infortunado, desgraciado, nefasto.
998 Envidiable, deseable, apetecible, codiciable.

999 Felicitar, congratular, cumplimentar, saludar.
1000 Lamentar, deplorar, sentir, compadecer. — Apenar, acongojar, afligir, enternecer. — Impresionarse, conmoverse, apesararse. — Apiadarse, condolerse.

1001 *Incurable, insanable, desahuciado. — Moribundo, agónico, agonizante. — Estertor, agonía. — Sopor, coma.*
1002 *Inanimado, exánime, muerto, fallecido. — Difunto, finado, extinto. — Occiso, interfecto.*

1003 *Cadáver, despojos, restos mortales. — Obituario, lista de fallecidos, defunciones, necrología.*
1004 *Ataúd, féretro, cajón. — Sudario, mortaja. — Amortajar, envolver, cubrir. — Velorio, velatorio.*

1005 *Honras fúnebres, servicio mortuorio, funeral, funerales, exequias. — Funeraria, empresa de funerales. — Cámara mortuoria. — Coche fúnebre. — Embalsamar, momificar.*
1006 *Capilla ardiente, misa de réquiem, postrer homenaje.*

1007 *Cementerio, necrópolis, camposanto.*
1008 *Sepultura, tumba, nicho, sepulcro. — Túmulo, catafalco, mausoleo, fosa, huesa, sarcófago, panteón, cripta, bóveda, última morada. — Lápida, losa. — Epitafio, inscripción que se pone sobre una sepultura.*

1009 *Sepulturero, enterrador, sepultador.*
1010 *Incinerar, quemar, calcinar. — Incineración, cremación, acción de quemar o incinerar (especialmente los cadáveres).*

1011 *Luto, duelo, pena, aflicción. — Pésame, condolencia.*
1012 *Cortejo fúnebre, entierro, inhumación, sepelio. — Enterramiento, soterramiento.*

1013 Enterrar, inhumar, sepultar, dar sepultura.
1014 Desenterrar, exhumar. — Autopsia, necroscopia, necropsia.

1015 *Testar, legar, otorgar, disponer, donar, ceder, dejar. — Heredero, sucesor, legatario, beneficiario. — Testador, persona que hace testamento. — Ab intestato, sin testamento.*
1016 *Testamento, última voluntad. — Albacea, testamentario, fideicomisario. — Legatario, compromisario. — Curador, tutor. — Apoderado, administrador, protector.*

1017 Heredar, suceder. — Herencia, sucesión, legado, beneficio. — Patrimonio: bienes que una persona hereda.
1018 Desheredar, privar, desposeer. — Preterir, postergar. — Desheredamiento, privación. — Abandono, desamparo.

1019 Traspasar, endosar. — Transferir, transmitir. — Enajenar, ceder, vender, alienar.
1020 Retener, guardar, conservar. — Reservar, mantener.

1021 Traspaso, cesión, entrega, transferencia, transmisión. — Transferible, cesible, traspasable, transmisible.
1022 Retención, conservación, retenimiento. — Intransferible, intransmisible, inalienable, inajenable, invendible.

1023 Legal, permitido, consentido, admitido, lícito. — Autorizado, legalizado, auténtico, oficial. — Reglamentario, reglamentado. — Legalmente, autorizadamente.
1024 Vedado, clandestino, ilícito, ilegal, indebido, subrepticio. — Prohibido, desautorizado. — Clandestinamente, ilegalmente. — Solapadamente, disimuladamente.

1025 Legalidad, legitimidad, derecho, facultad. — Justicia, imparcialidad, objetividad. — Equidad, ecuanimidad.
1026 Ilegitimidad, ilegalidad, irregularidad, infracción, conculcación. — injusticia, arbitrariedad, corruptela. — Favoritismo, parcialidad. — Abuso, opresión, tropelía, vejación, atropello, desmán.

1027 Quitar, despojar, privar, desposeer. — Confiscar, expropiar, requisar, decomisar, comisar, incautarse, retener.
1028 Dar, suministrar, entregar, proporcionar, procurar, dotar, facilitar, deparar. — Aportar, contribuir, cooperar.

1029 Confiscación, incautación, comiso, requisición, embargo, decomiso, apropiación, expropiación. — Usurpación, arrebatamiento, toma. — Embargar, retener algo judicialmente.
1030 Devolución, restitución, reintegro, reintegración, reembolso. — Reposición, recuperación, recobro.

1031 Usurpar, arrebatar, despojar, apañar, expoliar. — Apoderarse, adueñarse, apropiarse, adjudicarse. — Conservar, retener, detentar, mantener. — Arrogarse, atribuirse.
1032 Restituir, devolver, reintegrar, reponer, reembolsar, integrar. — Desprenderse, despojarse, renunciar.

1033 Incorruptible, probo, honesto, virtuoso, íntegro, insobornable. — Digno, correcto, decente.
1034 Corruptible, sobornable, deshonesto, venal. — Inmoral, indigno, desvergonzado. — Chantajista, rufián.

1035 Honestidad, honradez, honorabilidad, rectitud, moralidad, integridad, probidad. — Delicadeza, escrupulosidad.
1036 Deshonestidad, venalidad, concusión, prevaricación. — Exacción, depredación, peculado. — Coacción, presión, imposición, forzamiento.

1037 *Chantaje, extorsión, amenaza, timo, engaño. — Chantajista, timador, embaucador, mixtificador.*
1038 *Sobornar, cohechar, corromper. — Untar, comprar. — Soborno, coima, cohecho. — Sobornado, cohechado, comprado.*

1039 Denigrante, deshonroso, humillante, degradante, vergonzoso, bochornoso, ignominioso, oprobioso. — Afrentoso, infamante. — Difamatorio, indecoroso, indigno.
1040 Honroso, honorífico, enaltecedor. — Plausible, alabable, meritorio. — Digno, decente, decoroso.

1041 Fundado, justificado, razonable, racional, justo, consecuente. — Ecuánime, equitativo, imparcial, recto.
1042 Infundado, injustificado. — Injusto, inicuo, arbitrario, discriminatorio. — Inmerecido, inmotivado, improcedente. — Tendencioso, interesado, intencionado, gratuito, antojadizo.

1043 Verdadero, correcto. — Equitativo, recto, veraz.
1044 Fraudulento, doloso, engañoso, falaz, falso, desfigurado.

1045 *Pedigüeño, sablista, petardista, parásito, gorrón, pegote.*
1046 *Estafador, ladrón, ratero, cleptómano, caco, carterista, ladronzuelo, tramposo. — Cuatrero, ladrón de ganado.*

1047 Regalo, obsequio, recuerdo, donación, donativo, aporte, aportación, dádiva, óbolo, presente, ofrenda, don. — Limosna, caridad. — Erogación, distribución, repartición.
1048 Robo, hurto, desfalco, fraude, defraudación. — Dolo, malversación, estafa, latrocinio, rapiña, rapacidad, ratería, contrabando, matute, alijo. — Abigeato: robo de animales.

1049 Regalar, obsequiar, donar, dar, ofrendar, dadivar. — Donante, donador. — Dadivoso, filántropo, obsequiador.
1050 Robar, hurtar, birlar, estafar, timar, substraer, desfalcar. — Desvalijar, saquear, rapiñar, escamotear, ratear, desplumar. — Defraudar, malversar, usurpar, quitar, apropiarse. — Sablear, trampear. — Engañar, abusar, explotar.

1051 Bribón, pillo, pillete, granuja, truhán, canalla, bellaco, artero, tunante, perillán. — Abellacado, agranujado.
1052 Honrado, decoroso, respetable, honorable, digno.

1053　*Jugador, tahur, garitero, fullero, tramposo. — Jugar, apostar. — Garito, timba, casa de juego.*

1054　*Apuesta, postura. — Farsa, trampa, engaño, fraude, fullería, trapacería. — Engañado, burlado, chasqueado. — Incorrecto, irregular, viciado, falseado, adulterado.*

1055　*Pandilla, mafia, clan. — Camarilla, patota, cuadrilla, banda.*

1056　*Pillería, bribonada, bellaquería, truhanería, villanía.*

1057　Salteador, agresor, malhechor, atracador. — Bandido, bandolero, asaltante, atacador, apache. — Malandrín, pillo.

1058　Defensor, protector, amparador, guardián, paladín.

1059　Atacar, acometer, asaltar, saltear, atracar, agredir, arremeter. — Abalanzarse, precipitarse, arrojarse. — Asaltado, atacado, acometido, agredido, golpeado, herido, malherido.

1060　Defender, proteger, amparar, ayudar, resguardar, escudar, salvaguardar. — Socorrer, asistir, apoyar, remediar, preservar. — Cuidar, velar, vigilar, atender, guardar. — Guarecer, cobijar, auxiliar, respaldar, salvar.

1061　Ataque, agresión, asalto, atraco, atentado. — Acometida, embate, arremetida, embestida. — Agresividad, acometividad.

1062　Defensa, amparo, apoyo, ayuda, auxilio, refuerzo. — Colaboración, asistencia, socorro, cooperación, concurso. — Auxiliado, defendido, amparado, protegido, resguardado.

1063　*Bastón, báculo, estaca, garrote, palo, vara, tranca.*

1064　*Bastonazo, garrotazo, trancazo, estacazo, cachiporrazo.*

1065　Golpear, dañar, maltratar, lesionar, flagelar, lastimar, herir, atontar, aturdir. — Magullar, contundir, lacerar. — Lisiar, mutilar, baldar. — Enfurecerse, ensañarse, encarnizarse.

1066　Compensar, indemnizar, resarcir, reparar, pagar. — Purgar, expiar, satisfacer. — Lamentarlo, dolerse, arrepentirse.

1067　Asesino, criminal, homicida. — Sicario, matador.

1068　Matar, asesinar, ultimar, rematar, despachar. — Despanzurrar, reventar. — Apuñalear, apuñalar, acribillar, acuchillar, estrangular, asfixiar, ahogar, envenenar, acogotar. — Cuchillada, puñalada, navajazo. — Penetrante, punzante.

1069 *Asesinato, crimen, homicidio. — Suicidio, muerte. — Parricidio, fratricidio, conyugicidio.*

1070 Fratricida (hermano), infanticida (niño), filicida (hijo), matricida (madre), uxoricida (esposa), conyugicida (cónyuge), parricida (padre, madre, cónyuge), regicida (rey), tiranicida (tirano), magnicida (persona que ocupa el poder), genocidio (asesinato de grupo). — Eutanasia (dar muerte sin dolor a incurables). — Matarse, suicidarse, eliminarse, inmolarse.

1071 Secuestrar, raptar, retener. — Secuestro, rapto.
1072 Rescatar, recuperar, recobrar. — Rescate, liberación, redención, salvación. — Escape, evasión, huida, fuga.

1073 *Rastro, vestigio, pista, señal, indicio, pisada, huella.*
1074 *Ojeada, mirada, vistazo, atisbo, acecho. — Dar una ojeada.*

1075 *Husmear, curiosear, fisgar, fisgonear. — Investigar, escudriñar, pesquisar, escrutar, indagar, sonsacar, rastrear, olfatear, rebuscar, buscar, perquirir. — Registrar, catear.*
1076 *Allanar, forzar, derribar, irrumpir, entrar.*

1077 *Persecución, seguimiento, perseguimiento, acosamiento. — Hostigamiento, acoso, batida. — Alcance, caza.*
1078 *Patrulla, destacamento, ronda, piquete, pelotón, retén, cuadrilla. — Rondar, patrullar. — Velar, vigilar. — Proteger, resguardar, mantener el orden.*

1079 Esconderse, ocultarse, agazaparse. — Achantarse, aguantarse. — Desaparecer, eclipsarse, esfumarse.
1080 Sorprender, descubrir, pillar, encontrar, hallar.

1081 *Escondite, escondrijo, madriguera, guarida, refugio.*
1082 *Caverna, antro, covacha, albergue. — Gruta, cueva.*

1083 Perseguir, seguir la pista, alcanzar. — Sitiar, asediar, acosar, hostigar, acorralar. — Cercar, rodear, circuir, bloquear, arrinconar, acordonar, circundar, circunvalar. — Asediado, sitiado, acorralado, arrinconado.
1084 Escapar, huir, arrancar, alzar el vuelo. — Fugarse, evadirse, arrancarse, escabullirse, desbandarse, escurrirse. — Eludir, burlar, desembarazarse, librarse, escaparse, liberarse.

1085 Apresar, capturar, detener, aprisionar, prender, cautivar, aprehender, arrestar, encarcelar, recluir, encerrar, enceldar, incomunicar, aislar. — Preventivamente, por prevención.
1086 Libertar, excarcelar, desaprisionar, desencadenar, desencerrar. — Liberar, librar, sacar, soltar.

1087 Asir coger, agarrar, atrapar, tomar, aferrar, trabar, pescar, apercollar. — Amordazar, silenciar. — Atar, esposar, encadenar, maniatar, inmovilizar. — Esposas, grilletes.
1088 Desasir, soltar, desprender, desatar, desaferrar, destrabar.

1089 Captura, detención, aprehensión, apresamiento, prendimiento, arresto. — Encarcelamiento, encarcelación. — Redada, razzia, batida, búsqueda.
1090 Fuga, huida, escape, evasión, escapada, escapatoria.

1091 Fugado, fugitivo, escapado, evadido, huido, prófugo.
1092 Capturado, arrestado, detenido, aprehendido, cogido, apresado, secuestrado. — Recluido, encarcelado, cautivado. — Rehén, persona retenida como garantía.

1093 Encubridor, cómplice. — Complicidad, connivencia, colusión, codelincuencia. — Tapadera, pantalla, ocultador.
1094 Soplón, delator, confidente, denunciador, denunciante, acusador. — Acusón, acusete. — Espía, agente secreto.

1095 Encubrir, ocultar, esconder, omitir. — Disimular, simular, fingir, aparentar. — Deformar, alterar, desfigurar, falsear, desvirtuar, camuflar, distorsionar, trastrocar.
1096 Descubrir, revelar, confesar, reconocer, aceptar, admitir. — Declarar, exteriorizar, explayar, desembuchar, cantar, aclarar, explicar. — Confesión, declaración, confidencia.

1097 *Delinquir, infringir, atentar, quebrantar, violar. — Transgredir, conculcar, barrenar, prevaricar. — Perpetrar, consumar, cometer, incurrir, caer, incidir. — Intencional, motivo agravante, perjudicial. — Casual: atenuante, eximente.*
1098 *Motivo, fundamento, causa, porqué, motivación, concausa, factor. — Razón, causal, móvil, objetivo, finalidad, fin, objeto, propósito, meta, norte. — Fondo, meollo, médula. — Intringulis, quid, busilis.*

1099 Presunto, supuesto, sospechoso. — Indicio, conjetura. — Conjetural, indiciario. — Achacable, imputable, atribuible.
1100 Flagrante, con las manos en la masa, in fraganti. — Descubierto, desenmascarado. — Localizado, encontrado.

1101 Implicado, mezclado, envuelto, enredado, involucrado. — Comprometido, complicado, coludido.
1102 Descartado, eliminado, excluido, desechado, separado.

1103 Culpar, inculpar, acusar, acriminar, incriminar, imputar, sindicar, atribuir, achacar, cargar, responsabilizar, enredar, implicar, involucrar, complicar, mezclar, envolver. — Tildar, tachar. — Denunciar, delatar, soplonear, soplar.
1104 Defender, abogar, alegar. — Exculpar, justificar, disculpar, dispensar, interceder, vindicar. Perdonar, indultar, absolver.

1105 Disculpable, perdonable, justificable, excusable, remisible.
1106 Indisculpable, inexcusable, imperdonable, injustificable, irremisible, inadmisible, inaceptable: error craso.

1107 Convocar, citar, emplazar. — Requerir, apercibir, exhortar.
1108 Licenciar, despedir, despachar. — Suspender, interrumpir.

1109 Convocatoria, comparendo, emplazamiento, convocación, cita, llamada, aviso, citación, llamamiento. — Notificación, requerimiento, apercibimiento. Comparecencia, asistencia.
1110 Incomparecencia, inasistencia. — Suspensión, interrupción, cesación, intermisión. — Receso, pausa, paréntesis.

1111 *Delito, culpa, infracción, falta, culpabilidad. — Transgresión, contravención, violación, atentado, desacato. — Punible, penable, sancionable. — Delictuoso, delictivo.*
1112 Iniciar, comenzar, incoar. — *Juicio, sumario, proceso, causa, pleito, litigio, querella, demanda. — Expensas, costas.*

1113 *Enjuiciar, procesar, encausar, juzgar. — Sentenciar, fallar. — Resolver, decidir, dictaminar, pronunciar. — Condenar.*
1114 *Juzgado, tribunal, magistratura, poder judicial. — Juez, magistrado. — Abogado, letrado, jurista, jurisconsulto, legista. — Abogacía, jurisprudencia, leyes. — Criminalista, penalista. — Leguleyo, picapleitos, embaucador, charlatán.*

1115 Acusación, inculpación, imputación, incriminación, cargo. — Denuncia, delación, soplo. — Demandante, denunciante.
1116 Defensa, alegato, alegación. — Justificación, descargo, exculpación. — Prueba, testimonio, coartada. — Recurso, intercesión. — Intercesor, mediador, intermediario.

1117 *Testigo, declarante, informante. — Informador, testificante. — Relator, expositor, ponente. — Auto, expediente.*
1118 *Carear, enfrentar, encarar, confrontar, comparar, parear, cotejar. — Careo, confrontación, enfrentamiento, comparación, cotejo. — Equiparar, colacionar, parangonar.*

1119 Atestiguar, testificar, testimoniar, declarar, jurar. — Probar, evidenciar, demostrar, señalar, anotar, acotar.
1120 Refutar, negar, opugnar, contraponer, impugnar, confutar.

1121 Informe, opinión, ponencia, parecer, dictamen. — Resolución, decisión, determinación. — Sentencia, fallo, veredicto, ejecutoria. — Notificación, comunicación, comunicado, aviso.
1122 Apelación, reclamación, revisión. — Casación, revocación, abrogación. — Recurso, medio, arbitrio.

1123 Inapelable, irrecusable, irrevocable, irreversible, inabrogable. — Resuelto, decidido, concluyente, definitivo.
1124 Apelable, revocable, abrogable, recusable, anulable. — Reversible, cambiable, modificable, rectificable.

1125 Condenado, inculpado, culpado, acusado, demandado, procesado, reo. — Confeso, convicto, culpable. — Causante, autor.
1126 Absuelto, sobreseído, libertado, excarcelado, suelto.

1127 Condena, castigo, sanción, pena, penalidad, punición, condenación, expiación, multa. — Severidad, inclemencia.
1128 Indulto, amnistía, condonación, conmutación. — Gracia, perdón, absolución. — Imputación, clemencia, lenidad.

1129 Absolver, indultar, condonar, conmutar, amnistiar, sobreseer, perdonar, olvidar. — Perdonado, impune: sin castigo. — Excarcelación, liberación, libertad.
1130 Condenar, castigar, sancionar, penitenciar, penar, infligir, aplicar, imponer un castigo. — Sancionado, castigado.

192

1131 *Apelar, recurrir, acudir. — Suplicar, clamar, rogar, implorar, pedir, demandar, solicitar, invocar, impetrar. — Petición, solicitud. — Instancia, memorial, demanda.*
1132 *Ajusticiar, ejecutar. — Patíbulo, cadalso. — Verdugo, sayón. — Electrocutar, fusilar, guillotinar, ahorcar, decapitar, degollar. — Ajusticiado, ejecutado. — Ahorcado, colgado.*

1133 Desterrar, exiliar, deportar, relegar, confinar, aislar, proscribir, expulsar. — Desterrado, confinado, deportado.
1134 Retornar, regresar, volver, tornar. — Repatriar, hacer que uno regrese a su patria.

1135 Destierro, exilio, deportación, proscripción, ostracismo, extrañamiento, relegación, confinación, expatriación. — Emigración, salida, éxodo, migración.
1136 Retorno, regreso, vuelta, repatriación. — Inmigración, llegada, entrada. — Inmigrar, colonizar, poblar.

1137 *Prisión, cárcel, presidio, penal, comisaría, penitenciaría, mazmorra, chirona, calabozo, celda. — Reformatorio, casa correccional, establecimiento penitenciario.*
1138 *Presidiario, penado, preso, recluso, prisionero, cautivo. — Galeote, forzado. — Desterrado, deportado, confinado.*

1139 *Delincuencia, criminalidad. — Delincuente, infractor, facineroso, forajido, maleante; secuestrador, gángster, malhechor. — Cómplice, codelincuente, copartícipe, coautor.*
1140 *Policía, detective, alcaide, vigilante, guarda, guardián, comisario, carcelero, celador, rondín, sereno, cuidador. — Polizonte, alguacil, agente, inspector, investigador.*

1141 Arrepentimiento, compunción, remordimiento, contrición, voz de la conciencia. — Pesar, sentimiento, pesadumbre.
1142 Obstinación, terquedad, porfía, insistencia, contumacia, pertinacia, testarudez, tozudez, impenitencia.

1143 Arrepentirse, lamentarlo, sentirlo, deplorarlo. — Disculparse, excusarse, justificarse, sincerarse.
1144 Obstinarse, empecinarse, encapricharse, emperrarse. — Reincidir, reiterar, insistir, recaer, volver a las andadas, reanudar, continuar, proseguir, iterar.

1145 Arrepentido, apesadumbrado, afligido, apesarado, desolado.

1146 Obstinado, porfiado, terco, testarudo, pertinaz, obcecado, recalcitrante, contumaz. — Incorregible, reincidente, reacio, impenitente, insistente. — Rebelde, refractario.

1147 Vengativo, rencoroso, resentido, vengador. — Implacable, inexorable, severo. — Vengarse, desquitarse, resarcirse.

1148 Compasivo, indulgente, tolerante, benévolo, benigno, clemente. Perdonar, dispensar, excusar, olvidar.

1149 Venganza, represalia, desquite, revancha, vindicta, vendetta. — Ley del talión, ojo por ojo, diente por diente.

1150 Indulgencia, piedad, compasión, clemencia, misericordia, perdón. — Bondad, caridad, generosidad.

1151 Provocación, agresión, casus belli. — Guerra, hostilidades, conflicto, beligerancia, conflagración, contienda. — Batalla, escaramuza, encuentro, refriega, combate, lucha, lid. — Ofensiva, guerrilla, pugna, choque, pelea.

1152 Reconciliación, conciliación, tregua, armisticio, pacificación, arreglo. — Paz, pacto, convenio, tratado.

1153 Movilizar, reclutar, acuartelar. — Militarizar, enrolar, alistar, enganchar. — Reclutamiento, conscripción, alistamiento, leva. — Acampar, abarracar, acantonar, vivaquear.

1154 Posguerra, postguerra, posbélico. — Desmovilizar, licenciar. — Licenciamiento, desmovilización, desarme.

1155 *Campamento, cuartel. — Estado Mayor, ejército, tropa, milicia, fuerzas armadas. — Regimiento, batallón, escuadrón. Hueste, legión, falange. — Acantonamiento, acuartelamiento.*

1156 *Alineación, formación. — Desfile, revista, parada, marcha, maniobra, operación, evolución, despliegue, simulacro. — Desfilar, marchar. — Revistar, inspeccionar.*

1157 *Bandera, estandarte, pabellón, pendón, oriflama, insignia, enseña, distintivo. — Asta, palo, mástil. — Enarbolar, izar, elevar, alzar. — Flamear, ondear, ondular, tremolar. — Arriar, bajar, descolgar, recoger.*

1158 *Abanderado, portaestandarte, alférez. — Jura, juramento, promesa, compromiso, pacto de honor.*

1159 Galones, charretera, jineta. — Condecoración, medalla.
1160 Armadura, cota, coraza. — Arnés, guarniciones, aparejos, arreos. — Atavío, adorno, aderezo. — Broquel, escudo.

1161 Fortificar, reforzar, acorazar, proteger, fortalecer. — Consolidar, dar firmeza. — Alambrar, cercar, amurallar.
1162 Amurallado, fortificado, acasamatado. — Defensa, fortaleza, fortificación. — Fuerte, reducto, casamata, baluarte, bastión, alcázar, trinchera, barricada, parapeto, plaza fuerte, ciudadela fortificada. — Blindado, acorazado.

1163 Observatorio, mirador, miradero, mirilla. — Almena, atalaya, torre, altura. — Centinela, guardia, escucha, vigía.
1164 Ver, divisar, avistar, percibir, apercibir, observar. — Oír, sentir, notar, entrever, reparar. — Alerta, vigilante.

1165 Vigilancia, observación, custodia, acechanza, espionaje, vela.
1166 Descuido, distracción, incuria, abandono, negligencia.

1167 Vigilar, custodiar, acechar, espiar, ojear, avizorar, atisbar, observar, aguaitar, mirar, otear. — Velar, cuidar.
1168 Alertar, prevenir, avisar. — Rebato, alarma, llamamiento.

1169 Planificar, planear, proyectar, bosquejar, trazar, programar. — Planificación, programación, proyecto, preparativos.
1170 Táctica, maniobra, estrategia. — Estratega, táctico.

1171 Campaña, cruzada, expedición, operaciones, maniobras.
1172 Capitanear, comandar, mandar, acaudillar, dirigir, conducir. Capitán, jefe caudillo, adalid. — Líder, dirigente, conductor, guía. — Liderato, liderazgo.

1173 Combatiente, soldado, guerrero, miliciano, infante, batallador, guerrillero, belicista, beligerante. — Recluta, conscripto, soldado. — Militar, castrense. — Mercenario.
1174 Neutral, imparcial, independiente. — Pacifista, no beligerante. — Paisano, civil, no militar.

1175 Combatir, batallar, guerrear, pelear, batirse, guerrillear, lidiar, luchar. — Contender, disputar, resistir, mantener.
1176 Sucumbir, rendirse, capitular, entregarse, deponer las armas, firmar la paz. — Abdicar, dimitir, renunciar.

1177 Retaguardia, zaga, rezaga. — A la zaga, a la cola, en pos, después, tras, detrás, atrás, trasero, en la retaguardia.
1178 Vanguardia, avanzada, delantera, descubierta, exploración, reconocimiento. — Al frente, a la cabeza, en primera línea, delante, adelante, enfrente.

1179 *Arsenal, polvorín, santabárbara. — Armas, armamento, municiones, pertrechos. — Avíos, admnículos, utensilios. — Pertrechar, equipar, armar, municionar.*
1180 *Bayoneta, puñal, machete, daga, cuchilla, navaja, arma blanca. — Afilar, amolar, aguzar. — Afilado, cortante, tajante, punzante. — Esgrimir, blandir, manejar.*

1181 *Espada, sable, florete, estoque, yatagán. — Carabina, rifle, fusil. — Pistola, revólver. — Metralleta, ametralladora. — Artillería, mortero, cañón. — Emplazar, alinear, orientar.*
1182 *Proyectil, bomba, granada, obús, bala, tiro, explosivo, detonante, fulminante. — Torpedo, cohete. — Lanza, flecha.*

1183 *Encañonar, apuntar. — Bombardear, cañonear, disparar, ametrallar, descargar, descerrajar, asestar. — Detonar, estallar, explotar, reventar, volar. — Balear, acribillar, herir.*
1184 *Cañonazo, descarga, andanada, fuego, balazo, impacto. — Detonación, estampido, estallido, disparo, tiro, explosión. — Disparos, tiroteo, balacera. — Dinamitar, volar.*

1185 Invulnerable, invencible, inconquistable, inexpugnable, inatacable. — Seguro, firme, protegido, defendido.
1186 Vulnerable, expugnable, conquistable. — Indefendible, insostenible. — Desarmado, inerme, indefenso.

1187 Peligroso, riesgo, amenaza, inseguridad, peligrosidad.
1188 Seguridad, protección, asilo, refugio, abrigo, amparo. — Ayuda, socorro, auxilio. — Patrocinio, tutela, sostén.

1189 Peligroso, arriesgado, expuesto, azaroso, inseguro, aventurado, amenazador. — Amenazante, comprometedor, conflictivo. — Peligrar, estar en peligro, verse en apuros. — Arriesgar, exponer, comprometer, aventurar, afrontar.
1190 Seguro, protegido, defendido, resguardado, amparado. — Ayudado, socorrido, auxiliado.

1191 Valentía, valor, intrepidez, coraje, guapeza, arrojo, audacia, osadía, atrevimiento, denuedo, bizarría, gallardía, arresto, agallas, bravura. — Proeza, hazaña, heroísmo.
1192 Cobardía, temor, miedo, acobardamiento. — Susto, pavor, pánico, pavura, sobresalto, alarma, espanto, horror, terror.

1193 Valiente, valeroso, intrépido, impávido, temerario, osado, arrojado, atrevido. — Heroico, homérico, épico.
1194 Cobarde, miedoso, espantadizo, asustadizo, temeroso. — Atemorizado, despavorido, asustado, acobardado.

1195 Resguardarse, guarecerse, protegerse, cuidarse, refugiarse, ocultarse, esconderse. — Atrincherarse, parapetarse, emboscarse. — Ampararse, defenderse, cobijarse.
1196 Exponerse, arriesgarse, atreverse, aventurarse, comprometerse, peligrar. — Animarse, decidirse, osar. — Desguarnecerse, descubrirse, mostrarse. — Avanzar, explorar, internarse, inspeccionar, investigar, reconocer. — Rastrear, sondear.

1197 *Asedio, bloqueo, sitio, cerco, rodeo, acorralamiento.*
1198 *Emboscada, celada, encerrona. — Garlito, lazo, trampa, asechanza, insidia. — Camuflaje, disimulo, simulación, fingimiento. — Simulacro: maniobra fingida.*

1199 Ofensiva, ataque, asalto, avance, incursión, irrupción, *ocupación, invasión, embestida, escalada, avanzada, penetración.*
1200 Retirada, retroceso, repliegue, reculada, contramarcha.

1201 Avanzar, irrumpir, atacar, embestir, asaltar, acometer. — Incontenible, irresistible, irrefrenable, invencible, arrollador. — Invadir, penetrar, ocupar, tomar posesión.
1202 Retroceder, recular, desandar, replegarse, retirarse, evacuar, abandonar, desocupar. — Huir, desertar, escapar.

1203 Resistir, soportar, aguantar, sostener, defender. — Detener, neutralizar, contraatacar. — Contraataque, ofensiva.
1204 Ceder, flaquear, cejar, batirse en retirada, arrancar. — Desbandada, huida, escapada. — Dispersión, fuga.

1205 Resistencia, defensiva, afrontamiento, oposición.
1206 Rendición, capitulación, sometimiento, sumisión, entrega.

1207 Deserción, deslealtad, defección, abandono, fuga, traición.
1208 Desertar, traicionar, engañar. — Desertor, prófugo, tránsfuga.
— Traidor, antipatriota, colaboracionista.

1209 Ensañamiento, brutalidad, ferocidad, bestialidad, salvajada, fiereza, perversidad, crueldad, atrocidad. — Matanza, degollina, carnicería, degüello, masacre, mortandad, exterminio. — Eliminar, exterminar, matar, diezmar.
1210 Sensibilidad, humanidad, afectividad, sentimentalismo.

1211 Encarnizado, reñido, mortífero, cruento, sangriento. — Martirizar, torturar, atormentar, sacrificar, matar.
1212 Saqueo, pillaje, saqueamiento, expoliación, depredación, rapiña, razzia, vandalismo, desvalijamiento, piratería. — Botín, trofeo, despojo, presa.

1213 Salvajismo, barbarie, incivilidad, irracionalidad, salvajez.
1214 Civilización, perfección, avance, adelanto, progreso. — Cultura, corrección, civilidad, sociabilidad.

1215 Salvaje, bárbaro, monstruo, irracional, incivilizado, vándalo. — Vandálico, sanguinario. — Caníbal, antropófago.
1216 Civilizado, culto, cultivado, refinado, pulido, educado.

1217 Dominante, dominador, opresor, imperioso. — Abusador, opresivo, déspota. — Dictador, autócrata, tirano, liberticida, totalitario, absolutista. — Despótico, tiránico, abusivo, arbitrario. — Absoluto, omnipotente, omnímodo, autoritario.
1218 Libertario, anarquista, ácrata. — Revolucionario, rebelde, sublevado, amotinado. — Sedicioso, subversivo.

1219 Esclavizar, oprimir, tiranizar, dominar, imperar, avasallar, sojuzgar, supeditar, subyugar, aherrojar. — Abusar, atropellar, dominar, someter.
1220 Libertar, liberar, librar, redimir, emancipar, rescatar.

1221 Libertad, independencia, autonomía, liberación, emancipación. — Albedrío, autodeterminación, libre elección.
1222 Esclavitud, dependencia, supeditación, vasallaje, cautiverio, servidumbre, subyugación. — Coerción, sujeción, opresión, yugo. — Represión, abuso, dominación, cadena.

198

1223 Libre, emancipado, independiente, autónomo, sin trabas.
1224 Esclavo, paria, ciervo, ilota. — Oprimido, esclavizado.

1225 Ganar, vencer, triunfar, dominar, derrotar, doblegar, arrollar, batir. — Conquistar, rendir, someter. — Reconquistar, recuperar. — Destituir, deponer, derrocar, destronar.
1226 Perder, fracasar, fallar, frustrar, malograr, abortar.

1227 Vencedor, triunfador, triunfante, victorioso, ganador, conquistador, invasor. — Invicto, invencible. — Héroe, prócer.
1228 Vencido, derrotado, dominado, sometido, aniquilado. — Fracasado, frustrado, fallido, malogrado. — Derrocado, destituido, depuesto, eliminado, expulsado.

1229 Victoria, triunfo, conquista, reconquista, recuperación, dominio. — Superioridad, ventaja, poderío, predominio, supremacía, dominación, poder, prepotencia.
1230 Derrota, fracaso, desastre, descalabro, revés, malogro, frustración, pérdida. — Inferioridad, desventaja.

1231 Destruir, arrasar, demoler, derribar, derrumbar, desplomar, tumbar, desolar, derruir, desmoronar, devastar, asolar, aniquilar. — Consumir, extinguir, exterminar, desmantelar.
1232 Reconstruir, reedificar, reconstituir, reparar, restablecer, rehacer. — Construir, edificar, levantar, erigir, alzar.

1233 Destrucción, aniquilación, devastación, demolición, derrumbe, asolamiento, estrago, desmantelamiento. — Destruido, arrasado, desmantelado.
1234 Reconstrucción, reedificación, restauración, reparación, refacción. — Edificación, construcción, erección.

1235 Inconcluso, inacabado, incompleto, trunco. — Aplazado, pendiente, diferido, pospuesto, postergado.
1236 Terminado, acabado, consumado, hecho, cumplido, realizado, resuelto, logrado. — Concluido, listo, concluso.

1237 *Patria, país, nación, estado, potencia. — Región, comarca, pueblo, aldea, localidad, poblado. — Terruño: suelo natal.*
1238 *Territorio, provincia, departamento, cantón, distrito, zona, circunscripción, división administrativa.*

1239 Ciudad, urbe. — Capital, metrópoli. — Capitalino, de la capital. — Ciudadano, habitante, residente, vecino. — Urbano: relativo a la ciudad. — Rural: relativo al campo.
1240 Campo, campiña, agro. — Agrario, rural, campestre. — Campesino, aldeano, provinciano, pueblerino, lugareño.

1241 *Demarcar, delimitar, deslindar, señalar, fijar, marcar. — Ahitar, amojonar, jalonar, acotar. — Hito, coto, mojón. — Postre, estaca. — Señalización, indicación, señal, marca.*
1242 *Límite, frontera, confín, linde. — Lindar, limitar, confinar.*

1243 *Estadística, registro, catastro, censo, padrón, empadronamiento. — Inscripción, anotación.*
1244 *Personas, individuos, habitantes, ciudadanos, seres.*

1245 *Idioma, lengua, lenguaje, habla. — Voz, palabra, vocablo, término, dicción, expresión, elocución. — Fonología, fonética: pronunciación, articulación. — Castizo, auténtico, puro. — Semántica: estudio del significado de las palabras.*
1246 *Dialecto, jerga, germanía, argot, caló. — Solecismo. Barbarismo. Modismo. — Jerigonza, guirigay, galimatías, monserga. — Galicismo. — Anglicismo. — Neologismo. — Diccionario, vocabulario, léxico, enciclopedia, glosario.*

1247 *Contemporáneo, coetáneo, coexistente.*
1248 *Compatriota, conciudadano, coterráneo, paisano.*

1249 Aborigen, nativo, oriundo, indígena, autóctono, originario, natural, vernáculo. — Nacionalidad, ciudadanía. — Naturalizado, nacionalizado. — Asilado, refugiado, acogido.
1250 Extranjero, forastero, foráneo. — Afuerino, advenedizo, extraño, exótico. — Ajeno, diferente, diverso, distinto.

1251 *Embajador, cónsul, delegado, plenipotenciario, diplomático, canciller, ministro, legado, representante, primado.*
1252 *Embajada, legación, consulado, delegación, misión, representación, misión diplomática, misión comercial.*

1253 *Político, estadista, hombre de estado, hombre público.*
1254 *Protocolo, ceremonial. — Etiqueta, gala, ritual, ceremonia, solemnidad. Ceremonioso, solemne, hierático, sentencioso.*

1255 Gobernar, dirigir, conducir, manejar, administrar, mandar, regentar, regir, presidir. — Decreto, orden, mandato, edicto, bando, proclama, manifiesto, declaración, promulgación.
1256 Legislar, promulgar, dictar, decretar, legalizar, refrendar, oficializar, sancionar, proclamar. — Codificar, reglamentar, regular, reglar, preceptuar, prescribir, pautar. — Ordenar, mandar, decidir. — Vetar, impedir, rechazar.

1257 Gobierno, mando, autoridad, administración, poder, dirección, conducción, potestad, gobernación. — Manejos, riendas, timón. — Ministro, gabinete.
1258 Constitución, ley, legislación, jurisprudencia, código, reglamento, régimen, estatuto, ordenanza, precepto, disposiciones, medidas. — Legal, oficial, constitucional.

1259 Congreso, senado, cámara, parlamento. — Concilio, convención, asamblea, junta. — Poder legislativo.
1260 Intendencia, ayuntamiento, municipalidad, municipio, alcaldía, concejo, cabildo. — Concejal, regidor, edil.

1261 Fisco, erario, hacienda, tesoro, reserva. — Tesoro público. — Deuda pública. — Acuñación de dinero: emisión.
1262 Impuesto, tributo, tributación, contribución, gravamen, gabela, carga. — Arancel, tarifa, derechos, tasa.

1263 Moneda, dinero, billetes, papel moneda, divisas, guita. — Metálico, dinero amonedado, moneda acuñada. — Efectivo, numerario. — Oro, plata, níquel, cobre.
1264 Lingote, trozo, barra. — Acuñar, amonedar. — Amonedación, acuñación. — Anverso, cara. — Reverso, contrafaz, cruz. — Fajo, montón, puñado, cantidad, atado.

1265 Candidato, aspirante, postulante, pretendiente, solicitante, demandante, peticionario, interesado.
1266 Candidatura, aspiración, pretensión. — Petición, demanda, solicitación, solicitud, instancia, postulación.

1267 Discursear, arengar, perorar, disertar, predicar. — Fogoso, impetuoso, vehemente. — Violento, fuerte.
1268 Desaprobar, protestar, apabullar, abuchear, sisear. — Interrumpir, intermitir. — Repulsa, repudio, rechazo.

1269 Persuadir, convencer, imbuir, inducir, sugestionar, inspirar, infundir, inculcar. — Machacar, recalcar, insistir, subrayar, acentuar, enfatizar. — Influir, influenciar, guiar, encauzar.
1270 Disuadir, desaconsejar, desengañar, decepcionar, desanimar, desalentar, desilusionar, descorazonar.

1271 *Plantear, exponer, proponer, sugerir, insinuar, exhortar, aconsejar. — Planteamiento, exposición, proposición. — Teoría, doctrina, ideología, ideario, filosofía.*
1272 *Sufragio, elección, votación, plebiscito, referéndum, comicios, acto eleccionario. — Cédula, papeleta, voto. — Voz, parecer, dictamen. — Manifestar, expresar, definirse. — Votar, sufragar. — Elector, votante. — Abstención.*

1273 *Escrutinio, recuento, averiguación. — Escrutar, computar, contar, calcular, comprobar. — Indagación, encuesta. — Indagar, computar. — Cuenta, cómputo, totalidad.*
1274 *Electo, reelecto, elegido, reelegido. — Presuntivo, nombrado, seleccionado. — Investido, proclamado. — Investir, proclamar, coronar. — Proclamación, designación, nombramiento, investidura. — Asumir, hacerse cargo, posesionarse.*

1275 *Superioridad, ventaja, mayoría. — Quórum, asistencia.*
1276 Minoría, inferioridad, desventaja, oposición.

1277 Democracia, constitucionalidad. — Reino, imperio.
1278 Dictadura, despotismo, absolutismo, autocracia, tiranía.

1279 Tradicionalista, conservador, reaccionario, retrógrado.
1280 Reformador, innovador, renovador, progresista. — Reforma, innovación, cambio. — Progreso, bienestar.

1281 Patriotismo, civismo, nacionalismo. — Chauvinismo, patriotería, jingoísmo.
1282 Cosmopolitismo, internacionalismo, universalismo.

1283 Patriótico, cívico. — Nacionalista, patriota. — Chauvinista, patriotero, jingoísta.
1284 Internacionalista, universalista. — Apatrida, sin patria.

1285 Internacional, universal, mundial, cosmopolita.
1286 Regional, nacional, patrio, local.

202

1287 *Monarca, rey, príncipe, soberano, alteza, emperador, sultán.*
— Negus, micado, kan, kaiser, zar, césar, faraón. — Sátrapa,
gobernador ladino y astuto.

1288 *Presidente, mandatario, gobernante, gobernador, Jefe de Es-*
tado, dignatario, jerarca. — Gobierno, autoridad, mando.

1289 Aristocracia, nobleza. — Aristócrata, noble.

1290 Pueblo, proletario, obrero, trabajador manual. — Burgués,
empleado, funcionario, burócrata. — Bohemio, despreocupado, libre. — Nivel, posición, situación, estado, medio.

1291 Conformidad, resignación, sumisión, acatamiento, sometimiento, acato. — Disciplina, obediencia, subordinación.

1292 Agitación, efervescencia, convulsión, perturbación. — Rebeldía, insubordinación, resistencia, oposición.

1293 *Conspirar, intrigar, complotar, urdir, maquinar, tramar, conju-*
rar. — Juramentarse, confabularse, coludir.

1294 *Revolucionar, soliviantar, subvertir, insurreccionar, sublevar,*
amotinar, insubordinar. — Infringir, barrenar, violar, atrope-
llar, quebrantar, vulnerar, desacatar.

1295 *Conspiración, complot, maquinación, conjuración, conjura,*
intriga, maniobra. — Contubernio, confabulación, conciliábu-
lo, combinación, alianza, coalición, frente, bloque, unión.

1296 *Sublevación, alzamiento, motín, asonada revolución, revuel-*
ta, insurrección, rebelión, sedición, levantamiento, subver-
sión. — Anarquía, terrorismo, caos, desgobierno, confusión,
desorganización, desconcierto, debacle.

1297 Sublevado, amotinado, insurgente, sedicioso, rebelde, subversivo, revolucionario, insurrecto, faccioso. — Cabecilla, dirigente, jefe, caudillo. — Conductor, líder, leader.

1298 Sometido, subyugado, avasallado, rendido, dominado, explo-
tado. — Vencido, doblegado, abatido, aniquilado.

1299 Agitador, revoltoso, amotinador, alborotador, perturbador.
— Activista, instigador, provocador. — Intrigante, aventurero.
— Conspirador, conjurado. — Demagogo, sectario.

1300 Apaciguador, pacificador, conciliador, aquietador, tranquiliza-
dor, reconciliador. — Mediador, intermediario.

1301 Mediar, intervenir, interceder, terciar, participar, intermediar, abogar. — Interferir, inmiscuirse, interponerse.
1302 Desentenderse, abstenerse, privarse, liberarse. — Apartarse, desligarse, correrse, despreocuparse.

1303 *Cariz, aspecto, perspectiva, faceta, fase, apariencia. — Situación, estado, condición. — Transición, paso, cambio.*
1304 *Emergencia, incidencia, contingencia, evento, suceso, sucedido, acontecimiento, ocurrencia, acaecimiento, hecho, acto, caso. — Cuestión dudosa: interrogante, incógnita.*

1305 Debate, discusión, deliberación, polémica, controversia, disputa. — Incomprensión, malentendido, desacuerdo, discordia, desavenencia, discrepancia, divergencia.
1306 Acuerdo, convenio, trato, compromiso, arreglo, avenencia, transacción. — Componenda, chanchullo, enjuague, negociado. — Condición, estipulación, cláusula, disposición. — Acomodamiento, ajuste, contrato, pacto, combinación.

1307 Discutir, debatir, deliberar, polemizar, ventilar, cuestionar, controvertir. — Examinar, analizar, considerar, contemplar. — Disputar, alegar, contender, altercar, chocar. — Discutidor, polemista, batallador. — Combativo, agresivo, belicoso.
1308 Dirimir, zanjar, resolver, solucionar, superar, solventar. — Acordar, determinar, condicionar, convenir, decidir, adoptar, tomar. — Estipular, pactar, concertar, comprometerse, obligarse, prometer, apalabrar. — Acordado, convenido, pactado, resuelto, establecido, estipulado, regulado, reglamentado.

1309 Desacuerdo, desavenencia, disconformidad, disentimiento, discordancia, divergencia, discrepancia, diferendo, disensión. — Disidencia, escisión, rozamiento, cisma, rompimiento, ruptura. — Impasse, callejón sin salida, crisis.
1310 Acuerdo, arbitraje, laudo, mediación. — Negociación, tratado, convenio, trato, pacto. — De común acuerdo, de consuno.

1311 Incondicional, absoluto, sin restricción, total, íntegro, ilimitado. — Irrestricto, sin reserva, sin cortapisa.
1312 Condicionado, limitado, circunscripto, restricto. — Cortapipisa, restricción, limitación, condición, reserva, salvedad.

1313 Constructor, ingeniero, arquitecto. — Proyectista, calculista. — Contratista, jefe de obra. — Capataz, encargado. — Albañil, artesano, obrero, trabajador.
1314 Anteproyecto, proyecto, esbozo, esquema, diseño, boceto, bosquejo, plano, maqueta. — Plan, dibujo, gráfico.

1315 Ferretería, cerrajería, mercería. — Herramientas, materiales, instrumentos, utensilios, útiles, implementos, aperos.
1316 Madero, tablón, tablero, tabla, viga, palo, madera, listón, plancha, leña. — Serruchar, serrar, aserrar, cortar, recortar.

1317 Andamio, maderamen, armazón, andamiaje, enmaderado, maderaje, entramado. — Enmaderar, entramar, armar.
1318 Excavar, cavar, ahondar, profundizar, socavar, dragar.

1319 Infraestructura, base, cimiento, fundamento, cimentación. —Estructura, distribución, disposición, instalación.
1320 Término, remate, coronamiento, extremidad, extremo, cúpula.

1321 Subsuelo, subterráneo, sótano, bóveda, caverna, cueva, socavón. — Bodega, despensa, alacena.
1322 Pasillo, galería, corredor, túnel. — Pasadizo, pasaje.

1323 Baldosa, azulejo, ladrillo, adoquín. — Solar, pavimentar, adoquinar, embaldosar, enladrillar, empedrar, asfaltar, enlosar. — Pavimento, piso, suelo, solano, pavimentación.
1324 Entablado, adoquinado, embaldosado, enladrillado, empedrado, asfaltado, entarimado. — Despegado, suelto, desclavado, desprendido. — Fijar, asegurar, pegar, clavar.

1325 Soporte, apoyo, sostén, pedestal, puntal, columna, pilastra, pilar. — Apuntalar, asegurar, afirmar, sostener, apoyar.
1326 Clavar, remachar, clavetear, enclavar. — Martillar, golpear, introducir. — Martillo, mazo. — Alicates, tenazas. — Clavija, pasador, chaveta. — Remache, roblón. — Hierro, fierro, acero. — Alambre, cable, filamento.

1327 Techar, cubrir. — Techo, techumbre, cielo raso, tejado. — Azotea, terraza, terrado, solana.
1328 Buhardilla, guardilla, entretecho, altillo, desván.

1329 *Cañería, tubería. — Tubo, caño, cánula, canilla. — Llave, gri-fo. — Válvula, obturador.*
1330 *Gotera, filtración. — Gotear, chorrear, escurrir, destilar, filtrar, rezumar, exudar, salir, derramarse, desparramarse.*

1331 *Recipiente, receptáculo, vasija, balde, cubo, tiesto, tacho.*
1332 *Herrumbre, moho, óxido, orín. — Corroer, carcomer, roer.*

1333 Permeable, impregnable, penetrable, absorbente, filtrable, poroso. — Penetrar, impregnar, absorber, embeber.
1334 Impermeable, impenetrable. — Impermeabilizar, alquitranar, embrear, calafatear. — Tapar, obstruir, obturar.

1335 *Alcantarilla, sumidero, resumidero, cloaca, desagüe, des-aguadero, colector, albañal. — Conducto, canal, vertedero.*
1336 *Desechos, restos, sobras, residuos, desperdicios, basura, ba-zofia, escombros, escoria, heces. — Trastos, cachivaches. — Arrumbar, arrinconar, desechar.*

1337 *Grieta, rendija, resquebrajadura, quebradura, hendidura, hen-dedura, abertura, raja, ranura, fisura, falla, intersticio, resqui-cio. — Agrietado, resquebrajado, fisurado.*
1338 *Amalgamar, mezclar. — Aleación, combinación, amalgama.*

1339 Acoplar, ajustar, empalmar, ensamblar, embutir, empotrar. — Engastar, incrustar, encajar, engarzar. — Armar, montar. — Enchufar, conectar, embragar. — Incrustado, encajado.
1340 Desconectar, desacoplar, desenganchar, desembragar. — Des-montar, desarmar, desarmar, separar, desunir, desenchufar.

1341 *Goma, cola, engrudo. — Adhesivo, soldadura. — Engomar, encolar. — Soldar, estañar, galvanizar. — Encoladura, pega-miento, pegadura. — Pegar, adherir, aglutinar, conglutinar.*
1342 *Despegar, separar, arrancar. — Raspar, limar, desgastar. — Re-vestir, revocar, blanquear, encalar, enyesar. — Enlucir, estucar, recubrir. — Revoque, enlucido, revestimiento.*

1343 *Pared, muralla, muro, murallón, paredón, tabique, tapia. — Cer-cado, valla, barrera, empalizada, cierro, cerca, seto.*
1344 *Reja, verja, enrejado, cancela. — Enrejar, murar, amurallar, cercar, tapiar, alambrar. — Cerrar, tapar, clausurar.*

1345   Timbre, campanilla, aldaba, llamador, campana, címbalo.
1346   Tocar, golpear, llamar. — Llamada, timbrazo, campanillazo,
       aldabazo. — Sonar, resonar, repicar, tintinear, repiquetear,
       campanear, campanillear. — Bocina, claxon.

1347   Sonido, resonancia, eco, son, tono. — Tañido, zumbido, vi-
       bración. — Ruido, estridencia, estrépito.
1348   Sonoro, resonante, ruidoso, vibrante, altisonante, altísono.
       — Acústico, auditivo. — Altoparlante, altavoz, portavoz, megáfo-
       no, micrófono. — Locutor, comentarista, comentador.

1349   Escalera, escalerilla, escalinata, gradería. — Peldaño, grada,
       escalón. — Rellano, descanso, descansillo. — Baranda, ba-
       randilla, balaustrada, pretil. — Ascensor, elevador. Fachada,
       frontis, frente, cara, frontispicio, portada.
1350   Pisar, hollar, pisotear. — Aplastar, apisonar.

1351   Vestíbulo, portal, zaguán, porche, pórtico, hall, atrio.
1352   Glorieta, quiosco, pabellón, pérgola, garita, caseta.

1353   Celosía, persiana, transparente, veneciana. — Toldo, biombo.
       — Sombrilla, quitasol, parasol, pantalla.
1354   Ventana, ventanal, tragaluz, claraboya. — Balcón, balconcillo,
       mirador. — Visillo, cortina, cortinaje. — Transparentarse, tras-
       lucirse, entrelucirse, reflejarse, divisarse.

1355   Tocador, camarín. — Vestuario, guardarropía.
1356   Armario, ropero, closet, guardarropa, cómoda. — Alacena,
       estante, estantería. — Vitrina, escaparate, anaquel, repisa.

1357   Lámpara, araña, candelero, palmatoria, candelabro, candil,
       quinqué. — Espejo, luna. — Cristal, vidrio.
1358   Alfombra, tapiz, tapete, estera, felpudo. — Alfombrar, tapizar,
       encortinar. — Entoldar, cubrir.

1359   Menaje, objetos, cosas, efectos, enseres, bártulos, útiles.
       — Muebles, mobiliario, moblaje. — Armatoste, trasto.
1360   Florero, jarrón, búcaro, ánfora, cántaro. — Ramillete, ramo,
       manojo. — Racimo, gavilla, haz, atado. — Florista, florero.
       — Florería, tienda de flores.

1361 *Decoración, ornato, ornamento, paramento, adorno, ornamentación. — Embellecimiento, hermoseamiento, arreglo.*
1362 *Decorar, adornar, ornar, guarnecer, ornamentar, arreglar.*

1363 Calefacción, calentamiento. — Chimenea, hogar, estufa, fogón, brasero, calentador, calorífero, salamandra.
1364 Refrigeración, enfriamiento, congelación. — Refrigerador, nevera, congelante, refrigerante, frigorífico.

1365 *Entrada, acceso, umbral. — Puerta, portón, portezuela, boquete, portillo, abertura, paso, pasaje, salida.*
1366 *Cerradura, candado, pestillo, cerrojo, picaporte, pasador. — Chapa, cierre. — Gozne, bisagra, pernio, perno.*

1367 Abierto, entreabierto, entornado, junto, entrecerrado. — Agujero, forado, orificio, brecha, boquete, abertura.
1368 Cerrado, atrancado, tapiado, obstruido, tapado, clausurado.

1369 Cerrar, entrecerrar, entornar, juntar. — Tapar, obstruir, obturar, cegar, taponar, impedir. — Atrancar, trancar, asegurar. — Tapiar, incomunicar, clausurar.
1370 Abrir, entreabrir, desplegar, descorrer. — Perforar, barrenar, taladrar, horadar, trepanar, agujerear. — Perforación, horadación. — Taladro, barrena, broca.

1371 *Edificio, propiedad, inmueble, bienes raíces, casas, fincas. — Posesión, pertenencia, dominio. — Propietario, dueño.*
1372 *Arrendador, dueño. — Arrendar, alquilar, subarrendar.*

1373 *Arrendatario, ocupante, inquilino, locatario. — Arrendado, alquilado, rentado, transferido, subarrendado.*
1374 *Precio, canon, alquiler, renta, arriendo, arrendamiento.*

1375 *Hogar, casa, domicilio, lares, vivienda, residencia, morada, mansión. — Chalet, villa, quinta, bungalow, casa de campo. — Apartamiento, apartamento, departamento, piso.*
1376 *Residente, morador, habitante, poblador. — Vecindario, vecinos, gente, población, colectividad. — Grupos, núcleo, foco.*

1377 Poblado, habitado, populoso. — Lleno, ocupado.
1378 Despoblado, desierto, inexplorado, inhabitado, deshabitado. — Ignoto, ignorado, desconocido, no descubierto.

1379 Emigrar, expatriarse. — Emigrante, expatriado, exiliado.
1380 Inmigrar, colonizar, poblar. — Colonizador, colono, inmigrante. — Ubicar, colocar, situar, asentar.

1381 Acercar, aproximar, arrimar, atracar, allegar, avecinar. — Adosar, apoyar. — Acercamiento, aproximación, arrimo.
1382 Alejar, apartar, desplazar, separar, distanciar.

1383 Interior, adentro, dentro, interno. — Intestino, en el interior, interiormente. — Aquende: de la parte de acá.
1384 Exterior, externo, afuera, fuera, en el exterior.

1385 Cercanía, proximidad, confinidad, vecindad, inmediación, contigüidad. — Lateral, ladero, contiguo, adyacente.
1386 Lejanía, alejamiento, distancia. — Lontananza, extramuros, ultramar. — En lontananza, a lo lejos.

1387 Este, esto. — Aquí, acá, en este lugar. — Ahí, allí, en ese lugar. — Cerca, cercano, próximo, inmediato, junto, allegado. — Confinante, limítrofe, lindante, colindante, adyacente, aledaño, vecino, circunvecino, contiguo. — Fronterizo.
1388 Aquél, aquello, eso. — Allá, en aquel lugar. — Apartado, alejado, separado, retirado, distante. — Lejos, lejano. — Dondequiera, doquier, en cualquier parte.

1389 Alrededores, periferia, en torno a, cerca de, inmediaciones, cercanías, contornos, proximidades, próximo a.
1390 ¿Dónde?,¿adónde?, ¿en qué lugar? — Allende, al otro lado, acullá. — Remoto, en lontananza, a lo lejos.

1391 Llegar, venir, arribar. — Acercarse, aproximarse, ir. — Aparecer, entrar, penetrar, irrumpir, meterse, colarse. — Aparición, llegada. — Quedar, permanecer, estar, detenerse.
1392 Partir, retirarse, salir, irse, marcharse, despedirse, decir adiós, largarse. — Abandonar, dejar. — Alejarse, ausentarse, ahuecar, separarse, distanciarse, perderse de vista.

1393 Desaparecer, esfumarse, perderse. — Escabullirse, escapar, eclipsarse, aventarse. — Disiparse, evaporarse.
1394 Aparecer, asomar, mostrarse, presentarse, exhibirse, manifestarse. — Estar, encontrarse, hallarse.

1395 Llegada, arribo, venida, arribada, entrada, aparición.
1396 Salida, partida, ida, marcha. — Regreso, vuelta, retorno.

1397 Recibimiento, acogida, acogimiento, recepción, hospitalidad.
— Hospitalario, acogedor, casa hospitalaria.
1398 Lanzamiento, desalojamiento, despido, desalojo, expulsión.
— Inhospitalidad, descortesía. — Inhospitalario.

1399 *Regresar, retornar, volver, tornar. — Esperar, aguardar.*
1400 *Encuentro, saludo, reverencia, venia, inclinación, abrazo.*

1401 ¡Hola!, buenos días, buenas tardes, bienvenido.
1402 Despedirse, retirarse, marcharse. — ¡Chao! adiós, hasta luego, hasta la vista, buenas noches. — Despedida, partida.

1403 Soñolencia, somnolencia, sueño, modorra, letargo, sopor,
flojera. — Aletargamiento, amodorramiento, adormecimiento. — Pereza, flojedad, acidia. — Negligencia, indolencia.
1404 Actividad, vivacidad, dinamismo. — Vigor, energía, ánimo,
brío, pujanza, empuje, esfuerzo. — Resolución, determinación, tesón, voluntad, carácter. — Iniciativa, decisión.

1405 *Cama, lecho, catre, litera, hamaca, camastro, tálamo.*
1406 *Colchón, jergón, colchoneta, somier.*

1407 *Almohada, almohadón, cojín, cabezal. — Funda, cubierta, camisa, bolsa, revestimiento. — Enfundar, encamisar.*
1408 *Frazada, colcha, cubrecama, manta, cobertor, edredón, sobrecama, sábana. — Embozo, rebozo, rebujo, envoltorio.*

1409 Acostarse, tenderse, tumbarse, echarse. — Reclinarse, recostarse, encamarse. — Recostado, tendido, echado, tumbado,
yacente, horizontal, decúbito. — Decúbito supino: de espalda, boca arriba. — Decúbito prono: boca abajo, de bruces.
— De lado, de costado.
1410 Levantarse, saltar de la cama, abandonar el lecho. — Desperezarse, estirarse, desentumecerse, bostezar.

1411 Limpiar, asear, enjabonar, lavar, desmanchar. — Asearse, la-
varse, jabonarse, ducharse, bañarse. — Chapotear, salpicar.
1412 Ensuciar, tiznar, enlodar, embarrar, embadurnar, manchar,
desasear, enfangar, emporcar. — Suciedad, mugre.

1413 Limpio, pulcro, aseado. — Lavado, bañado. — Presentable, correcto, cuidadoso. — Digno, distinguido, decoroso.
1414 Sucio, desaseado, mugriento. — Dejado, descuidado, abandonado. — Manchado, embarrado, cochino, inmundo, roñoso, sórdido, astroso, repulsivo, asqueroso, puerco.

1415 Vestirse, cubrirse, trajearse, ataviarse. — Ponerse, encasquetarse. — Calzarse, embotarse. — Abrochar, abotonar.
1416 Desvestirse, desnudarse, cambiarse. — Desabrochar, desabotonar. — Sacar, quitar, despojarse, desprenderse.

1417 Desabrigado, desarropado, destapado. — Desvestido, desnudo, corito, en cueros, descubierto.
1418 Abrigado, arropado, cubierto, tapado. — Vestido, trajeado.

1419 Abrigar, arropar, cubrir, tapar. — Aforrar, arrebujar, enmantar, envolver. — Rebozar, embozar.
1420 Desabrigar, desarropar, destapar. — Desvestir, desnudar.

1421 Dormitar, cabecear, adormecerse, aletargarse, amodorrarse, adormitarse, adormilarse, dormirse. — Reposar, descansar, holgar, dormir, yacer. — Cerrar los ojos, soñar.
1422 Despertar, despabilarse, desvelarse, recordar.

1423 Dormido, soñoliento, adormilado, traspuesto. — Dormilón, lirón. — Siesta, reposo, sueño.
1424 Despierto, desvelado, despabilado, insomne.

1425 Amanecer, alborear, romper el alba. — Aclarar, clarear, amanecida, de mañana. — Madrugada, alba, alborada, aurora, despuntar, matinal, matutino. — Día, mediodía, tarde. — Diurno, de día. — Vespertino, por la tarde.
1426 Atardecer, crepúsculo, oscurecer, ensombrecer. — Anochecer, anochecida. — Noche, medianoche. — Oscuridad, tinieblas, sombras. — Nocturno, nocturnal, de noche.

1427 Trasnochar, velar. — Trasnochador, noctámbulo. — Insomnio, desvelo, vigilia. — En vela, sin dormir, desvelado.
1428 Madrugar, levantarse muy temprano, mañanear. — Mañanero, madrugador, tempranero, temprano.

1429   Brocha, hisopo. — *Afeitar, rapar, rasurar.* — *Pelar, recortar,
atusar, tonsurar, esquilar, trasquilar, raer.* — *Afeitado, rasurado, depilado.* — *Calva, pelada.*

1430   Cabello, pelo, cuero cabelludo, cabellera, melena. — *Bucle, rizo,
mechón, moño, copete.* — *Rizar, encrespar, ensortijar, ondular.*
— *Rizado, crespo, ondulado.* — *Peluca, bisoñé.* — *Postizo, artificial, añadido, hechizo.*

1431   Lampiño, imberbe, barbilampiño. — *Calvo, pelado.* — *Calvicie, pelada.* — *Alopecía, caída del cabello.*

1432   Barbudo, peludo, velludo, velloso. — *Vello, pelusa, bozo.*

1433   Heder, apestar, oler mal. — Desodorizar, quitar el olor. — Desodorante, antisudoral.

1434   Perfumar, aromatizar, aromar, sahumar. — Oler bien.

1435   Fragancia, perfume, aroma. — Esencia, olor, buen olor.

1436   Fetidez, hedor, hediondez, tufo, mal olor, pestilencia. — Tufarada, olor fuerte y repentino.

1437   Fragante, oloroso, perfumado, aromático, aromado, odorífero. — Bienolente, aromatizado.

1438   Fétido, hediondo, pestilente, pestífero, maloliente, apestoso,
infecto, nauseabundo. — Irrespirable, mefítico, malsano, viciado. — Asquear, repugnar, desagradar, repeler.

1439   Desaseo, desaliño, descuido, dejadez, descompostura. — Mancha, suciedad, mugre, inmundicia, porquería, basura, asquerosidad, roña. — Desaseado, sucio, manchado.

1440   Aseo, limpieza, higiene, pulcritud. — Aseado, limpio.

1441   Escoba, escobilla, cepillo, plumero. — *Aspiradora.*

1442   Limpiar, quitar el polvo. — *Barrer, escobillar, cepillar.* — *Baldear,
fregar, trapear, restregar, estregar.* — *Frotar, raspar.* — *Encerar,
untar.* — *Pulir, sacar brillo.*

1443   Mojar, remojar, empapar, calar, rociar, humedecer. — Regar,
irrigar, asperjar. — Mojado, empapado, húmedo.

1444   Toalla, toballa, paño. — Secar, enjugar, deshumedecer. — Absorber, chupar, sorber. — Colgar, tender. — Orear, airear, refrescar, ventilar. — Alreación, ventilación. — Ventilador,
extractor. — Aireado, ventilado.

1445   Transpiración, sudor. — Transpirar, sudar. — Sudorífico,
        sudorífero. — Sudoroso, sudoso.
1446   Lavatorio, jofaina, palangana. — Bañera, pila, tina. — Baño,
        ducha, afusión. — Aguamanil, lavamanos.

1447   Tez, rostro, cara, semblante, faz. — Facciones, rasgos, fiso-
        nomía, físico. — Aspecto, parecer, aire, pinta.
1448   Cutis, piel, epidermis, pellejo, cuero, película, cutícula.

1449   Afeite, cosmético, maquillaje. — Tintura, tinte, barniz. — Cre-
        ma, pomada. — Arreglo, retoque, repaso.
1450   Maquillarse, pintarse, acicalarse, componerse, arreglarse.

1451   Hermosear, embellecer, maquillar, acicalar. — Engalanar, en-
        joyar, ataviar, emperifollar. — Bella, hermosa, linda.
1452   Afear, desfavorecer, desmejorar, estropear, deslucir, ajar.

1453   Hermoso, bello, lindo, bonito, precioso, primoroso, encanta-
        dor. — Guapo, estupendo, ideal, macanudo, espléndido,
        agraciado. — Artístico, estético.
1454   Feo, feote, grotesco, desfigurado. — Horrible, horrendo, ho-
        rroroso. — Monstruoso, patibulario, abominable, execrable.
        — Repulsivo, repugnante, asqueroso.

1455   Hermosura, belleza, beldad, preciosidad, lindura, lindeza. — Per-
        fección, monada, primor, gracia, atractivo.
1456   Fealtad, deformidad, desproporción, afeamiento, desfigura-
        ción, deformación, monstruosidad. — Anormalidad, defecto,
        imperfección. — Tara, tacha. — Anormal, tarado, defectuoso.

1457   Deforme, disforme, contrahecho, jorobado, corcovado, gibo-
        so, tarado. — Desproporcionado, asimétrico, antiestético.
1458   Proporcionado, armonioso, equilibrado, perfecto. — Corres-
        pondiente, conforme, simétrico.

1459   Suave, liso, lozano, terso, fresco. — Estirado, tieso, erecto. — Tur-
        gente, túrgido, prominente.
1460   Arrugado, rugoso, áspero. — Ajado, marchito, mustio, seco,
        lacio, fláccido. — Caído, plano. — Achatado, chato, romo.

1461   Lozanía, tersura, frescura, limpidez, tersidad.
1462   Arruga, surco, ajamiento, rugosidad, pliegue.

1463 Despeinar, desgreñar, desmelenar. — Despeinado, desgreñado, desmelenado. — Hirsuto, enmarañado, enredado.
1464 Peinar, desenredar, desenmarañar, carmenar, escarmenar.
— Peinadora, peluquero, fígaro, barbero.

1465 *Cartera, bolso, portamonedas, billetera, monedero.*
1466 *Anillo, argolla, sortija, alianza. — Aros, aretes. — Brazalete,*
pulsera. — Collar, gargantilla. — Alhaja, joya. — Adorno,
aderezo. — Camafeo, medallón. — Joyero, orfebre.

1467 Moda, novedad, actualidad. — Imperante, en boga, llevarse,
estar de moda. — Modelo, molde, patrón, figurín.
1468 Desusado, pasado de moda, poco usado, anticuado, anacró-
nico, viejo. — Obsoleto, ya no usado.

1469 Nuevo, flamante, reciente. — Moderno, original.
1470 Usado, gastado, raído, estropeado, deteriorado. — Antigualla, raro, chocante. — Renovar, modernizar, actualizar.

1471 Destrozar, desgarrar, rasgar, despedazar, destruir.
1472 Componer, arreglar, restaurar, reparar. — Reparador, renovador, restaurador, componedor.

1473 Rotura, rasgadura, desgarradura, rasgón, destrozo, quebrazón, estropicio, quebradura. — Descosido, rasgado.
1474 Arreglo, reparación, restauración. — Remiendo, zurcido, parche, compostura. — Costura, cosido.

1475 *Romper, quebrar, cascar, destruir, descomponer, estropear,*
trizar, agrietar, hender, rajar, resquebrajar. — Fragmentar,
fraccionar, astillar, partir.
1476 *Añicos, pedazos, fragmentos, trozos. — Astilla, esquirla.*

1477 Descompuesto, estropeado, inservible, despedazado, destrozado, quebrado, partido, roto. — Maltrecho, arruinado.
1478 Reparado, compuesto, arreglado, restaurado. — Remendado,
parchado, zurcido, cosido.

1479 *Harapiento, andrajoso, desaliñado, desastrado, desarrapado,*
zarrapastroso, descamisado, haraposo, roto. — Canalla, hez,
hampa. — Chusma, gentuza. — Vulgo, populacho.
1480 *Andrajo, harapo, guiñapo, arrapo, pingajo.*

1481   *Costurera, modista, sastre. — Hilván, basta. — Coser, hilvanar, remendar, zurcir, arreglar, reparar, unir. — Bordar, tejer, urdir. — Bordado, tejido. — Aguja, alfiler. — Imperdible, broche, cierre.*

1482   *Vestuario, vestimenta, vestido, atuendo, traje, ropa, terno, indumentaria, prenda. — Ropaje, hábito, vestidura, indumento. — Sobretodo, abrigo, gabán, impermeable, capote.*

1483   *Sombrero, gorro, jockey, birrete, bonete, boina, chistera, chambergo, hongo. — Casco, casquete, quepis.*

1484   *Calzado, zapatos, botas, botines, sandalias, alpargatas, zapatillas, pantuflas, chinelas, babuchas, zuecos, galochas. — Lustrabotas, lustrador. — Calcetines, medias, calcetas.*

1485   Ancho, holgado, amplio, desahogado, grande. — Largo, alargado. — Dobladillo, doblez, alforza, pliegue.

1486   Angosto, estrecho, ajustado, apretado, ceñido, comprimido, chico. — Encogerse, angostarse, achicarse, estrecharse. — Entallado, oprimido, encogido.

1487   Ceñir, estrechar, apretar, oprimir, fajar, apretujar. — Prensar, comprimir, aprensar.

1488   Desceñir, aflojar, soltar. — Ensanchar, anchar.

1489   Holgura, anchura. — Desentallado, suelto.

1490   Estrechez, estrechura, angostura.

1491   Arrugar, ajar, percudir. — Arrugado, desplanchado.

1492   Planchar, aplanchar, estirar, alisar, desarrugar. — Percha, gancho, colgador. — Colgar, tender, emperchar.

1493   *Adorno, atavío, guarnición, embellecimiento, aderezo. — Corona, guirnalda, diadema, lentejuelas, abalorios.*

1494   *Anteojos, lentes, gafas, antiparras, quevedos, monóculo, impertinentes, gemelos, binóculo, espejuelos, prismáticos. — Catalejo, telescopio.*

1495   *Calaña, ralea, estofa. — Calidad, clase, condición.*

1496   *Aspecto, facha, talante, apariencia, aire, parecer, estampa, pinta, figura, físico, forma, traza, porte, catadura. — Exterior, presencia. — Talle, conformación, configuración.*

1497 *Maneras, modales, ademanes, modos. — Actitud, postura, pose. — Gesto, expresión, ademán. — Remilgo, melindre, afectación. — Mohín, mueca, guiño, parpadeo, pestañeo, gesticulación, contorsión, morisqueta, mueca, tic.*
1498 *Accionar, manotear. — Gesticular, gestear. — Alharaca, aspaviento, alarde. — Gestero, vehemente, aspaventero.*

1499 *Individualidad, personalidad, particularidad, singularidad, peculiaridad. — Fondo, índole, modalidad, cualidades.*
1500 *Carácter, temple, condición, temperamento, idiosincracia, rasgo. — Entraña, naturaleza. — Instinto, automatismo.*

1501 *Acción, actuación, actividad. — Conducta, comportamiento, proceder, actuar. — Moral, ética, obligaciones.*
1502 *Conducirse, portarse, comportarse. — Convencionalismo, prejuicio, tradición, rutina, costumbre, práctica.*

1503 Regio, vistoso, llamativo, magnífico, imponente, soberbio. — Fino, distinguido. — Delicado, bonito, mono.
1504 Ordinario, tosco, burdo, rústico, basto, ramplón. — Desaliñado, descuidado, descompuesto, desastroso.

1505 Vulgaridad, chabacanería, plebeyez, trivialidad, tosquedad, ordinariez, ramplonería. — Vulgarismo, rusticidad.
1506 Finura, delicadeza, fineza, refinamiento, distinción, prestancia. — Naturalidad, sobriedad, mesura, moderación, discreción. — Cortesía, amabilidad, gentileza, galantería.

1507 Elegancia, garbo, esbeltez, chic, galanura, gracia. — Atractivo, originalidad, gusto, buen tono, naturalidad.
1508 Cursilería, amaneramiento, rebuscamiento, mal gusto, inelegancia, afectación, ridiculez, siutiquería, extravagancia. — Prosopopeya, tiesura, empaque.

1509 Elegante, distinguido, impecable. — Atildado, peripuesto, soplado. — Esbelto, gallardo, airoso, garboso, apuesto, guapo. — Arreglado, compuesto, acicalado, adornado.
1510 Cursi, amanerado, afectado, rebuscado, siútico, petimetre, currutaco. — Mamarracho, excéntrico, extravagante. — Adefesio, esperpento, hazmerreír, ridículo, estrambótico, estrafalario, grotesco. — Charro, recargado, de mal gusto.

1511   Pelele, pelagato, monigote, mequetrefe, don nadie.
1512   Entrometido, intruso, entremetido, metete, mirón.

1513   Ahora, ya, pronto, presto, enseguida, en seguida, en el acto, primero, al instante, ipso facto. — Inmediatamente, de inmediato, prontamente, cuanto antes, a la brevedad. — Luego, en breve, sin demora, sin tardanza, ahora mismo.
1514   Después, más tarde, próximamente, oportunamente. — Venidero, porvenir, futuro, mañana, posteridad. — ¿Cuándo?

1515   Anterior, precedente, precursor, previo, preliminar. — Preceder, anteceder. — Precursor, pionero, iniciador.
1516   Posterior, siguiente, ulterior, subsiguiente. — Ulteriormente, posteriormente. — Seguir, subseguir, a continuación.

1517   Precedencia, antelación, prelación, anticipación. — Prioridad, preferencia. — Anterioridad, antes, primero.
1518   Postergación, aplazamiento, seguimiento. — Posterioridad, después, posteriormente, más tarde.

1519   Hoy, ahora, al presente, recién, reciente, recientemente. — Presente, actual, actualmente. — Tiempo presente, en esta época, en estos tiempos, hogaño.
1520   Ayer, antes, anteriormente. — Pasado, otrora, antaño, en otro tiempo. — Antiguamente, en aquel entonces, entonces, a la sazón. — Tiempo pasado, pretérito.

1521   Actualidad, tiempo moderno, época actual.
1522   Antigüedad, tiempos primitivos, época remota. — Prehistoria, época anterior a toda documentación histórica.

1523   Antiguo, remoto, arcaico, primitivo. — Inmemorial, inmemorable, antiquísimo, antediluviano, prehistórico.
1524   Moderno, contemporáneo. — De hoy, a la hora presente. — Actual, nuevo. — Actualizado, puesto al día.

1525   Era, tiempo, época, período, etapa, temporada, ciclo, estación. — Almanaque, calendario, efemérides. — Sucesos, hechos, acontecimientos, eventos.
1526   Transcurrir, deslizarse, sucederse, correr, pasar el tiempo. — Decurso, transcurso, sucesión, curso, paso. — A principios de, a mediados de, a fines de.

1527 *Anual, año, 12 meses. — Bienio, bienal, 2 años. — Lustro,*
quinquenio, 5 años. — Sexenio, 6 años. — Septenio, 7 años.
— Decenio, década, 10 años . — Siglo, centuria, 100 años,
centenario, centena. — Milenio, 1.000 años, milenario.
1528 *Diario, cotidiano. — Semana, semanal, septenario, hebdoma-*
dario. — Quincena, quincenal. — Mensual, mensualmente.
— Trimestre, trimestral. — Semestre, semestral. — Bimen-
sual, 2 veces por mes. — Bimestral, cada 2 meses.

1529 Momentáneo, fugaz, breve, instantáneo, corto, efímero. — Temporal, pasajero, transitorio, limitado, fugitivo.
1530 Perdurable, duradero, permanente, durable, constante. — Ininterrumpido, incesante, continuo, continuado, persistente,
sostenido. — Perenne, vitalicio, por vida.

1531 *Durante, mientras, entretanto, interin, mientras tanto.*
1532 *Instante, momento, rato, lapso, espacio, tiempo. — Soplo,*
tris, periquete, santiamén. — Hora, minuto, segundo.

1533 Acordarse, recordar, rememorar, memorar, evocar, retener.
— Remembrar, añorar, echar de menos, pensar, repasar.
1534 Olvidar, descuidar, omitir, preterir, relegar, posponer.

1535 Recuerdo, memoria, reminiscencia, evocación, recordación,
remembranza, rememoración, retentiva, acordanza. — Añoranza, nostalgia, melancolía, tristeza, morriña, murria.
1536 Olvido, desmemoria, distracción, omisión, inadvertencia. — Vacío, laguna, amnesia, pérdida de la memoria.

1537 *Recordable, memorable, inolvidable. — Memorativo, conme-*
morativo, rememorativo, recordatorio.
1538 *Conmemoración, celebración, aniversario. — Cumpleaños,*
natalicio, día onomástico. — Agasajado, festejado, regalado,
obsequiado. — Brindis, ofrecimiento, discurso.

1539 Reflexionar, meditar, pensar, considerar, premeditar, lucubrar,
cavilar. — Reconcentrarse, concentrarse, abstraerse, ensimis-
marse. — Recapacitar, discurrir, especular, raciocinar, filosofar. — Presuponer, preconcebir, planear.
1540 Distraerse, divagar, desatender .— Despreocuparse desentenderse, descuidar. — Improvisar, desconsiderar.

1541 Meditación, reflexión, cavilación. — Abstracción, ensimisma-
miento, introspección, introversión. — Concentración, recogimiento, atención. — Consideración, punto de vista, ponderación. — Lucubración, elucubración, vela, vigilia.
1542 Irreflexión, inconsciencia. — Imprevisión, impremeditación,
distracción, divagación, ligereza. — Contrasentido, confusión,
sinrazón. — Inconsecuencia, informalidad.

1543 Reflexivo, pensador, ensimismado, meditabundo, caviloso,
pensativo, cogitabundo, concentrado, abstraído. — Introspec-
tivo, abismado, absorto, sumergido.
1544 Distraído, despreocupado. — Desmemoriado, olvidadizo, ido.

1545 Discernimiento, distinción, criterio. — Comprensión, entendimiento. — Conciencia, mentalidad, conocimiento, noción.
— Idea, concepción, concepto, pensamiento.
1546 Ofuscación, ofuscamiento, ceguedad, extravío, aberración, incoherencia, obcecación, obstinación, fanatismo.

1547 Delirio, desvarío, enajenación, manía, monomanía, rareza,
paranoia, chifladura, insanía. — Locura, demencia, vesanía,
frenesí, obsesión. — Sicosis, enfermedad mental.
1548 Juicio, mesura, cordura, sensatez. — Lucidez, razón.

1549 Cuerdo, formal, equilibrado, discreto, normal, atinado, sensato, juicioso. — Lógico, consecuente, reflexivo.
1550 Anormal, insano, maniático, lunático, enajenado, alienado,
maníaco, trastornado. — Tocado, demente, loco, desequili-
brado, chiflado, orate, vesánico, monomaníaco. — Sicópata:
enfermo mental. — Manicomio, casa de orates, hospital
siquiátrico. — Siquiatra, alienista.

1551 Neurasténico, hipocondríaco, histérico, neurótico. — Nervioso, excitable, irritable, perturbado, raro.
1552 Apacible, sosegado, quieto, pacífico, reposado, pacato, manso. — Tranquilo, calmado, sereno.

1553 Transtornarse, enloquecer, perturbarse, perder la razón. — Desvariar, disparatar, desbarrar, delirar, desatinar.
1554 Serenarse, tranquilizarse, apaciguarse, aquietarse, calmarse,
sosegarse. — Aplacarse, pacificarse.

1555 Prudencia, cuidado, precaución, cautela, prevención. — Moderación, circunspección, tiento. — Tino, juicio, cordura, sensatez, discreción, tacto. — Madurez, experiencia.

1556 Imprudencia, precipitación, temeridad, atolondramiento, aturdimiento, despreocupación. — Insensatez, necedad, absurdidad, disparate.— Incongruencia, barbaridad, desatino.

1557 Sensato, prudente, sesudo. — Juicioso, precavido, consecuente, cauto, previsor. — Sagaz, perspicaz, lúcido.

1558 Insensato, imprudente, aturdido, precipitado, alocado, tarambana, atropellado, atarantado, atolondrado, alborotado. — Irreflexivo, inadvertido, botarate, bobo.

1559 Lógico, racional, razonable. — Fundado, deductivo, razonado. — Conveniente, oportuno, congruente. — Pertinente, apropiado, adecuado, debido.

1560 Absurdo, ilógico, irrazonable, disparatado, desatinado, desacertado. — Descabellado, aberrante, irracional, utópico.

1561 Lógicamente, racionalmente, razonadamente, razonablemente. — Sensatamente, prudentemente, juiciosamente.

1562 Irracionalmente, disparatadamente, sin ton ni son.

1563 Por desgracia, desgraciadamente, infortunadamente. — Adverso, desfavorable, desventajoso, perjudicial.

1564 Por suerte, afortunadamente, felizmente, gracias a Dios. — Providencial, propicio, ventajoso, beneficioso.

1565 Atentamente, cortésmente, amablemente, respetuosamente. — Amabilidad, cortesía, gentileza, urbanidad.

1566 Sin cortesía, groseramente, descortésmente, ordinariamente. — Descortesía, incultura, ordinariez.

1567 Dechado, modelo, ejemplo. — Prototipo, arquetipo, ejemplar, ideal. — Pléyade, selecto, elite, lo mejor.

1568 Vulgar, ordinario, mediocre. — Bajo, despreciable, común, trivial. — Prosaico, insignificante.

1569 Comunicado, aviso, comunicación, nota, parte, oficio, noticia, reporte, información. — Acusación, cargo.

1570 Recibo, comprobante, justificante. — Justificación, prueba, excusa. — Constatar, comprobar, verificar, asegurarse.

1571 Discreto, circunspecto, mesurado, cauteloso, recatado. — Prudente, reservado, diplomático.

1572 Indiscreto, importuno, inoportuno, impertinente. — Curioso, entrometido, confianzudo, intruso, husmeador, fisgón, preguntón. — Charlatán, parlanchín, bocaza.

1573 Intromisión, impertinencia, inoportunidad, indiscreción. — Curiosidad, entrometimiento, intrusón, injerencia. — Intervención, participación. — Imprudencia, desatino.

1574 Reserva, discreción, mesura, recato, circunspección. — Delicadeza, prudencia, tacto, tino, cordura.

1575 Entremeterse, entrometerse, inmiscuirse, mezclarse. — Intervenir, participar. — Interponerse, interferir.

1576 Abstenerse, inhibirse, privarse, mantenerse al margen. — Apartarse, correrse, desligarse, negarse. — Evitar, rehuir.

1577 *Sindicato, gremio, federación, alianza, coalición, liga, unión, confederación. — Comunidad, agrupación, conjunto, club, grupo, asociación, corporación, mutualidad.*

1578 *Comité, junta, delegación, comisión, representación. — Dirigente, director. — Jefe, cabeza, cabecilla.*

1579 *Afiliarse, agremiarse, sindicarse, asociarse, aliarse, federarse, confederarse, mancomunarse, ligarse, coligarse, abanderizarse. — Incorporarse, ingresar.*

1580 *Desunirse, dividirse, disolverse, disgregarse, desmembrarse. — Renunciar, dimitir. — Expulsar, eliminar.*

1581 Unido, asociado, confederado, afiliado, miembro. — Coligado, vinculado, aliado. — Correligionario, camarada. — Enlazado, ligado, relacionado. — Conexo, coherente.

1582 Desunido, separado, desvinculado, desligado. — Dividido, quebrado. — Desenlazado, inconexo.

1583 Unir, juntar, agrupar, reunir. — Incorporar, fusionar, congregar, asociar. — Anexar, anexionar. — Confederar, federar, afiliar, coligar. — Aliar, aunar, unificar.

1584 Separar, disolver, desunir. — Disociar, disgregar, desmembrar, desintegrar. — Espaciar, distanciar, segregar. — Fraccionar, seccionar, dividir.

1585 Separación, desconexión, disociación, dispersión, disgregación. — Discriminación, segregación, rechazo. — Secesión, separatismo, desmembración.

1586 Concentración, agrupación, congregación. — Reunión, asamblea, sesión, congreso, concilio, junta, mitin. — Foro, simposio, conferencia. — Moderador, orientador.

1587 Además, también, asimismo, igualmente, al mismo tiempo. — Por otra parte, otrosí, además de esto. — Aún, todavía.

1588 A excepción de, sólo, solamente, tan sólo. — Excepto, salvo, fuera de, descontado, menos. — Aparte, con exclusión.

1589 Renegar, renunciar, negar, apostatar, retractarse, cambiar de opinión, desdecir, desmentir, abjurar. — Retractación, abjuración. — Rectificación, modificación.

1590 Reiterar, confirmar. — Perseverar, persistir. — Porfiar, machacar, obstinarse. — Resistir, mantener, sostener.

1591 Leal, fiel, amigable, amistoso. — Partidario, simpatizante, adicto, adherente. — Prosélito, adepto, secuaz, incondicional, admirador. — Inclinado, apegado, propenso, proclive.

1592 Desleal, traidor, infiel, traicionero, infidente, alevoso, pérfido, aleve, fementido, felón, judas, perjuro. — Engañar, intrigar, asechar. — Metido, enquistado, traidor.

1593 Lealtad, fidelidad, amistad, solidaridad, adhesión, afecto. — Devoción, rectitud, sinceridad.

1594 Deslealtad, traición, engaño, perfidia, alevosía, felonía, infidencia. — Infidelidad, villanía, insidia, fechoría.

1595 Excluido, eliminado, descartado, suprimido.

1596 Incluido, incluso, adjunto, anexo, incorporado, agregado, añadido, inclusive. — Aún, hasta, también, todavía.

1597 Inclusión, incorporación, anexión, agregación.

1598 Exclusión, eliminación, descarte, separación.

1599 Incluir, adjuntar, agregar, incorporar, insertar, intercalar, introducir. — Contener, constar, abarcar, cubrir, englobar, comprender, encerrar. — Meter, colocar, poner.

1600 Excluir, exceptuar. — Omitir, eliminar, separar, quitar, desglosar. — Exento, exceptuado, excluido.

1601 Soledad, aislamiento, incomunicación, retiro, retraimiento, encierro, apartamiento. — Enclaustramiento, reclusión.
1602 Compañía, acompañamiento, comparsa. — Caravana, escolta, cortejo, comitiva, convoy, séquito.

1603 Acompañar, escoltar, convoyar. — Ir con, ir juntos, estar con, ambos, entrambos, los dos. — Acompañados, juntos, con, en compañía. — Encaminar, guiar, orientar.
1604 Abandonar, dejar, separar, apartar, aislar, desamparar. — Solitario, aislado, separado. — Retraerse, retirarse.

1605 Abandonado, solo. — Desvalido, desamparado, desatendido.
1606 Atendido, cuidado, vigilado, protegido, custodiado.

1607 Enlace, relación, analogía, conexión, atingencia. — Concatenación, encadenamiento, trabazón, coherencia. — Acoplamiento, unión, vínculo, nexo. — Acoplado, unido, conectado.
1608 Interrupción, desunión, desconexión, inconexión, incoherencia. — Corte, ruptura, suspensión.

1609 Vincular, enlazar, conexionar, unir, juntar, correlacionar. — Relacionar, ligar, trabar, concadenar, concatenar.
1610 Desunir, desvincular, independizar, emancipar. — Cortar, romper, interrumpir, deshacer, suspender.

1611 Mutuo, mutual, recíproco, solidario. — Bilateral: acuerdo entre dos partes. — Multilateral: acuerdo entre varios.
1612 Solo, exclusivo, único. — Unilateral: resuelve uno solo.

1613 *Autoridad, directiva, administración, dirección, manejo, mando. — Presidencia, gerencia, regencia, jefatura.*
1614 *Director, presidente, gerente, ejecutivo, dirigente, jefe, regente. — Apoderado, representante, delegado, comisionado, encargado, habilitado. — Agente, administrador. — Patrón, dueño, amo. — Propietario, empresario, apoderado.*

1615 *Empresa, compañía, consorcio, sociedad, entidad, institución, corporación, asociación, cooperativa, organización, instituto, organismo, firma, razón social. — Sigla, abreviatura, inicial, monograma, signo, símbolo.*
1616 *Accionista, socio, asociado, capitalista, comanditario. — Interesado, consorcio. — Financiar, crear, fomentar.*

1617   *Comercio, negocio. — Tienda, bazar, almacén, autoservicio, local. — Mercado, feria, depósito, establecimiento.*
1618   *Manufactura, industria, fábrica, taller, factoría.*

1619   *Firma, nombre. — Firmar, suscribir, rubricar, signar.*
1620   *Firmante, signatario, infrascrito, rubricante, suscrito. — Firmado, rubricado. — Firma, rúbrica, nombre, autógrafo.*

1621   *Certificación, legalización, refrendación, acta. — Escritura pública, acta notarial, escritura legalizada.*
1622   *Legalizar, validar, autorizar. — Registrar, certificar, oficializar, formalizar, legitimar. — Refrendar, visar. — Firmar, autenticar, autentificar.*

1623   *Oficina, agencia, sucursal, filial, dependencia, sede.— Estudio, consultorio, despacho, bufete, escritorio.*
1624   *Documento, escritura, credenciales, documentación, expediente, contrato. — Legajo, atado, anotaciones, mamotreto.*

1625   Traspapelar, perder, extraviar. — Revolver, confundir.
1626   Encontrar, hallar, aparecer. — Clasificar, archivar.

1627   Inaugurar, comenzar, iniciar, empezar, principiar, abrir.
1628   Clausurar, cerrar, terminar, acabar, concluir, cesar, finalizar, suspender, parar, acabar, discontinuar. — Prescribir, caducar, liquidar, finiquitar, rematar, dar fin, expirar.

1629   Clausura, cierre, término, conclusión, cesación, fin.
1630   Apertura, comienzo, inauguración, abertura. — Principio, inicio. — Estreno, debut.

1631   Instituir, crear, formar, fundar, constituir, instaurar, implantar, organizar. — Estatuir, establecer. — Fundador, creador, iniciador, instaurador.
1632   Abolir, derogar, invalidar, anular, deshacer. — Cancelar, revocar, abrogar, rescindir. — Suspender, terminar, concluir.

1633   Implantación, instauración, constitución, establecimiento, fundación, creación.
1634   Anulación, derogación, abolición, cancelación. — Contraorden, invalidación, abrogación, revocación, rescisión. — Supresión, eliminación, suspensión, cesación.

1635   Modo, forma, manera, modalidad, sistema, orden, método, fórmula, procedimiento, estilo. — Regla, canon, norma, pauta, guía, régimen, reglamentación, formulismo.
1636   Metodizar, sistematizar, reglamentar, reglar. — Normalizar, regularizar, ordenar. — Metódico, sistemático.

1637   Arreglar, acomodar, adecuar, adaptar, coordinar. — Acondicionar, componer, combinar, ordenar, disponer, preparar, organizar, apropiar, aprestar. — Prevenir, aprontar, planear, proyectar. — Acondicionado, preparado, dispuesto, listo.
1638   Desarreglar, desordenar, descomponer, desorganizar, desbarajustar, revolver, enredar. — Desarreglado, revuelto, desordenado, destartalado, desvencijado. — Enmarañado, embrollado, confuso, enredado. — Traspapelado, extraviado.

1639   Desarreglo, desorden, desorganización, desbarajuste, revoltijo. — Trastorno, confusión, enredo.
1640   Arreglo, orden, distribución, instalación, ordenamiento, ordenación. — Organización, coordinación, clasificación.

1641   Apropiado, adecuado, conveniente, procedente, acertado, congruente, oportuno, pertinente, tempestivo, congruo. — Aconsejable, atinado. — Eficaz, seguro, certero.
1642   Inadecuado, desacertado, inoportuno, intempestivo, incongruente, inconveniente, extemporáneo. — Impropio, improcedente. — Ineficaz, inservible, inútil.

1643   Poner, colocar, situar, instalar, ubicar, apostar.
1644   Sacar, quitar, eliminar, suprimir, descartar. — Retirar, extraer, extirpar. — Separar apartar, erradicar.

1645   Inalterable, invariable, idéntico, igual. — Inmutable, permanente, monótono. — Fijo, inmóvil, estático.
1646   Alterable, modificable, cambiable, rectificable, transformable, variable, reformable, mutable. — Variado, modificado, transformado, cambiado. — Distinto, diferente.

1647   Invariabilidad, igualdad, exactitud. — Regularidad, monotonía. — Uniformidad, homogeneidad.
1648   Variedad, diversidad, diferencia, desigualdad. — Desemejanza, disimilitud, diferenciación.

1649 Progresión, avance, adelanto, adelantamiento. — Aumento, incremento. — Progresivo, creciente, ascendente.
1650 Regresión, retrocesión, retroceso, reculada. — Regresivo, cuenta regresiva, descendente: progresión descendente.

1651 *Promotor, promovedor, impulsor. — Iniciador, inspirador, organizador, innovador, orientador. — Promover, impulsar, levantar. — Asesorar, aconsejar, sugerir, ayudar.*
1652 *Aconsejarse, consultar, pedir consejo, asesorarse.*

1653 *Consejero, asesor, mentor, guía, consultor, monitor.*
1654 *Recomendación, consejo, indicación, advertencia, parecer, opinión. — Asesoramiento, guía, orientación. — Moción, sugerencia, proposición, idea, propuesta.*

1655 Innovar, transformar, variar, cambiar, alterar, mudar, remover, diversificar. — Reorganizar, renovar, modificar, reformar, invertir. — Rectificar, corregir, mejorar.
1656 Conservar, mantener, persistir, repetir. — Estancarse, anquilosarse. — Costumbre, rutina, hábito, tradición.

1657 Innovación, novedad. — Reorganización, modificación, transformación, variación, reforma. — Mudanza, cambio, alteración, renovación. — Mejora, adelanto, progreso.
1658 Conservación, mantenimiento, invariación.

1659 Bueno, mejor, óptimo. — Super, superior, insuperable, ideal. — Magistral, inmejorable, perfecto, excelente, preciado, imponderable, incomparable, bien. — Preferible, deseable.
1660 Malo, peor, pésimo. — Imperfecto, deficiente, defectuoso. — Regular, mediano, mediocre, mal, indeseable.

1661 Superior, importante, valioso. — Principal, jefe, cabeza, mandamás. — Patrón, dueño, director.
1662 Inferior, subalterno, subordinado, secundario, junior, menos importante. — Auxiliar, ayudante, agregado. — Asistente, suplente. — Colaborador, cooperador.

1663 Superioridad, predominio, supremacía, preeminencia, primacía, preponderancia, eminencia, grandeza, excelencia. — Relevancia, influencia, poder, atribución, hegemonía.
1664 Inferioridad, insignificancia, medianía, mediocridad.

226

1665 Principiante, novicio, nuevo, novato, novel, bisoño, pipiolo, inexperto, aprendiz, neófito, aficionado, incipiente.
1666 Avezado, diestro, entendido, hábil, perito. — Práctico, fogueado, experimentado, experto, ducho, corrido. — Habituado, acostumbrado, familiarizado.

1667 Requisito, condición, obligación, limitación.
1668 Porvenir, futuro, destino, perspectiva, horizonte.

1669 Informe, antecedente, referencia, datos, currículum. — Condición, posición, estado, situación, status.
1670 Recomendación, influjo, influencia, apoyo, cuña. — Recomendar, apoyar, patrocinar. — Digno, recto, recomendable.

1671 Seleccionar, escoger, elegir, nombrar, designar, destinar. — Preferir, optar, distinguir, anteponer. — Contratar, ocupar, emplear, colocar. — Clasificar, encasillar.
1672 Sustituir, reemplazar, relevar, suplantar, suplir. — Representar, subrogar. — Cambiar, remudar.

1673 Elegido, escogido, seleccionado, preferido. — Idóneo, competente, calificado. — Designado, nombrado, destinado.
1674 Rechazado, desplazado, eliminado, desechado, separado.

1675 Ocupación, empleo, oficio, profesión, trabajo, actividad, puesto, cargo, colocación, plaza, destino, acomodo. — Quehacer, labor, faena. — Jornada, día de trabajo. — Ventaja, provecho, ganga, prebenda, sinecura.
1676 Desocupación, cesantía, desempleo, inactividad, vagancia. — Huelga, paro, suspensión, interrupción. — Huelguista, inactivo. — Petición, petitoria, demanda, exigencia.

1677 Empleado, obrero, jornalero, operario, asalariado, dependiente. — Trabajador, oficinista, funcionario, burócrata. — Técnico, profesional, titular. — Conocedor, entendido. — Contratado, obligado, comprometido. — A sueldo, a comisión. — Burocracia, exceso de empleados.
1678 Cesante, desocupado, disponible, vacante, inactivo, ocioso. — Renunciante, dimitente, dimisionario. — Jubilación, pensión, montepío. — Jubilado, pensionado, retirado, emérito. — Clases pasivas, conjunto de jubilados.

1679 Dueña de casa, señora, patrona, ama. — Disponer, mandar, ordenar, gobernar, enseñar, dirigir.
1680 Personal, servicio, servidumbre. — Asistenta, doméstica, criada, camarera, doncella, fámula. — Servir, ayudar, prestar servicios, servidor. — Asistir, auxiliar, secundar.

1681 Portería, conserjería. — Portero, conserje, mayordomo. — Encargado, representante, comisionado.
1682 Garzón, camarero, mozo, botones. — Cocinero, pinche. — Cantinero, barman. — Maitre, jefe de comedor.

1683 Profesar, ejercer, practicar, desempeñar. — Ocuparse, emplearse. — Instalarse, establecerse.
1684 Reemplazo, relevo, suplencia, permuta, cambio, intercambio. — Substitución, suplantación, subrogación.

1685 Mover, remover, menear, hurgar. — Agitar, sacudir.
1686 Aquietar, paralizar, detener, parar, suspender. — Atajar, sujetar, inmovilizar, estancar.

1687 Ruptura, rompimiento. — Boicot, boicoteo, boicotear. — Sabotaje, perjuicio, daño, avería, deterioro, desperfecto.
1688 Dañar, estropear, perjudicar, inutilizar, deteriorar. — Destruir, romper, descomponer, mellar, echar a perder.

1689 Expulsión, despido, destitución, exoneración, deposición. — Degradación, remoción, eliminación, separación, traslado.
1690 Llamamiento, nombramiento, elección, nominación, designación, investidura. — Destinación, destino, puesto, plaza. — Empleo, cargo, función, ocupación.

1691 Destituir, despedir, expulsar, largar, echar. — Deponer, remover, degradar, desahuciar, privar. — Suspender, sumariar, separar, exonerar, relevar. — Licenciar, eximir.
1692 Reincorporar, reponer, rehabilitar, restituir, restablecer, readmitir, reinstalar. — Rehabilitación, reposición, restitución, reparación, devolución.

1693 Destituido, depuesto, degradado. — Despedido, expulsado, exonerado. — Irrevocable, inapelable, indeclinable.
1694 Reincorporado, restituido, repuesto, reinstalado, restablecido. — Rehabilitado, reivindicado. — Promovido, ascendido.

1695 Entrada, ingreso, incorporación. — Admisión, aceptación.
1696 Renuncia, dimisión, renunciamiento, renunciación, resignación, abdicación, cesión. — Acéfalo, sin jefatura.

1697 *Desahucio, jubilación, pensión, montepío. — Indemnización,*
compensación, resarcimiento, reparación, recompensa.
— Jubilar, pensionar. — Renunciar, retirarse, dejar.
1698 *Subvención, subsidio, ayuda, asistencia, previsión, viático.*
— Subvencionar, sufragar, subvenir, ayudar.

1699 *Sueldo, jornal, salario, honorarios, remuneración, mesada,*
paga, pago, estipendio, comisión. — Gratificación, aguinaldo,
bonificación, retribución, premio, recompensa, asignación,
prima, propina, emolumento. — Participación, parte. — Ga-
nar, devengar, percibir, cobrar.
1700 *Gasto, desembolso, egresos, consumo, expendio, dispendio.*
— Expensas, costas. — Presupuesto, cálculo, cuenta.

1701 Remunerar, recompensar, gratificar, bonificar, premiar. — Resarcir, indemnizar, compensar. — Subir, alzar, reajustar. — Agraciar,
conceder. — Aumento, alza, reajuste.
1702 Quitar, despojar, privar. — Disminuir, rebajar, mermar. — Explotar, estrujar, aprovecharse. — Abusador, explotador.

1703 *Escalafón, grado, categoría, graduación, jerarquía, rango,*
nivel, posición, condición, escala. — Planta, personal.
1704 *Edecán, ayudante, secretario, auxiliar, cooperador, colabora-*
dor, copartícipe. — Asistente, ordenanza.

1705 Permanencia, duración, continuación, estabilidad. — Inamovilidad, inamovible, no destituible.
1706 Inseguridad, inestabilidad, mutabilidad, amovilidad.

1707 Inseguro, inestable, instable. — Movible, movedizo, móvil.
1708 Estable, establecido, asentado, definitivo, asegurado.

1709 Interino, provisional, temporal, accidental, transitorio,
provisorio, momentáneo. — Precario, inseguro, incierto. — Suplente, substituido, sustituto, reemplazante, sucesor. — Relevo,
cambio, reemplazo, substitución.
1710 Permanente, firme, fijo, continuo. — Designado, confirmado,
ratificado. — Contratado, comprometido.

1711 Alternar, turnar, sucederse, por turno, por vez. — Alterno, alternativo, uno sí y otro no, intercaladamente, alternado. — Turno, tanda, rueda, vuelta, vez. — Después, siguiente.

1712 Proseguir, seguir, persistir, repetir, continuar, reanudar.

1713 Frecuentemente, continuamente, a menudo, a cada instante, con frecuencia. — Enésima vez, repetidamente.

1714 Raramente, de tarde en tarde, rara vez, pocas veces.

1715 Frecuencia, periodicidad, reiteración, repetición, continuidad. — Sucesión, ciclo, secuencia, serie, cadena, sarta.

1716 Esporádico, ocasional, eventual. — Discontinuidad, intermitencia, interrupción. — Irregularidad, infrecuencia.

1717 Discontinuo, intermitente, irregular, interrumpido. — Cambiante, desigual, variable, entrecortado.

1718 Repetido, continuado, ininterrumpido, continuo, constante. — Simultáneo, al mismo tiempo, simultáneamente. — Sucesivo, progresivo, gradual, escalonado.

1719 Constante, tenaz, persistente, perseverante, empeñoso, firme, asiduo, acérrimo, tesonero. — Insistente, obstinado, pertinaz. — Testarudo, terco, porfiado.

1720 Inconstante, voluble, versátil, tornadizo, mudable, cambiante, variable, veleta. — Caprichoso, veleidoso, voluntarioso, antojadizo.

1721 Perseverar, persistir, porfiar, insistir. — Afanarse, esforzarse, empeñarse, aferrarse. — Trabajar, bregar, laborar. — Dedicarse, consagrarse, enfrascarse, sacrificarse. — Aguantar, soportar, durar, perdurar. — Ejercitarse, foguearse.

1722 Desistir, renunciar, abandonar, cejar. — Retirarse, dimitir, resignar, cesar. — Ceder, flaquear, amollar.

1723 Constancia, perseverancia, persistencia, tesón, empeño. — Tenacidad, asiduidad, ahínco, afán, insistencia, hincapié. — Resolución, determinación, voluntad, carácter. — Energía, entereza, firmeza, fortaleza, decisión.

1724 Inconstancia, volubilidad, versatilidad, variabilidad. — Ligereza, veleidad, antojo, capricho. — Caprichosamente, infundadamente, sin motivo, sin razón.

1725 Infatigable, incansable, resistente, duro. — Laborioso, trabajador, activo, buscavidas.
1726 Cansado, extenuado, desfallecido, fatigado, agotado, rendido, exhausto, agobiado, cansino. — Jadeante, sofocado.

1727 Agotador, abrumador, fatigoso, pesado, excesivo, ímprobo. — Trabajoso, afanoso, penoso, exhaustivo, aplastante.
1728 Descansado, reposado, desahogado, aliviado, fácil, liviano.

1729 Progresar, ascender, avanzar, prosperar, mejorar, surgir. — Evolucionar, perfeccionarse, adelantar, rehacerse.
1730 Retroceder, declinar, decaer, desmedrar, empeorar, bajar.

1731 Progreso, ascenso, adelanto, mejora, mejoramiento, perfeccionamiento, desarrollo, avance, evolución. — Impulso, empuje, promoción, ascenso. — Auge, apogeo, cima.
1732 Detención, estancamiento, estancación, paralización, detenimiento, cese. — Interrupción, parada, fin, término.

1733 Aprovechable, utilizable, útil. — Servible, bueno, provechoso. — Convenir, valer, importar, interesar, significar.
1734 Inútil, inservible, inaprovechable. — Estropeado, deteriorado, roto, maltrecho, arruinado. — Apolillado, roído.

1735 Aprovechar, utilizar, usar, usufructuar, disfrutar. — Explotar, sacar provecho, beneficiarse.
1736 Desperdiciar, desaprovechar, malograr. — Desechar, dejar.

1737 Fructuosamente, lucrativamente, útilmente, provechosamente. — Beneficioso, lucrativo, provechoso.
1738 Inútilmente, en vano, infructuosamente, en balde.

1739 Principal, fundamental, esencial, primordial, capital, cardinal. — Substancial, importante, básico, radical, imprescindible.
1740 Secundario, segundario, accesorio. — Complementario, suplemento, adicional. — Prescindible, no indispensable.

1741 Importante, valioso, vital, inapreciable. — Trascendental, crucial, crítico, decisivo. — Culminante, trascendente.
1742 Insignificante, fútil, pueril, baladí, trivial, frívolo, nimio, superficial, somero, ligero, simple, rápido. — Leve, venial, intrascendente, insubstancial, insustanciar.

1743 Importancia, trascendencia, magnitud, significación, influencia. — Repercusión, impacto, resonancia.
1744 Insignificancia, futilidad, fruslería, bagatela, friolera, menudencia, minucia, trivialidad, bicoca, nimiedad, pequeñez, futesa. — Nadería, ápice, adarme, baratija, chuchería.

1745 Beneficioso, lucrativo, ventajoso, productivo, remunerativo, ganancioso. — Provechoso, fructuoso, fructífero.
1746 Perjudicial, desventajoso, desfavorable, lesivo, inconveniente. — Vano, inútil, ineficaz, improductivo, infructuoso.

1747 Beneficiar, favorecer, ayudar. — Cooperar, colaborar, secundar, asistir, servir, auxiliar, contribuir, coadyuvar.
1748 Perjudicar, dañar, damnificar. — Esquilmar, arruinar, empobrecer. — Fallar, frustrarse, fracasar, malograrse.

1749 Beneficio, ganancia, ingreso, lucro. — Disfrute, provecho, aprovechamiento, conveniencia. — Usufructo, utilidad, fruto, enriquecimiento. — Renta, interés, rédito, rendimiento.
1750 Pérdida, perjuicio, merma, baja, mengua, daño, quebranto. — Bancarrota, quiebra, ruina. — Desequilibrio, inestabilidad, altibajos, vicisitud. — Crisis, depresión, descenso, baja.

1751 Beneficiado, favorecido, mejorado, bonificado. — Beneficiario, usuario, usufructuario.
1752 Perjudicado, dañado, damnificado, afectado, lesionado.

1753 Ganar, beneficiarse, enriquecer. — Prosperar, mejorar, medrar, repuntar. — Lucrar, producir, rendir, rentar, redituar.
1754 Perder, perjudicarse, empobrecerse, arruinarse, liquidarse. — Decaer, declinar, descender, menguar, disminuir.

1755 Insolvente, arruinado, empobrecido. — Endeudado, adeudado, escaso, necesitado; apurado, atrasado. — Endeudarse, entramparse, desacreditarse. — Insolvencia, descrédito.
1756 Solvente, holgado, acomodado. — Afortunado, floreciente, boyante, próspero, venturoso. — Solvencia, crédito.

1757 Ahorro, economía, reserva. — Previsión, prudencia, precaución, moderación, cuidado, orden.
1758 Despilfarro, derroche, dilapidación, prodigalidad, dispendio, disipación, desperdicio. — Imprevisión, descuido, desorden.

1759 Ahorrar, economizar, guardar, reservar. — Acumular, juntar, reunir, depositar. — Capitalizar, atesorar, acaudalar.
1760 Malgastar, derrochar, despilfarrar, dilapidar, disipar. — Desperdiciar, malbaratar, prodigar, malrotar. — Dar, gastar, desbaratar, consumir, agotar, tirar, desaprovechar.

1761 Ahorrador, económico, ahorrativo, metalizado. — Cicatero, tacaño, agarrado, apretado, avaro, avariento, mezquino, sórdido, codicioso. — Prestamista, usurero.
1762 Gastador, derrochador, despilfarrador, dilapidador, manirroto. — Dadivoso, desprendido, generoso, pródigo.

1763 Cobrar, recaudar, colectar, recibir, embolsar, percibir.
1764 Pagar, saldar, cubrir, finiquitar, cancelar, liquidar, cumplir. — Abonar, acreditar, amortizar, restituir, reembolsar. — Costear, sufragar, satisfacer, desembolsar.

1765 Pagador, cajero, tesorero. — Pago, reintegro, devolución.
1766 Cobrador, recaudador, colector, recolector, habilitado. — Cobro, cobranza, recaudación, recaudo, percepción.

1767 *Empréstito, préstamo, prestación. — Anticipo, adelanto.*
1768 *Libranza, orden de pago, letra de cambio, cheque, pagaré. — Deuda, obligación, compromiso. — Cedente, endosante.*

1769 Prestar, facilitar, proporcionar, suministrar, contribuir, ayudar, favorecer, dar. — Anticipar, adelantar.
1770 Devolver, restituir, reintegrar. — Recobrar, recuperar.

1771 *Vencimiento, término, plazo, fecha, data. — Retraso, mora, dilación, tardanza, retardo, demora, dilatoria.*
1772 *Prorrogar, aplazar, postergar, posponer, diferir, dilatar. — Atrasar, demorar, retardar. — Suspender, interrumpir, dejar.*

1773 Prórroga, postergación, aplazamiento. — Moratoria, tregua, suspensión, espera. — Aval, fianza, garantía.
1774 Anticipo, adelanto, avance, señal: entrega a cuenta. — Amortización, abono, pagos parciales.

1775 Urgente, apremiante, perentorio, imperioso, inminente. — Impostergable, inaplazable, improrrogable, ineludible.
1776 Postergable, aplazable, prorrogable, retrasable, dilatable.

1777   Apurar, apremiar, urgir, apresurar, activar. — Instar, acuciar, reclamar, insistir, ahincar, atosigar, acosar, obligar.

1778   Demorar, atrasar, retrasar, tardar, retardar. — Rezagar, dilatar, diferir, suspender. — Incumplir, fallar, faltar.

1779   Responsabilidad, obligación, compromiso, deber. — Convenio, contrato, pacto, tratado. — Comprometer, responsabilizar.

1780   Irresponsabilidad, informalidad, descuido, dejación. — Desistimiento, incumplimiento, engaño.

1781   Intentar, tratar, emprender, acometer, abordar. — Tramitar, diligenciar, gestionar, agenciar. — Gestión, trámite, diligencia. — Tramitación, papeleo, burocracia, trabas.

1782   Impedir, estorbar, complicar, dificultar. — Obstaculizar, obstruir, detener, estancar, paralizar, entorpecer, retardar, retener, atajar. — Atascar, trabar, truncar, desbaratar.

1783   Requerir, pedir, solicitar, reclamar. — Presionar, exigir, reivindicar. — Apremiar, obligar, urgir, apurar, acuciar.

1784   Negar, rehusar, rechazar, no aceptar, oponerse, impugnar.

1785   Reclamación, protesta. — Apremio, exigencia, petición, requerimiento. — Amenaza, intimación, ultimátum. — Conminación, exacción, coacción. — Imposición, obligatoriedad.

1786   Evasiva, pretextos, excusas, disculpa. — Subterfugio, rodeo, triquiñuela, ambigüedades, ambages, circunloquios. — Eufemismo, tapujo, engaño. — Disimulo, fingimiento.

1787   Categórico, terminante, conminatorio. — Decisivo, definitivo. — Contundente, imperativo, rotundo, perentorio, tajante, preciso, claro, definido, concluyente. — Riguroso, severo, rígido. — Drástico, enérgico.

1788   Vacilante, titubeante, cambiante, oscilante, fluctuante. — Impreciso, indefinido, indeciso, vago, ambiguo, confuso, incierto, indeterminado. — Irresoluto, perplejo, dubitativo. — Evasivo, indirecto, reticente, huidizo.

1789   *Deuda, débito, adeudo, obligaciones, compromisos. — Deber, adeudar. — Gravámenes, débitos: pasivo.*

1790   *Incobrable, irrecuperable, perdido. — Moroso, atrasado, mal pagador. — Fallido, quebrado, sin crédito.*

1791 Querellarse, pleitear, litigar, demandar, denunciar, acusar. —Reclamante, querellante, demandante, litigante.
1792 Avenirse, arreglarse, entenderse, conciliar, ponerse de acuerdo. — Amoldarse, allanarse, conformarse.

1793 *Rematar, subastar, licitar. — Remate, subasta, licitación, almoneda. — Oferta, puja, mejora. — Postor, licitador.*
1794 *Consignar, depositar, entregar. — Consignatario, depositario, receptor. — Cajero, tesorero.*

1795 *Saldo, remanente, resto, sobrante. — Arqueo, balance, confrontación. — Liquidación, finiquito.*
1796 *Distribución, reparto, prorrateo, división, partición, repartición, proporción, porcentaje, cuota, parte, cupo. — Proporcionalmente, a prorrata, a razón de.*

1797 *Hipoteca, gravamen, obligación. — Prenda, garantía, fianza.*
1798 *Hipotecar, gravar, empeñar, pignorar.*

1799 *Aval, garantía, fianza, caución. — Avalista, fiador, garante, garantizador. — Responsable, solidario.*
1800 *Avalar, afianzar, garantizar, caucionar, salir fiador.*

1801 *Contador, contable. — Interventor, contralor, inspector, fiscalizador, auditor. — Revisor, verificador.*
1802 *Inventario, lista, catálogo, relación. — Balance, arqueo, cómputo, confrontación, cotejo, comparación.*

1803 *Bienes, recursos, haberes, capital, medios, caudal, peculio, fondos, patrimonio. — Haber, tener, poseer.*
1804 *Bonos, acciones. — Dividendo, renta, intereses, beneficio.*

1805 Superávit, exceso, sobra, excedente, demasía. —Saldo acreedor, al haber, a favor.
1806 Déficit, descubierto, pasivo, falta, carencia. — Saldo deudor, al debe, en contra. — Deudor: que debe. — Codeudor.

1807 *Fabricación, industria, manufactura, confección. —Explotación, producción. — Creación, elaboración, preparación. — Materiales, componentes, insumos. —Materia prima.*
1808 *Fabricar, elaborar, producir, confeccionar, manufacturar. —Fabricante, industrial, productor, manufacturero.*

1809 Privilegio, prerrogativa, regalía, fuero, franquicia, inmunidad, protección, garantía, indemnidad. — Favoritismo, ventaja, preferencia. — Concesión, licencia, autorización, permiso, libertad. — Facultad, derecho, poder, atribuciones.

1810 Desventaja, inferioridad, subordinación, dependencia. — Postergado, pospuesto. — Atropellado, perjudicado, dañado.

1811 Monopolio, exclusiva, estanco, trust. — Exención, exoneración, dispensa, inmunidad. — Acaparamiento, acumulación, almacenamiento, almacenaje, acopio. — Abuso, especulación, agio, agiotaje. — Usura, estafa, delito.

1812 Competencia, estímulo, libre competencia, emulación, incentivo, aliciente. — Iniciativa, imaginación.

1813 Abaratamiento, liquidación, baratura. — Baja, caída, desvalorización, depreciación. — Deflación, desvalorización de la mercadería. — Descuento, rebaja, disminución, deducción.

1814 Encarecimiento, sobreprecio, recargo, alza, aumento. — Inflación, desvalorización de la moneda, devaluación.

1815 Rebajar, abaratar, disminuir, bajar, reducir, descontar. — Desvalorizar, depreciar, realizar, liquidar, subestimar.

1816 Recargar, alzar, subir, encarecer, elevar, aumentar, sobrestimar. — Plus valía, mayor valor. — Fluctuar, variar, oscilar.

1817 Barato, económico, rebajado, módico, de ocasión. — Depreciado, desvalorado. — Tirado, botado, ganga. — Regalado, dado, donado, obsequiado. — Gratis, gratuito, de balde. — Gratuitamente, graciosamente.

1818 Caro, costoso, gravoso, dispendioso. — Oneroso, insume, pohibitivo. — Regatear, cicatear, tacañear, escatimar.

1819 Crédito, a plazo, por cuotas. — Por pagar, pagable, pagadero. — Anticipo, pie, abono, cuota, parte de pago. — Fiado, prestado. — Fiar, prestar. — Envío contra reembolso.

1820 Al contado, cash. — Pagado, cancelado, reembolsado.

1821 Ofrecer, prometer, asegurar, garantizar, obligarse. — Oferta, ofrecimiento, prometimiento, promesa, promisión. — Propuesta, proposición, invitación.

1822 Solicitar, pedir, demandar. — Aspirar, pretender, postular, ansiar, anhelar. — Recabar, conseguir, lograr.

1823 *Cotizar, valorizar, evaluar, valuar, valorar, justipreciar, tasar, aquilatar. — Tarifar, aforar, avaluar, avalorar. — Tantear, calcular, apreciar, estimar, fijar.*

1824 *Cotización, tasación, avalúo, valorización, apreciación, cálculo, valuación, evaluación, valoración, estimación, valía, valor, precio, justiprecio. — Control de precios.*

1825 Vendedor, ofertante, expendedor, proveedor, abastecedor. — Comerciante, traficante, negociante, mercader, tratante. — Tendero, detallista, almacenero. — Comisionista, intermediario, proveedor. — Prendero, trapero, ropavejero.

1826 Comprador, cliente, consumidor, parroquiano. — Adquirente, adquiridor, adquisidor. — Clientela, usuarios.

1827 Vender, expender, comerciar, negociar, traficar, mercar, contratar. — Mayorista: al por mayor. — Minorista: al por menor. — Ofertar, ofrecer. — Importador, exportador.

1828 Comprar, adquirir, invertir. — Obtener, conseguir. — Pagar, cancelar, desembolsar, gastar. — Comprado, adquirido.

1829 Venta, despacho, entrega. — Trueque, cambio, intercambio, contracambio, canje, permuta, cambalache, compensación.

1830 Compra, adquisición, inversión. — Canjear, permutar, compensar, cambiar, trocar, cambalachear. — Canjeable, permutable, trocable. — Compraventa, trocamiento.

1831 Almacenar, acumular, monopolizar, acaparar. — Acaparamiento, acumulación, almacenamiento. — Especular, lucrarse, aprovechar. — Acaparador, especulador, agiotista.

1832 Distribuir, repartir, compartir, racionar, prorratear, asignar, erogar, dar, adjudicar. — Por persona, per cápita.

1833 Llenar, repletar, rellenar, atestar, abarrotar, colmar, cargar, atiborrar, atochar. — Henchir, inflar, hinchar, abultar.

1834 Vaciar, desocupar, descargar, sacar, extraer. — Volcar, verter, tirar, botar. — Derramar, rebosar, desbordar. — Derrame, drenaje, derramamiento, desbordamiento.

1835 Vacío, desocupado, descargado. — Libre, disponible, utilizable, aprovechable. — Apto, servible, adecuado, útil.

1836 Lleno, repleto, relleno, colmado, atestado, abarrotado. — Henchido, pleno, rebosante. — Exuberante, pletórico.

1837 Calcular, inventariar, catalogar, registrar, computar, enumerar. — Medir, pesar. — Peso, volumen, masa, unidad, cantidad. — Kilo, kilogramo. — Metro, medida.
1838 Costo, precio, valor, suma. — Cantidad, importe, total, cifra, monto, cuantía. — Valer, costar, importar, totalizar.

PRECIO =

1839 Incalculable, innumerable, incontable, inconmensurable. — Miriada, número grande e indeterminado, sinnúmero.
1840 Calculable, contable. — Mensurable, conmensurable.

1841 Envolver, enrollar, doblar, plegar. — Retorcer, enroscar.
1842 Desenvolver, desenrollar, desplegar, desdoblar, extender, tender. — Estirar, enderezar, destorcer.

1843 *Abrazadera, zuncho, fleje, grapa. — Gancho, garfio.*
1844 *Cuerda, cordel, cable, soga, bramante, cáñamo, pita, piola, cordón, cinta. — Amarra, atadura, nudo, lazo, lazada.*

1845 Amarrar, atar, sujetar, anudar, liar, ligar, ensogar. — Amarrado, atado, anudado. — Empaquetado, envuelto.
1846 Desamarrar, desatar, desligar, desenlazar, desanudar, deshacer, soltar. — Desprender, arrancar, desclavar, desenganchar. — Sacar, quitar, separar, desunir.

1847 *Paquete, envoltorio, lío, atado. — Fardo, bulto, equipaje, bagaje, equipo. — Baúl, maleta, maletín, valija. — Estuche, cofre, caja, cajón, gaveta, arca.*
1848 *Asa, mango, cacha, agarradero, asidero, cogedera, manija, tirador. — Manivela, manubrio, empuñadura.*

1849 Empaquetar, envolver, atar, liar. — Envasar, encajonar, empacar, embalar, enfardar, embolsar. — Embotellar, enfrascar, enlatar. — Tara: peso del envase. — Peso neto: el de la mercadería. — Peso bruto: peso total. — A granel: sin envase. — Tonelaje, cabida, capacidad, volumen.
1850 Desembalar, desempaquetar, desenfardar, desempacar, desenvolver. — Abrir, destapar.

1851 *Embalaje, envase. Envoltura, cubierta, cobertura. — Funda, vaina, forro, estuche. — Envasado, embalado.*
1852 *Marca, etiqueta señal, timbre, rótulo, inscripción. — Titular, rotular, intitular, marcar, timbrar, estarcir.*

1853 *Carga, cargamento, flete. — Cargar, estibar.*
1854 *Fletar, embarcar. — Cargador, estibador.*

1855 *Transporte, conducción, acarreo, camionaje. — Traslado, tracción, remolque, arrastre, traslación, reparto, envío.*
1856 *Transportar, trasladar, mudar, acarrear, remolcar, arrastrar, conducir, carretear. — Traer, llevar, enviar.*

1857 Portátil, manuable, manual. — Transportable, trasladable. — Movible, movedizo, inestable.
1858 Fijo, sujeto, inmovible, inamovible. — Estable, inmóvil.

1859 Exportar, enviar mercadería a otro país. — Remitir, despachar, remesar, mandar, enviar, expedir. — Facturar, registrar. — Factura, cuenta, cálculo.
1860 Importar, internar, introducir. — Recibir, ingresar.

1861 Exportación, envío de mercadería a otro país. — Remesa, expedición, envío, giro. — Egreso, salida.
1862 Importación, traída de mercadería de otro país. — Entrada, introducción, recepción, ingreso.

1863 *Teatro, coliseo, sala de espectáculos. — Cine, cinema, cinematógrafo. — Filmar, impresionar. — Telón, cortinaje, bambalina. — Pantalla, escenario, escena, proscenio, tablado. — Luces, candileja.*
1864 *Museo, galería, pinacoteca. — Exposición, exhibición, presentación. — Manifestación, demostración.*

1865 *Boletería, taquilla. — Fila, hilera, cola. — Entrada, boleto, boleta, billete, ticket. — Localidad, número. — Contraseña, vale, cupón, telón. — Acomodador. — Tomar asiento, sentarse, acomodarse, arrellanarse, repantigarse, apoltronarse.*
1866 *Asiento, banca, banco, escaño, butaca. — Taburete, banquillo, banqueta, silla, sillón, luneta. — Diván, sofá, canapé, mecedora. — Angarillas, palanquín, camilla, litera.*

1867 *Función, espectáculo, acto, representación, show. — Estreno, debut. — Reestreno, reprise. — Cartelera, anuncio.*
1868 *Estrenar, debutar. — Empezar, iniciar, comenzar. — Presenciar, observar, contemplar, mirar, ver. — Intermedio. Intervalo, entreacto. — Interludio, composición breve.*

1869 Personas, público, individuos. — Espectadores, asistentes; concurrentes, presentes, circunstantes, oyentes.
1870 Concurrencia, asistencia, auditorio. — Afluencia, aglomeración, acumulación. — Lleno, atestado, concurrido, repleto.

1871 Actor, actriz, artista, protagonista. —Astro, estrella, galán, comediante, cómico. —Payaso, bufo, bufón, histrión, clown. —Intérprete, personaje, héroes. —Autor, creador, artífice. —Escritor, comediógrafo, dramaturgo.
1872 Personal, elenco. — Comparsa, figurante, extra. — Apuntador, traspunte, consueta. — Claque, alabarderos.

1873 Arte, fantasía, imaginación, inventiva, artificio, inspiración, ingenio. — Visión, intuición. — Musa, numen.
1874 Drama, comedia, ficción, farsa, sainete.

1875 Poeta, vate, trovador, bardo, recitador, declamador, versificador. — Poema, poseía, soneto, balada, elegía, trova. — Coplas, versos. — Recitación, declamación. Recitar, declamar.
1876 Representar, actuar, interpretar, personificar, encarnar, simbolizar. — Mutis, retirada, salida de escena.

1877 Audición, transmisión, concierto, recital. — Popurrí, trozos.
1878 Teclear, tañer, rasguear, pulsar, tocar.

1879 Simetría, proporción, armonía, ritmo.
1880 Asimetría, disimetría. — Desarmonía, desproporción.

1881 Compositor, músico, filarmónico, melómano, musicólogo.—Diletante, aficionado. —Interpretar, protagonizar, ejecutar.
1882 Orquesta, banda, conjunto. — Partitura, texto. — Preludio, obertura, principio. — Preludiar, probar, ensayar.

1883 Música, melodía.— Sinfonía, cadencia, consonancia, asonancia, compás, ritmo.— Grabación, disco, cassette.
1884 Inarmonía, desentonación, desentono, desafinación, destemple, disonancia. — Destemplanza, desigualdad.

1885 Musical, armonioso, armónico, melodioso, melódico, canoro. — Acompasado, rítmico, cadencioso, sinfónico.
1886 Inarmónico, disonante, desacorde, destemplado, discorde, dísono. — Desacompasado, arrítmico, irregular.

1887 *Himno, cántico, canto, canción, tonada, tonadilla, copla, romanza, aria. — Poema musical, ópera, melodrama.*
1888 *Cantor, cantante, cantatriz, diva. — Bajo, barítono, tenor contralto, tiple, soprano. — Coro, conjunto, orfeón.*

1889 Entonar, canturrear, canturriar, tararear, cantar, gorjear, afinar, modular, vocalizar. — Corear, acompañar. — Inflexión, modulación, entonación, tono, acento. — Trino, gorjeo.
1890 Desentonar, desafinar, disonar, destemplar.

1891 *Baile, baileteo, danza, ballet.— Coreografía, arte de la danza o baile.*
1892 *Bailarín, danzante, danzarín, bayadera, zapateador. — Bailar, danzar, bailotear. — Pareja, compañero.*

1893 *Pintor, paisajista, retratista, acuarelista, marinista. — Dibujante, caricaturista. — Escenógrafo, diseñador, decorador.*
1894 *Pincel, brocha, pinturas. — Espátula, paleta. — Lienzo, tela, cuadro, marco.*

1895 *Pintar, dibujar, esbozar, delinear, diseñar, bosquejar, abocetar, trazar. — Retocar, perfeccionar. — Pintarrajear, pintarrear. — Fotografía, instantánea, fotocopia.*
1896 *Pintura, dibujo, paisaje, panorama, vista, marina, naturaleza muerta. — Retrato, imagen, efigie, figura, silueta, caricatura. — Ilustración, lámina, estampa, grabado.*

1897 *Escultor, modelador, cincelador, tallista, estatuario.*
1898 *Apunte, diseño, trazado, delineación, esbozo, bosquejo. — Boceto, croquis, trazo. — Diagrama, esquema, dibujo.*

1899 *Cincelar, grabar, esculpir, tallar, modelar, plasmar.*
1900 *Escultura, estatua, monumento. — Grabado, estampa, lámina. — Vaciado, mascarilla. — Fraguar, forjar.*

1901 *Circo, carpa, arena, anfiteatro, hemiciclo, pista.*
1902 *Acróbata, equilibrista, malabarista, trapecista, barrista. — Saltimbanqui, volantinero, titiritero.*

1903 *Acrobacia, voltereta, pirueta, cabriola, brinco, salto, bote. — Equilibrar, brincar, saltar, rebotar.*
1904 *Títere, polichinela, marioneta, fantoche, muñeco.*

1905 *Prestidigitador, escamoteador, ilusionista. — Ventrílocuo, arte de hablar con voz que parezca venir de otro.*
1906 *Prestidigitación, escamoteo, ilusionismo, truco. — Habilidad, juego de manos. — Apariencia, ilusión, engaño.*

1907 *Imitación, parodia, remedo, pantomima, mímica.*
1908 *Imitar, remedar, parodiar. — Imitable, remedable.*

1909 *Antifaz, careta, máscara, disfraz.*
1910 *Transformación, transfiguración, mutación, transmutación, metamorfosis. — Conversión, cambio, mudanza.*

1911 Conocido, distinguido, renombrado, acreditado, reputado. — Preclaro, notable, prestigioso. — Eximio, insigne, eminente, esclarecido, ilustre, conspicuo, connotado, relevante, superior. — Personaje, persona influyente, importante. — Encumbrado, poderoso, supremo, soberano, prepotente.
1912 Desconocido, ignorado, insignificante, mediocre, vulgar, adocenado. — Anónimo, incógnito. — Retraído, anodino.

1913 Sobresalir, destacarse, distinguirse, lucirse, figurar, descollar. — Aventajar, dominar, batir, eclipsar, prevalecer, predominar, superar. — Resaltar, preponderar, despuntar.
1914 Humillarse, achicarse, rebajarse, empequeñecerse, apocarse. — Pasar desapercibido, ser uno del montón.

1915 Grandeza, magnificencia, esplendor, esplendidez, lustre, grandiosidad, realce. — Avance, mejora, auge.
1916 Decadencia, descenso, caída, decaimiento, declinación, postrimería, ocaso. — Disminución, decrecimiento, depreciación.

1917 Ventura, suerte, fortuna. — Resurgimiento, progreso, prosperidad, auge, desarrollo. — Apogeo, culminación.
1918 Desventura, adversidad, infortunio, malaventura, desastre, desgracia, contratiempo, revés, mala suerte, fatalidad, desdicha, infortunio. — Tropiezo, dificultad.

1919 Triunfo, éxito, superación, victoria. — Fama, gloria, popularidad, renombre, nombradía, notoriedad, reputación, celebridad, prestigio. — Realizado, logrado, alcanzado.
1920 Fracaso, chasco, malogro, fiasco. — Desprestigio, impopularidad, descrédito. — Frustrado, fracasado, chasqueado.

242

1921 Popular, famoso, célebre, afamado renombrado, celebérrimo. — Aplaudido, ovacionado, aclamado, vitoreado, celebrado, elogiado. — Endiosado, alabado, ensalzado.
1922 Impopular, desprestigiado, desacreditado, desconceptuado, malmirado. — Silbado, humillado, mortificado. — Acallado, silenciado. — Agraviado, ofendido, difamado, insultado.

1923 Aprobación, aplauso, ovación, aclamación. — Celebración, alabanza, homenaje, agasajo. — ¡Hurra!, ¡bis!, ¡viva!, frenesí, apoteosis, glorificación. — Apoteósico, exitoso.
1924 Desacierto, pifia, plancha. — Protesta, reprobación. — Silbatina, chifla, rechifla, silbido, chiflido, abucheo.

1925 Entusiasmar, maravillar, sorprender, impresionar, deslumbrar, electrizar, apasionar. — Aclamar, ovacionar, aplaudir, palmotear, vitorear. — Aprobar, elogiar, admirar.
1926 Decepcionar, desilusionar, contrariar. — Silbar, abuchear, rechiflar, reprobar, sisear, protestar. — Desdén, burla, ofensa, humillación, mortificación.

1927 *Intelectual, escritor, literato, novelista, autor. — Periodista, reportero, redactor, comentarista, crítico, cronista, publicista. — Narrador, noticiero, gacetillero, articulista, corresponsal, relator, historiador.*
1928 *Anotar, apuntar, registrar. — Escribir, redactar, componer. — Manuscribir, transcribir, trasuntar, reproducir.*

1929 *Asunto, cuestión, objeto, tema, trama, argumento, contexto, guión, materia, punto. — Acerca de, con respecto a, sobre. —Alusivo, relativo, relacionado, concerniente, referente. —Concernir, atañer, incumbir, competer, respectar.*
1930 *Suceder, acaecer, ocurrir, acontecer, pasar, devenir, sobrevenir. — Advenir, llegar, aparecer, surgir.*

1931 *Investigar, indagar, informarse, documentarse, imponerse.*
1932 *Dato, detalle, antecedente, referencia, pormenor, circunstancia. — Apunte, anotación, nota, borrador.*

1933 *Entrevistar, interrogar, consultar. — Abocarse: reunirse considerar, madurar. — Criticar, prejuzgar, enjuiciar.*
1934 *Significado, significación, sentido, alcance, acepción. — Tema, materia, cuestión. — Especificación, relación.*

1935 *Raciocinio, razonamiento. — Deducción, conclusión.*
1936 *Deducir, colegir, inferir, conjeturar, concluir, desprender, educir. — Derivar, resultar, producir. — Significar, evidenciar, denotar, indicar. — Entrañar, involucrar, implicar.*

1937 Por consiguiente, por tanto, por ende, ya que, en vista de que, puesto que, pues. — Entonces, en tal caso, luego.
1938 Ante todo, sobre todo, máxime, principalmente.

1939 Según, de acuerdo con, conforme a, a juzgar por.
1940 Al contrario, al revés, viceversa, por el contrario.

1941 *Informado, enterado, advertido, avisado, impuesto.*
1942 *Informar, describir, referir, relatar, narrar, contar, noticiar, enterar, publicitar. — Reseñar, detallar, especificar.*

1943 Publicar, divulgar, propagar, esparcir, difundir, propalar, revelar, vocear, pregonar, transmitir. — Trascender, filtrarse, cundir, saberse. — Vulgarizar, popularizar, generalizar. — Repercutir, reflejar, implicar.
1944 Silenciar, ocultar, acallar, sigilar. — Encubrir, esconder, guardar, soterrar. — Disimular, despistar.

1945 *Publicidad, publicación, propaganda, difusión, réclame. — Aviso, anuncio, promoción. — Orientada, dirigida, tendiente a, tendente a, relacionada con, destinada a.*
1946 *Propagandista, divulgador, anunciador.*

1947 Notorio, manifiesto, gráfico, patente, palmario, claro, expreso, explícito. — Terminante, tajante, evidente.
1948 Tácito, sobreentendido, implícito, virtual. — Supuesto, presunto, teórico, hipotético, supositivo.

1949 *Noticia, crónica, artículo, reportaje, información, reseña, relato, narración, descripción, exposición. — Noticiero, noticiario, noticioso. — Locutor, comentarista, comentador.*
1950 *Crítica, opinión, análisis, juicio, apreciación. — Comentario, glosa, apostilla, acotación, observación.*

1951 *Espigar, seleccionar. — Coleccionar, recopilar, compilar.*
1952 *Antología, selección, crestomatía, florilegio, analectas. — Colección, recopilación, compilación.*

1953 *Cuento, novela, ficción, historieta, chascarrillo, anécdota. — Epi-*
sodio, aventura, peripecia. — Historia, gesta, hazaña, epopeya.
— Fastos, anales, narración, comentarios.
1954 *Frase, locución, expresión, pensamiento. — Dicho, proverbio,*
refrán, máxima, aforismo, axioma, slogan. — Adagio, sen-
tencia, apotegma, paremia. — Metáfora, tropo, figura, ima-
gen, alegoría. — Parábola, moraleja, enseñanza.

1955 *Autobiografía, memorias, confesiones, diario de vida.*
1956 *Biografía, semblanza, hechos, carrera, referencias, anteceden-*
tes, historial. — Vida, sucesos, currículum vitae.

1957 Prólogo, prefacio, preámbulo, introducción, proemio, encabezamiento, exordio. — Prelusión, preludio, prolegómenos. — In-
troito, principio, iniciación.
1958 Epílogo, final, fin, desenlace, conclusión, término, terminación. — Culminación, acabamiento, acabóse.

1959 *Letrero, rótulo, cartel, epígrafe. — Nombre, título. — Afiche,*
mural, póster. — Portada, tapa, carátula.
1960 *Libro, obra, volumen, tomo, ejemplar, edición, tirada, impre-*
sión, reedición. — Formato, forma, tamaño. — Encuadernar,
empastar. — Margen, borde. — Índice, contenido.

1961 *Literatura, obras, publicaciones, bibliografía.*
1962 *Libelo, panfleto, pasquín. — Sátira, ironía, epigrama, burla.*
— Difamatorio, afrentoso, denigrativo, calumnioso.

1963 *Opúsculo, ensayo, folleto, fascículo, cuadernillo.*
1964 *Estilo, peculiaridad, característica, cualidad, rasgo. — Modo,*
manera, forma, particularidad, género.

1965 Rebuscado, afectado, fingido, sofisticado, sofístico.
1966 Natural, espontáneo, propio, peculiar, característico, personal, innato. — Inherente, inmanente, inseparable.

1967 *Carta, esquela, misiva, epístola, nota, mensaje. — Postal, tar-*
jeta. — Circular, prospecto, lista, catálogo. — Muestrario,
muestra. — Correspondencia, comunicaciones.
1968 *Dicho, antedicho, predicho, susodicho. — Citado, indicado,*
antes citado, precitado, referido. — Mencionado, mentado,
aludido, nombrado, señalado, consabido, expresado.

1969   *Correo, cartero. — Encomienda, paquete postal.*
1970   *Estampilla, sello, franqueo, porte. — Estampillar, sellar, fran-*
        quear. — Timbrar, lacrar. — Buzón, casilla, apartado.

1971   *Telegrama, radiograma, cablegrama. — Carta aérea, correo*
        aéreo, aeropostal. — Teléfono, comunicación.
1972   *Mensajero, recadero, emisario, enviado, heraldo, estafeta,*
        correo, mandadero. — Cartero, repartidor de cartas.

1973   *Asunto, cuestión. — Compromiso, problema, dificultad.*
1974   *Encargar, comisionar, encomendar, confiar, delegar. — Reca-*
        do, encargo, misión, comisión, mandato, cometido.

1975   *Dactilografía, mecanografía. — Taquigrafía, estenografía.*
1976   *Taquígrafa, estenógrafa. — Dactilógrafa, mecanógrafa,*
        tipiadora. — Escribiente, escribano, amanuense, copista. — In-
        térprete, traductor.

1977   *Transcripción, versión. — Traducción, trasunto, copia.*
1978   *Literal, exacto, idéntico, igual, fiel, textual (sic).*

1979   Textualmente, literalmente, exactamente, al pie de la letra.
        — Completo, íntegro, total, todo, in extenso.
1980   Aproximadamente, aproximado, aproximativo, poco más o
        menos. — Casi, cuasi, similar, parecido. — Fragmento, tro-
        zo, pedazo, parte, pasaje.

1981   *Mencionar, citar, nombrar, mentar, aludir, referirse a. — Alu-*
        sión, mención, referencia, cita, indicación.
1982   *Personificar, individualizar, individuar, particularizar, singula-*
        rizar. — Determinar, definir, especificar.

1983   Fiscalización, control, intervención, censura, mordaza, repre-
        sión. — Restrictivo, coercitivo, represivo, limitado.
1984   Libertad, independencia, autonomía, derecho, facultad, per-
        miso. — Libertad de prensa, libertad de expresión.

1985   *Tachar, suprimir, eliminar, enmendar, rectificar, subsanar. — Al-*
        terar, rehacer, borrar. — Censurar, expurgar. — Descartar, des-
        echar, excluir, quitar. — Censor, crítico.
1986   *Rectificación, corrección. — Modificación, enmienda, varia-*
        ción, alteración, retoque.

1987 *Retocar, arreglar, corregir, modificar, pulir, limar, mejorar, perfeccionar. — Completar, acabar, concluir, coronar.*
1988 *Arreglado, mejorado, perfeccionado, pulido, superado. — Terminado, concluido, acabado, finiquitado.*

1989 Reparable, corregible, remediable, subsanable.
1990 Irreparable, irremediable, insubsanable. — Imborrable, indeleble. — Permanente, durable.

1991 *Imprenta, taller. — Tipografía, rotativa, linotipia, prensa, litografía, offset. — Máquina, aparato.*
1992 *Editar, imprimir, publicar, estampar. — Reimprimir, reproducir, reeditar, tirar, copiar. — Inédito: aún no publicado, desconocido. — Colofón, pie de imprenta.*

1993 *Editor, impresor. — Tipógrafo, cajista, linotipista. — Editorial, biblioteca, librería. — Librero, bibliotecario.*
1994 *Prensa, periodismo. — Diario, periódico, tabloide. — Revista, gaceta, magazine, semanario, boletín, suplemento, impreso, publicación, noticias, folleto, panfleto. — Rotativo, hoja, órgano, vocero, portavoz.*

1995 *Abonar, inscribir, anotar, registrar, suscribir, subscribir. — Quincenal, trimestral, semestral, anual.*
1996 *Suscripción, abono. — Suscriptor, abonado, inscrito.*

1997 Dios, Creador, Divinidad, Ser Supremo, Deidad.
1998 Diablo, Demonio, Lucifer, Satanás, Satán, Belcebú.

1999 *Alma, psique, esencia, substancia, espíritu. — Incorpóreo, inmaterial, espiritual, síquico.*
2000 *Inmortalidad, eternidad, perpetuidad. — Inmortalizar, eternizar, perpetuar. — Perdurar, persistir.*

2001 Finito, perecedero, mortal, limitado, extinguible, terminable. — Corto, efímero, pasajero.
2002 Infinito, ilimitado, sin fin, inmortal, perenne, imperecedero, eterno, perpetuo, sempiterno. — Inextinguible, inagotable, interminable, inacabable, perdurable.

2003 Cielo, edén, paraíso, gloria. — Olimpo, nirvana.
2004 Infierno, averno, gehena, báratro. — Abismo, tinieblas.

2005 Religión, creencia, fe, credulidad, misticismo, espiritualismo, ascetismo, religiosidad, santidad. — Teología, mística, doctrina, dogma: fundamento religioso.
2006 Ateísmo, incredulidad, descreimiento, indevoción, irreligión, impiedad, duda. — Laicismo, irreligiosidad, materialismo.

2007 Devoción, fervor, unción, piedad. — Arrobamiento, éxtasis.
2008 Herejía, sacrilegio, apostasía. — Profanación, blasfemia.

2009 Religioso, piadoso, creyente, devoto, reverente, beato, pío, espiritual, místico. — Asceta, anacoreta, eremita, ermitaño, cenobita. — Ortodoxo, dogmático, teólogo.
2010 Incrédulo, descreído, impío, ateo, antirreligioso, irreligioso. — Heterodoxo, apóstata, hereje, renegado, blasfemo, profanador, sacrílego. — Disidente, discrepante.

2011 *Iglesia, catedral, basílica, parroquia, capilla, santuario, ermita, oratorio, templo, sinagoga, mezquita. — Congregación religiosa, clero, sacerdotes.*
2012 *Biblia, Libros Sagrados. — Culto, liturgia, rito, acto. — Misa, ritual, ceremonial. — Altar, ara. — Sermón, prédica, homilía, plática. — Púlpito, tribuna. — Armonio, órgano.*

2013 Arrodillarse, postrarse, prosternarse, inclinarse, hincarse, ponerse de hinojos. — Genuflexión, prosternación, arrodillamiento. — Reclinatorio, banca, silla.
2014 Alzarse, levantarse, incorporarse, ponerse de pie.

2015 *Adoctrinar, doctrinar, catequizar, predicar, evangelizar. — Convencer, convertir, iniciar, cristianizar.*
2016 *Santiguarse, persignarse, signarse. — Plegaria, oración, rezo. — Preces, rogativa, jaculatoria. — Ruego, imploración, súplica, invocación, deprecación. — Promesa, voto.*

2017 Bendecir, consagrar, santificar. — Adorar, reverenciar, divinizar, deificar. — Beatificar, canonizar, glorificar. — Orar, rezar, rogar, implorar, deprecar.
2018 Maldecir, imprecar, blasfemar, renegar, perjurar, anatematizar. — Profanar, irreverenciar. — Ridiculizar, mofarse, reírse, burlarse. — Irreverente, irrespetuoso. — Hipócrita, santurrón, mojigato, gazmoño.

248

2019 Bendito, bienaventurado, santo, angelical, sagrado, santificado. — Venerable, patriarcal. — Aureola, nimbo, halo.
2020 Maldito, satánico, diabólico, demoníaco, endiablado, endemoniado, reprobo. — Inhumano, desnaturalizado, brutal, despiadado, cruel. — Duro, inclemente, desalmado.

2021 Bendición, consagración. — Canonización, beatificación, santificación. — Espiritual, anímico, síquico, psíquico.
2022 Maldición, imprecación, anatema, blasfemia, juramento, sacrilegio. — Irreverencia, reniego, injuria.

2023 Sumo Pontífice, Papa, Santo Padre, cardenal, arzobispo, obispo. — Sacerdote, clérigo, prelado, eclesiástico, presbítero, cura, párroco, capellán. — Pastor, pope, abate, abad.
2024 Fraile, fray, monje. — Acólito, sacristán, monaguillo.

2025 Reverenda madre, abadesa, monja, madre, hermana, sor.
2026 *Convento, abadía, monasterio, cenobio, priorato, claustro.*

2027 *Monoteísta (cree en un solo Dios). — Politeísta (cree en muchos dioses), idólatra, pagano, fetichista.*
2028 *Laico, seglar. — Irreligioso, profano, ateo, descreído, librepensador. — Indiferente, escéptico, incrédulo. — Escepticismo, incredulidad, duda, indiferencia.*

2029 Esotérico, oculto, arcano, recóndito. — Enigmático, misterioso, incognoscible, incomprensible. — Secreto, hermético, impenetrable. — Inescrutable, insondable, abstruso. — Alquimia, ciencia hermética, ocultismo.
2030 Exotérico, vulgar, público, asequible, comprensible, conocible, inteligible, concebible, claro.

2031 *Duende, genio, elfo, ninfa. — Gnomo (tierra), ondina (agua), salamandra (fuego), silfo (aire).*
2032 *Alucinación, visión, sueño, pesadilla. — Irrealidad, inexistencia. — Espejismo, error, engaño, apariencia. — Irreal, engañoso, inexistente, aparente, imaginario.*

2033 Idealista, soñador. — Utopista, iluso, visionario, imaginativo, quimérico. — Utópico, ideal, ilusorio, soñado.
2034 Realista, materialista, racionalista. — Veracidad, realidad, autenticidad. — Realismo, racionalismo.

2035 Soñar, ensoñar, trasoñar, fantasear, idealizar.
2036 Concretar, ser objetivo, limitarse a la realidad. — Pragmático, práctico, empírico.

2037 Prosaico, material, trivial, chabacano. — Insulso, banal, común, trivial, vulgar, rústico.
2038 Poético, elevado, excelso, eminente, sublime, superior.

2039 Natural, corriente, normal. — Real, efectivo, verídico, auténtico, cierto, innegable. — Verdadero, existente.
2040 Milagroso, fantástico, fabuloso. — Quimérico, sobrenatural,
sobrehumano. — Antinatural, contranatural. — Prodigioso,
portentoso, pasmoso, asombroso, fenomenal, mágico, ilusorio, alucinante. — Autosugestión, sugestión.

2041 *Maravillarse, asombrarse, extrañarse, sorprenderse. — Pasmarse, aturdirse, desconcertarse, sobrecogerse.*
2042 *Extasiarse, fascinarse, encantarse, embelesarse, arrobarse.*

2043 Realidad, efectividad, verdad, evidencia, certidumbre, convicción. — Real, efectivo, verdadero, cierto.
2044 Quimera, mito, ficción, fantasía, ensueño, imaginación, alucinación, sueño. — Leyenda, alegoría, parábola, apólogo. — Mitología, fábula. — Cuento, invención.

2045 *Aparecido, resucitado, redivivo. — Aparición, visión, fantasma, espectro. — Duende, espíritu, ánima.*
2046 *Resucitar, revivir, renacer. — Milagro, prodigio, maravilla,
fenómeno, portento. — Misterio, enigma, incógnita.*

2047 Aparente, supuesto, falso, seudo. — Ficticio, inexistente,
irreal. — Imaginado, inventado, imaginario. — Simulado, fingido, artificial, engañoso, ilusorio, ilusivo.
2048 Histórico, auténtico, comprobado, fundamentado, real.

2049 *Amuleto, fetiche, mascota, talismán, reliquia, ídolo.*
2050 *Fetichismo, idolatría. — Cábala, superstición.*

2051 *Hechicería, brujería, nigromancia, maleficio. — Exorcismo,
conjuro, magia. — Ocultismo, misterio, enigma.*
2052 *Hechicera, bruja, pitonisa, sibila, profetisa, mago, agorero,
nigromante, taumaturgo, adivino, ocultista, espiritista.*

2053 Profecía, oráculo, vaticinio, adivinación, predicción, presagio, premonición, pronóstico, augurio, agüero, auspicio, presciencia, horóscopo, buenaventura. — Ominoso, azaroso, mal agüero, adverso, aciago. — Cartomancia: pronóstico por los naipes. — Quiromancia: pronóstico por las manos.

2054 Profetizar, adivinar, pronosticar, presagiar, predecir, presentir, prever, intuir, anticipar, vaticinar, agorar, augurar.

2055 Vidente, clarividente, inspirado, profeta, iluminado.

2056 Intuición, presentimiento, corazonada, pálpito, inspiración, clarividencia. — Impulso, arranque, iluminación.

2057 Individual, particular, propio, personal, privado, exclusivo, privativo. — Característico, peculiar, distintivo.

2058 Colectivo, común, general, público. — Conocido, sabido.

1059 Intrínseco, interior, íntimo, interno, propio.

2060 Extrínseco, exterior, externo, circunstancial.

2061 Voluntad, ánimo, intención, albedrío, arbitrio. — Libertad, facultad, autodeterminación, decisión, elección.

2062 Destino, predestinación, sino, signo, estrella, suerte, ventura. — Fatalidad, hado, providencia.

2063 Azar, casualidad, acaso, albur, eventualidad, contingencia, relatividad, suerte, ventura. — Chiripa, carambola.

2064 Lotería, rifa, sorteo, tómbola. — Rifar, sortear, apostar.

2065 Globo terráqueo, tierra. — Orbe, mundo, universo, cosmos, esfera celeste. — Creación, naturaleza. — Atmósfera, aire. — Sol, luna, estrella, lucero, planeta, astro, cuerpo celeste.

2066 Firmamento, cielo, bóveda celeste, espacio.

2067 Cosmografía, cosmogonía. — Astronomía, astrofísica.

2068 Mapa, carta geográfica, atlas, mapamundi, planisferio.

2069 Norte, ártico, septentrión, septentrional, boreal, nórdico.

2070 Sur, austral, antártico, meridional.

2071 Levante, este, naciente, saliente, oriente, orto. — Salida, aparición, amanecer. — Luz, claridad.

2072 Poniente, oeste, ocaso, puesta, occidente. — Crepúsculo, atardecer, anochecer, oscurecer. — Sombras, tinieblas.

2073 Luz, claridad, claror, resplandor, luminosidad. — Transparencia, diafanidad, fulgor, refulgencia, brillo, brillantez, nitidez. — Destello, centelleo, ráfaga, chispazo. — Reflejo, vislumbre, fulguración. — Irradiación, emisión, difusión.
2074 Oscuridad, tinieblas. — Opacidad, tenebrosidad, lobreguez, sombra, nebulosidad. — Eclipse, interceptación, penumbra, oscurecimiento, obscurecimiento.

2075 Luminoso, brillante, refulgente, resplandeciente, fulgente, rutilante. — Reluciente, fulgurante, relumbrante, deslumbrante, centelleante.
2076 Sombrío, lóbrego, oscuro. — Tenebroso, tétrico, lúgubre. — Umbroso, umbrío, sombreado, ensombrecido. — Macabro, fúnebre, mortuorio.

2077 *Electricidad, fuerza eléctrica, corriente. — Conmutador, interruptor, cortacorriente.*
2078 *Alumbrado, iluminación, luz. — Bombilla, linterna. — Vela, bujía, candela. — Antorcha, tea, hachón. — Farol, farola, faro, fanal. — Reflector, luminaria, foco.*

2079 Encender, iluminar, dar luz, prender, alumbrar. — Resplandecer, brillar, relucir, relumbrar, rutilar, irradiar, radiar. — Centellear, destellar, refulgir, titilar.
2080 Apagar, oscurecer. — Amortiguar, atenuar, disminuir. — Apagarse, extinguirse, oscurecerse. — Apagamiento, apagón, extinción. — Corte, suspensión, interrupción. — Cortacircuitos, tapón, interruptor, cortacorriente.

2081 Encendido, iluminado, alumbrado, claro. — Claridad, luz, luminosidad, resplandor, iluminación.
2082 Apagado, tenue, mortecino, amortiguado, oscurecido. — Tinieblas, oscuridad, tenebrosidad, opacidad.

2083 Pulir, pulimentar, esmerilar, abrillantar, bruñir, lustrar. — Depurar, ascendrar, purificar, acrisolar.
2084 Empañar, deslucir, opacar, enturbiar.

2085 Transparente, translúcido, claro, cristalino, límpido, diáfano, nítido. — Acendrado, depurado, acrisolado.
2086 Opaco, empañado, turbio, deslustrado, velado, horroroso, desdibujado. — Intransparente, oscuro, obscuro.

2087 Incoloro, sin color, acromático. — Descolorido, desteñido, apagado, desvanecido, desvaído. — Unicolor, de un solo color, monocromo.

2088 Color, colorido. — Tono, tonalidad, tinte, teñidura. — Matiz, viso, gama. — Multicolor, de muchos colores, policromo. — Daltonismo: confusión de colores.

2089 *Amarillo, amarillento, ambarino, jalde, dorado.*
2090 *Azul, azulino, azulado. — Índigo, añil.*

2091 *Gris, plomizo, ceniciento.*
2092 *Rojo, colorado, carmesí, encarnado, escarlata, rojizo, púrpura, bermellón, grana, bermejo, carmín, purpúreo. — Coral, cobrizo, granate.*

2093 *Verde, verdoso, verdemar, verdeoliva, aceitunado, verdeoscuro, verdinegro. — Cetrino, glauco.*
2094 *Violeta, violado, violáceo, lila, morado.*

2095 Blanco, albo, níveo. — Albura, blancura, blancor, albor.
2096 Negro, oscuro, azabache, tostado, negruzco, bruno, moreno. — Negrura, negror. — Ennegrecer, negrear.

2097 Colorar, teñir, pintar. — Irizar, matizar, motear. — Colorante, pigmento, coloración. — Teñido, pintado, coloreado, pigmentado. — Tintura, tinte, anilina, colorante.
2098 Descolorar, decolorar, desteñir, despintar. — Descolorante, descoloramiento.

2099 Clima, temperatura, atmósfera. — Acalorado, ardiente, caliente, caluroso, caldeado. — Cálido, tórrido, tropical, canicular, abrasador. — Candente, incandescente. — Igneo, al rojo, enrojecido.
2100 Frescura, fresco, frescor. — Frío, gélido, glacial, álgido, frígido. — Aterido, entumecido, helado. — Congelado, escarchado. — Enfriarse, helarse, aterirse. — Invierno, tiempo frío.

2101 Acalorante, quemante, asfixiante, sofocante, abochornado. — Canícula, bochorno, sofoco, calor, ahogo, acaloramiento. — Estío, verano. — Estival, veraniego.
2102 *Tostarse, quemarse, broncearse, curtirse. — Tostado, quemado, bronceado. — Broncear, tostar el cutis al sol.*

2103   Calentarse, asolearse, acalorarse, sofocarse. — Despellejarse,
        desollarse. — Abanicar, airear, refrescar.
2104   Enfriarse, helarse. — Castañetear, tiritar, dentellar.

2105   Riguroso, intenso, penetrante, extremado, intensivo.
2106   Templado, tibio, temperado, fresco, moderado.

2107   Calentar, caldear, escaldar, abrasar, quemar. — Entibiar, tem-
        plar, atemperar. — Descongelar, deshelar.
2108   Enfriar, refrescar, refrigerar, congelar, helar, escarchar.

2109   *Niebla, rocío, humedad, escarcha, relente. — Neblina, bruma,
        nube. — Nublado, encapotado, cubierto, anubarrado. — Ame-
        nazador, amenazante. — Chispear, lloviznar, gotear.*
2110   *Nubada, llovizna, garúa, chubasco, chaparrón. — Precipita-
        ciones, lluvia, aguacero. — Llover, diluviar, llover a cántaros.
        — Torrencial, copioso, desencadenado.*

2111   Despejar, aclararse, abonanzarse, desencapotarse. — Amai-
        nar, escampar, serenarse, abrir. — Calma, bonanza.
2112   Nublarse, encapotarse, cubrirse, achubascarse, aborrascarse.
        — Descomponerse, arreciar empeorar.

2113   Despejado, sereno, escampado, aclarado, limpio.
2114   Borrascoso, tormentoso, tempestuoso, huracanado, proceloso.

2115   *Brisa, viento, aire. — Chiflón, corriente, viento colado.*
2116   *Ventolera, ventarrón, vendaval. — Ráfaga, borrasca. — Ven-
        tisca, cellisca, nevisca.*

2117   *Huracán, ciclón, tromba, tifón. — Tornado, tormenta, tempes-
        tad. — Torbellino, remolino, vorágine, vórtice.*
2118   *Inundación, aluvión, anegación. — Crecida, riada, desborda-
        miento. — Diluvio, anegamiento, arriada.*

2119   *Fluir, manar, brotar, surgir, salir, chorrear, surtir.*
2120   *Derramarse, desbordarse. — Inundar, anegar, encharcar.*

2121   *Lodo, barro, tango, cieno, légamo. — Lodazal, ciénaga, cena-
        gal, barrizal, fangal, pantano, charco, poza, barrial.*
2122   *Pantanoso, barroso, fangoso, cenagoso. — Inundado, des-
        bordado, anegado, empantanado. — Drenaje, desagüe, va-
        ciado. — Vacilar, desaguar, canalizar, drenar, avenar.*

2123   *Trueno, tronada. — Rayo, relámpago, culebrina, centella.*
2124   *Estruendo, fragor, estrépito. — Resonancia, eco.*

2125   *Estruendoso, estrepitoso, retumbante, resonante, atronante, atronador. — Retumbar, atronar, tronar, ensordecer.*
2126   *Nevada, nevisca, nieve. — Nevar, caer nieve. — Hielo, granizo. — Alud, avalancha, desprendimiento.*

2127   *Aerolito, meteorito, meteoro, bólido.*
2128   *Volcán, fumarola, cráter, boca, grieta, solfatara. — Erupción, emisión violenta. — Lava, materia derretida, ceniza.*

2129   *Temblar, trepidar, estremecerse. — Temblor, remezón, sismo, terremoto, seísmo. — Maremoto. — Estremecimiento, trepidación, sacudimiento, vibración, sacudón, movimiento telúrico, onda sísmica. — Epicentro, centro.*
2130   *Derrumbamiento, desmoronamiento, desplome, derrumbe, hundimiento. — Cataclismo, catástrofe, siniestro, desastre, hecatombe, calamidad, tragedia, azote.*

2131   *Catastrófico, desastroso, funesto, nefasto, aciago, infausto, trágico. — Devastador, destructor, asolador, demoledor, voraz.*
2132   *Espantoso, terrible, terrorífico, pavoroso, espeluznante, horroroso, horripilante, terrible, horrendo. — Temible, aterrador, enloquecedor, apocalíptico. — Escalofriante, estremecedor, truculento. — Aterrar, espantar, horrorizar.*

2133   *Esqueleto, osamenta, armazón. — Caparazón, restos. — Calavera, cráneo. — Dentadura, dientes, muelas.*
2134   *Organismo, cuerpo, tronco. — Complexión, constitución, contextura, configuración. — Cintura, talle.*

2135   *Cabeza, testa. — Mandíbula, quijada, boca, hocico, jeta.*
2136   *Nuca, cogote, cerviz. — Cuello, pescuezo, garganta, gaznate, garguero. — Vena, vaso, conducto, arteria.*

2137   *Rostro, cara, frente, tez, faz, semblante. — Tórax, busto, torso, pecho, seno. — Teta, pezón, mama, ubre. — Ojo, visión, vista. — Articulación, coyuntura, juntura, unión.*
2138   *Espalda, dorso, columna vertebral, espinazo, espina dorsal, lomo. — Nalgas, asentaderas, posaderas, trasero, culo. Órgano, entraña, víscera.*

2139 Abdomen, vientre, barriga, panza. — Pene, falo, miembro.
2140 Extremidades, brazo, pierna. — Pie, pata.

2141 Zoología, zoológico. — Irracional, animal, bestia, bruto. — Bicho, animalucho, bicharraco, alimaña, sabandija, musaraña. Reptar, arrastrarse, deslizarse. — Rabo, cola, hopo.
2142 Ganado, ganadería, manada, rebaño, hato, hatajo, piara, grey. — Res, reses, animales. — Arrear, espolear, restallar.

2143 Domable, domesticable. — Amansado, domado, domesticado, amaestrado. — Dócil, manso. — Pedigrí, ascendencia.
2144 Indomable, indómito, bravío, salvaje, chúcaro, cerril, indomesticable. — Indomado, indoméstico.

2145 Domar, amansar, domesticar, aguachar. — Amaestrar, adiestrar. — Domador, adiestrador, amansador.
2146 Uncir, enyugar, acoyundar. — Acollarar, atraillar.

2147 Pasto, pastura, hierba. — Heno, forraje, pienso. — Cebar, sainar: engordar animales. — Aparear, ayuntar, cubrir.
2148 Apacentar, pastar, pastorear, pacer. — Roer, comer.

2149 Carnada, cebo, señuelo, cimbel. — Anzuelo, arpón, cepo, armadijo, lazo, trampa. — Cazador, caza, cacería, safari.
2150 Cazar, atrapar, pillar, pescar, arponear. — Lacear, lazar, capturar. — Veda: prohibición temporal de caza o pesca.

2151 Fuente, manantial, surtidor, venero, fontana, chorro.
2152 Pilón, pila, bebedero, aguadero, abrevadero. — Abrevar: dar de beber al ganado. — Bañadero, baño.

2153 Encuestre, hípico, equino, caballar. — Silla, montura.
2154 Jinete, amazona, cabalgador. — Equitación, monta.

2155 Trotar, galopar. — Montar, cabalgar, jinetear. — Montura, cabalgadura. — Rienda, brida, ronzal. — Látigo, fusta. — Encabritarse, desbocarse, disparar.
2156 Apear, desmontar, descabalgar. — Poste, amarradero.

2157 Establo, cuadra, caballeriza, pesebrera, pesebre, corral.
2158 Caballería. — Caballo, corcel, potro, penco, jamelgo, rocín, rocinante, jaco. — Yegua, potranca, potra. — Anca, grupa. — Coz, cocedura, patada. — Látigo, fusta.

2159 Conejo, liebre. — Oveja, cordero, borrego. — Ratón, rata, pericote. — Asno, burro, pollino, borrico, jumento.
2160 Can, perro. — Cachorro, cría. — Jauría, perrería, perrada.

2161 Gato, minino, morrongo, micho, cucho. — Gatuno, felino. — Zarpa, garra. — Zarpazo, zarpada, arañazo, uñarada.
2162 Arañar, rasguñar, rascar, raspar, escarbar, excavar.

2163 Culebra, serpiente. — Puerco, cerdo, marrano. — Papagayo, cotorra, urraca. — Mono, simio, mico, chimpancé, orangután. — Pájaro, ave, avecilla. — Anidar: hacer nido.
2164 Ala, aleta, alado. — Aletear, alear. — Volátil, volador.

2165 Aullar, gruñir, ladrar. — Rugir, bramar. — Cacarear, cloquear. — Graznar, crocitar. — Rebuznar, roznar.
2166 Arrulla (paloma), aúlla (lobo), bala (oveja), berrea (ternerito), brama (toro), cacarea (gallina), canta (cigarra), croa (rana), chilla (mono), gorjea (pájaro), grazna (ganso), gruñe (cerdo), ladra (perro), maúlla (gato), muge (vaca, buey), pía (pollito), rebuzna (asno), relincha (caballo), ruge (león).

2167 Agricultura, agronomía, explotación agrícola. — Jardinería, floricultura, horticultura. — Agrimensor, topógrafo.
2168 Agrónomo, agricultor, campesino, labrador, labriego, mediero. — Labranza, cultivo, laboreo, plantación.

2169 Hacienda, finca, fundo, predio, terreno, tierra, estancia, heredad. — Latifundio: predio de gran extensión. — Minifundio: predio pequeño. — Parcela, hijuela.
2170 Hacendado, terrateniente, latifundista, estanciero, granjero, ganadero. — Pastor, ovejero, cabrero.

2171 Selva, bosque, floresta, espesura, arboleda. — Follaje, frondosidad, ramaje. — Árbol, planta, mata, arbusto, vegetal.
2172 Silvestre, agreste, selvático, boscoso. — Campestre, rural. — Pastoril, pastoral, bucólico, idílico.

2173 Riego, irrigación, aspersión. — Regable, irrigable. — Regar, irrigar. — Regadío, regadizo. — Feracidad, fertilidad.
2174 Sequedad, sequía, aridez, agostamiento. — Secano, sequío, árido, estéril, seco. — Baldío, yermo, erial, arenal, páramo. — Desértico, desierto, inhóspito, inhabitable.

2175 Madurar, fructificar. — Colorear, pintar, enverar. — Madurez, sazón. — Madurado, maduro, a punto.
2176 Marchitar, secar, agostar, amustiar. — Marchito, seco, agotado, mustio, ajado. — Verde, no maduro, inmaturo, precoz, crudo. — Prematuro: antes de tiempo.

2177 *Roce, rozamiento. — Erosión, desgaste, destrucción.*
2178 *Cultivar, arar, roturar, aricar, labrar, surcar. — Rastrillar, desyerbar. — Yerba, hierba, maleza, pasto.*

2179 *Vivero, semillero, almácigo, criadero. — Plantación, plantío, sembradío. — Amelga, faja, franja. — Fumigar, desinfectar.*
2180 *Semilla, simiente. — Grano, cuesco, pepita.*

2181 *Cultivable, laborable, arable, arijo. — Plantar, sembrar, sementar. — Diseminar, esparcir, desparramar.*
2182 *Siembra, cultivo, diseminación, sementera, sembradura. — Sembrado, cultivado, plantado. — Abono, fertilizante.*

2183 *Brote, botón, yema, pimpollo, retoño, renuevo, vástago, gema, capullo, pámpano, cogollo. — Eclosión, florecimiento, floración. — Germinar, retoñar, florecer, brotar.*
2184 *Fruto, producto, producción. — Fruta, verdura, hortaliza, legumbre. — Granos, cereales. — Mercadería, mercancía, artículo. — Calidad, tipo, variedad. — Silo, granero.*

2185 *Cosecha, siega, vendimia, recolección. — Cosechar, recolectar, vendimiar. — Coger, recoger, juntar, apilar.*
2186 *Segar, talar, guadañar, cortar. — Podar, desmochar, recortar, despuntar. — Desgajar, arrancar, desgarrar.*

2187 Inflamable, combustible. — Fogata, hoguera, pira. — Atizar, reanimar, avivar. — Incendio, fuego, inflamación, ignición, combustión, quema, quemazón. — Ascua, brasa, rescoldo. — Crepitar, crujir, chirriar. — Crujido, chirrido, chasquido.
2188 Incombustible, refractario, ininflamable, calorífugo.

2189 Incendiar, inflamar, abrasar, quemar, encender, conflagrar. — Arder, llamear, incendiarse, deflagrar. — Fuego, llama, llamarada. — Incendiario, piromaníaco.
2190 Apagar, extinguir, sofocar, dominar. — Consumirse, terminar. — Quemado, incendiado, consumido.

2191 Estadio, campo deportivo, gimnasio. — Circuito, cancha, hipódromo, pista, redondel, ruedo, plaza, palestra, arena.
2192 Gimnasia, gimnástica, cultura física. — Deporte, ejercicio atletismo, calistenia. — Juegos, saltos, flexión.

2193 Arbitro, referee, juez. — Jueces de línea. — Dirigente, director. — Entrenador, preparador, monitor, coach.
2194 Deportista, atleta, gimnasta, jugador. — Aficionado, amateur. — Profesional, rentado.

2195 Campeón, crack, recordman. — Record, marca, hazaña. — As, invicto. — Desempeño, cometido, actuación, performance.
2196 Banderín, distintivo, insignia, emblema. — Lema, mote, divisa. — Blasón, escudo.

2197 Práctica, entrenamiento, adiestramiento, preparación.
2198 Concentrarse, entrenar, ejercitar, adiestrar. — Practicar, ensayar, probar, poner a prueba, examinar.

2199 Cotejo, confrontación, comparación, parangón, equiparación, evento deportivo. — Compulsar, confrontar, cotejar.
2200 Desafiar, competir, contender, luchar, concursar, lidiar. — Emular, rivalizar. — Contendiente, adversario, rival.

2201 Partido, match, campeonato, competencia, encuentro, desafío, duelo. — Competición, contienda, jugada, brega, evento, lance, olimpiada, juegos. — Cronometrar, medir.
2202 Torneo, concurso, certamen, justa. — Lucha, disputa. — Eliminatoria, lucha selectiva. — Jugadores, competidores, participantes, rivales. — Reserva, reemplazante.

2203 Equipo, elenco, cuadro, conjunto, integrantes, participantes. — Seleccionado, combinado. — Alinear, formar.
2204 Partidario, militante. — Fanático, apasionado, entusiasta, hincha, barra, aficionados, parciales. — Bando, bandería, facción. — Exaltado, delirante, enardecido, excitado.

2205 Arbitrar, dirigir. — Imparcial, justo, recto, equitativo, ecuánime. — Objetivo, neutral, desapasionado, impersonal, justiciero. — Razonable, correcto, honesto.
2206 Parcial, arbitrario, injusto, apasionado. — Irregular, ilegal, antirreglamentario, ilícito, antideportivo.

2207 Imparcialidad, igualdad, justicia, rectitud, equidad, neutralidad, ecuanimidad, objetividad.
2208 Parcialidad, injusticia, arbitrariedad, favoritismo, preferencia. — Descalificar, anular, invalidar.

2209 Iniciación, comienzo, principio, etapa inicial.
2210 Término, fin, final. — Resultado, desenlace. — Score, puntaje, tantos. — Posición, clasificación, colocación, ranking.

2211 Atacar, acometer, arremeter. — Imponerse, dominar.
2212 Defender, resguardar, proteger, marcar, a la defensiva.

2213 Patear, tirar, chutear, lanzar, disparar. — Proyectar, arrojar, enviar, rematar. — Desviar, pifiar, fallar, marrar.
2214 Atajar, interceptar, detener, parar, contener. — Estorbar, estrellar, cortar, interrumpir. — Contrarrestar, devolver, contraatacar. — Contragolpe, rechazo.

2215 Ventaja, superioridad, supremacía, predominio, dominación. — Ofensiva, ataque, asedio. — Amago, finta. — Combinación, pase, remate. — ¡Gol!, abrir el marcador. — Igualar, emparejar, empatar. — Goleador, scorer.
2216 Desventaja, inferioridad. — Repliegue, retroceso, retirada. — Reaccionar, resistir, defenderse. — Contraatacar, neutralizar, contrarrestar, anular. — Aventajar, superar.

2217 *Fútbol, balompié. — Valla, arco, portería. — Arquero, portero, guardavalla, guardameta, golero. — Zaguero, defensa. — Pelota, balón, esférico. — Pito, silbato.*
2218 *Falla, descuido. — Infracción, incorrección, falta, foul.*

2219 Vencer, triunfar, ganar, superar, batir. — Arrollar, aniquilar, aventajar, derrotar. — Desbaratar, estorbar, impedir. — Cortar, desarticular, desconectar. — Sobrepujar, exceder, eclipsar, doblegar, someter. — Merecer, ser digno de.
2220 Perder, fracasar, fallar, frustrarse. — Empatar, igualar.

2221 *Destacado, brillante, sobresaliente, notable. — Premiar, condecorar. — Premio, condecoración, trofeo, galardón. — Medalla, copa, insignia, emblema, símbolo.*
2222 *Ring, cuadrilátero. — Boxeo, boxear. — Boxeador, púgil. — Pugilato, pelea, combate. — Puñetazo, golpe, puñete.*

2223 Mochila, morral, zurrón, talega, alforja. — Saco, bolsillo, bolso, faltriquera. — Fardel, talego.
2224 Cesta, cesto, canasto, canasta, canastillo.

2225 Latitud, amplitud, vastedad. — Extensión, área, espacio, tamaño, dimensión. — Contorno, perímetro, ámbito, recinto. — Terreno, superficie, suelo, tierra.
2226 Extenso, vasto, dilatado, espacioso, amplio.

2227 Situación, posición, lugar, ubicación, punto, orientación. — Alrededor, cerca, en torno a.
2228 Situado, ubicado, emplazado, orientado. — Sitio, paraje, localidad, región, sector, zona.

2229 Aglomerar, conglomerar, reunir. — Apilar, amontonar, acopiar, apelotonar, hacinar, acumular, apiñar, apeñuscar.
2230 Fricción, friega, frotamiento, frotación, contacto, roce, rozamiento. — Friccionar, frotar, rozar, masajear, sobar.

2231 Bata, quimono. — Pollera, falda. — Blusa, blusón. — Chaqueta, casaca, chaquetón, americana, pelliza.
2232 Impermeable, capa de agua, trinchera. — Corbata, corbatín, chalina. — Pantalón, bragas. — Cinturón, correa, faja. — Delantal, guardapolvo, mandil.

2233 Peluquería, barbería. — Afeitar, rasurar, rapar.
2234 Bigote, mostacho, bozo. — Barba, patillas, chuletas.

2235 Arena, polvo, polvillo. — Arcilla, tierra, greda.
2236 Piedra, roca, granito, mineral, risco, peña, peñasco.

2237 Pertenecer, ser de, corresponder. — Perteneciente, que pertenece a, correspondiente. — Respectivo: relativo a persona o cosa determinada.
2238 Sendos, respectivos, uno para cada cual.

2239 Arboleda, arbolado, sitio poblado de árboles.
2240 Manada: conjunto de animales de una misma especie. — Jauría (de perros). — Enjambre (de abejas). — Piara (de cerdos). — Cardumen, banco (de peces). — Rebaño, hato (de ganado). — Bandada (de aves). — Caballada (de caballos).

PARÓNIMOS

Parónimos: iguales en su escritura o sonido. Toman nombre de:

Homónimos: cuando se escriben iguales, pero tienen distinto significado (*Cobre:* metal, *Cobre:* del verbo cobrar).

Homófonos: cuando su escritura es diferente, pero su pronunciación es igual o muy parecida y poseen distinto significado (*Bello:* hermoso. *Vello:* pelo).

A: primera letra del alfabeto.
A: preposición.
¡Ah!: sorpresa, admiración.
Ha: del verbo haber.

Ablando: del verbo ablandar.
Hablando: del verbo hablar.

Abrasar: quemar, calentar.
Abrazar: estrechar, entre los brazos, ceñir, enlazar.

Absceso: acumulación de pus.
Acceso: entrada, camino.
Acceso: arrebato, exaltación.

Absolver: perdonar, liberar.
Absorber: chupar, sorber.

Abrían: del verbo abrir.
Habrían: del verbo haber.

Acechar: vigilar, observar, espiar.
Asechar: engañar, intrigar.

Acerbo: áspero al gusto, agrio.
Acervo: montón de cosas menudas, como legumbre, etc.
Acervo: conjunto de bienes morales o culturales.

Actitud: postura del cuerpo.
Actitud: disposición de ánimo.
Aptitud: capacidad, inclinación.

Amo: del verbo amar.
Amo: dueño, señor, jefe.

Aprehender: coger, asir.
Aprender: estudiar, instruirse.

Aprehensión: captura, apresamiento.
Aprensión: temor vago y mal definido.

Aré: del verbo arar.
Haré: del verbo hacer.

Arrear: las bestias.
Arriar: bajar las banderas.

Arrollo: del verbo arrollar.
Arroyo: riachuelo, arroyuelo.

As: campeón, persona que sobresale de manera notable.
As: carta del naipe.
Has: del verbo haber.
Haz: del verbo hacer.
Haz: conjunto de rayos luminosos emitidos por un foco.
Haz: manojo, atado.

Asar: cocer alimentos crudos.
Azar: casualidad, caso fortuito.
Azahar: flor blanca.

A ser: preposición más verbo.
llegarán a ser famosos.
Hacer: verbo: hacer las tareas.

Asia: uno de los continentes.
Hacia: indica dirección.

Asía: del verbo asir.
Hacía: del verbo hacer.

Asta: cuerno.
Asta: palo de la bandera.
Hasta: preposición que indica término.

Atajo: senda por donde se acorta el camino.
Atajo: del verbo atajar.
Hatajo: pequeño grupo de ganado.

A ver: preposición más verbo.
voy a ver a un amigo.
Haber: verbo auxiliar.

¡Ay!: dolor, temor o admiración.
Hay: del verbo hacer.

Aya: cuidadora de niños.
Halla: del verbo hallar.
Haya: del verbo haber.

Bacilo: microbio, virus.
Vacilo: del verbo vacilar.

Balón: recipiente para gas.
Balón: pelota de fútbol.

Barón: título de nobleza.
Varón: de sexo masculino, hombre.

Basa: del verbo basar.
Baza: naipe.

Basar: tener fundamento.
Bazar: negocio.

Basto: grosero, tosco.
Vasto: dilatado, extenso.

Bate: del verbo batir.
Vate: poeta.

Baya: fruto.
Valla: cercado, obstáculo.
Vaya: del verbo ir.

Bello: hermoso.
Vello: pelo delgado.

Bienes: riqueza, capital.
Vienes: del verbo venir.

Bidente: de dos dientes.
Vidente: que ve.

Bota: calzado.
Vota: del verbo votar.

Botar: arrojar, echar fuera.
Votar: sufragar, elegir.

Bote: barquito a remo.
Bote: salto, brinco.
Vote: del verbo votar.

Boxear: pelear a puñetazos.
Vocear: dar voces o gritos.

Brasa: leña o carbón encendido, ya sin llama.
Braza: medida de longitud.

Cabo: punta de tierra que penetra en el mar.
Cabo: lo que sobra de algo.
Cabo: grado militar.
Cavo: del verbo cavar.

Calló: del verbo callar.
Cayó: del verbo caer.

Callado: del verbo callar.
Cayado: báculo, bastón.

Capital: ciudad principal.
Capital: cantidad de dinero.

Cara: rostro, semblante.
Cara: que cuesta demasiado.

Carpa: toldo, lona.
Carpa: pez.

Carrera: competencia deportiva.
Carrera: profesión.

Casa: edificio para habitar.
Caza: deporte.

Casar: contraer matrimonio.
Cazar: perseguir animales.

Cauce: acequia, lecho de arroyo.
Cause: del verbo causar.

Cebo: carnada, señuelo.
Sebo: grasa.

Ceda: del verbo ceder.
Seda: tela, género.

Cede: del verbo ceder.
Sede: lugar de reunión.

Cegar: perder la vista.
Segar: cortar hierba.

Cena: comida nocturna.
Sena: un río de Francia.

Censor: encargado de censurar.
Sensor: aparato para detectar.

Cepa: linaje, casta.
Cepa: tronco de la vid.
Sepa: del verbo saber.

Cerrar: tapar, interceptar.
Serrar: cortar con sierra.

Cesión: traspaso, entrega.
Sesión: reunión, asamblea.

Ceso: del verbo cesar.
Seso: masa cerebral.
Sexo: diferencia física entre el macho y la hembra.

Cesto: canasto.
Sexto: que sigue al quinto.

Cien: cantidad.
Sien: parte lateral de la cabeza.

Ciento: cantidad.
Siento: del verbo sentir.

Cierra: del verbo cerrar.
Sierra: herramienta para cortar.
Sierra: cordillera poco extensa.
Sierra: pez.

Cima: cumbre, lo más alto.
Sima: cavidad grande y muy honda en la tierra.

Cita: entrevista, encuentro.
Cita: referencia, nota.
Sita: situado, colocado en un sitio.

Clave: del verbo clavar.
Clave: idea que hace comprensible algo.

Cobre: metal.
Cobre: del verbo cobrar.

Cocer: preparar los alimentos por medio del fuego.
Coser: con aguja e hilo.

Cola: rabo, extremidad.
Cola: pasta para pegar.

Coma: signo ortográfico (,).
Coma: profunda depresión física.
Coma: del verbo comer.

Consejo: recomendación, opinión.
Consejo: reunión, junta, asamblea.

Corte: del verbo cortar.
Corte: familia y comitiva del rey.

Desecho: desperdicio, sobra.
Deshecho: del verbo deshacer.

Duelo: combate, pelea, desafío.
Duelo: luto, dolor, aflicción.

Echo: del verbo echar.
Hecho: del verbo hacer.
Hecho: acontecimiento, suceso.

Encausar: enjuiciar, procesar.
Encauzar: guiar, orientar, dirigir.
Encauzar: hacer que las aguas vayan por un cauce o canal.

Era: espacio de tiempo.
Era: campo de trilla.
Era: del verbo ser.

Errar: equivocarse, no acertar.
Errar: andar vagando.
Herrar: colocar herraduras.

Es: del verbo ser.
Hez: desperdicio, sedimento.

Esotérico: oculto, reservado.
Exotérico: conocido, común.

Este: punto cardinal.
Éste: cerca de quien habla.

Fuerte: robusto, vigoroso.
Fuerte: recinto fortificado.

Gira: paseo, excursión.
Gira: del verbo girar.

Grabar: imprimir, esculpir.
Gravar: imponer un impuesto.

Hierba: planta verde.
Hierva: del verbo hervir.

Hierro: metal.
Yerro: error, equivocación.

Hizo: del verbo hacer.
Izo: del verbo izar.

Hojear: pasar las hojas de un libro.
Ojear: mirar con atención.

¡Hola: saludo.
Ola: onda marina.

Honda: para tirar piedras.
Honda: que tiene profundidad.
Onda: ola, ondulación.
Onda: entender, captar la onda.

Hora: sesenta minutos.
Hora: momento determinado.
Ora: del verbo orar.
Ora: aféresis de ahora.

Hozar: mover y levantar la tierra con el hocico.
Osar: atreverse, arriesgarse.

Hulla: carbón.
Huya: del verbo huir.

Huso: aparato para hilar.
Uso: del verbo usar.

Importar: Traer mercadería de otro país.
Importar: valer, costar.
Importar: convenir, interesar.

Incipiente: algo que empieza.
Insipiente: ignorante, falto de juicio, inculto.

Intención: deseo de hacer algo.
Intensión: intensidad.

Lacre: color rojo.
Lacre: barra de pasta para cerrar y sellar cartas.

Lava: materia derretida que sale de los volcanes.
Lava: del verbo lavar.

Lima: capital del Perú.
Lima: instrumento para limar.
Lima: fruto jugoso.

Lisa: suave, sin arrugas.
Lisa: pez de río.
Liza: campo para lidiar.

Losa: piedra.
Loza: vajilla.

Llama: fuego.
Llama: mamífero rumiante.
Llama: del verbo llamar.

Marco: cerco.
Marco: moneda alemana.

Masa: mezcla, pasta.
Masa: conjunto de personas.
Maza: garrote.

Mesa: mueble.
Meza: del verbo mecer.

Mediar: intervenir, interceder.
Mediar: llegar a la mitad.

Meces: del verbo mecer.
Meses: plural de mes.

Mi: nota musical.
Mi: adjetivo posesivo.
Mí: pronombre personal.

Morada: casa, domicilio.
Morada: color.

Muñeca: juguete para niñas.
Muñeca: parte del brazo.

Nada: ninguna cosa.
Nada: del verbo nadar.

Olla: tiesto de cocina.
Hoya: hondura grande en la tierra.
Holla: del verbo hollar (pisar).

Ordenar: arreglar.
Ordenar: mandar.

Oro: metal.
Oro: del verbo orar.

Pesar: determinar el peso de una cosa.
Pesar: pena, aflicción, tristeza.

Poso: sedimento de un líquido.
Pozo: hoyo profundo.

Quinta: casa de campo.
Quinta: número ordinal.

Rasa: del verbo rasar.
Raza: calidad del origen.

Rallar: con un rallador.
Rayar: hacer rayas en un papel.

Recabar: conseguir.
Recavar: volver a cavar.

Rebelar: sublevar, no cumplir.
Revelar: descubrir un secreto.

Reciente: que acaba de suceder.
Resiente: del verbo resentir.

Río: corriente de agua.
Río: del verbo reír.

Rosa: flor.
Roza: acción de rozar.

Sabia: persona con sabiduría.
Savia: jugo de las plantas.

Sí: adverbio de afirmación.
Si: nota musical.
Sí: pronombre personal.
Si: conjunción condicional.

Sobre: encima.
Sobre: para cartas.

Sol: astro luminoso.
Sol: nota musical.
Sol: moneda peruana.

Sueco: nacido en Suecia.
Zueco: zapato de madera.

Sumo: supremo, superior.
Zumo: jugo, líquido.

Tasa: tarifa, derechos.
Taza: vasija para beber.

Té: bebida.
Te: pronombre personal.

Testo: del verbo testar.
Texto: un escrito.

Tubo: objeto hueco.
Tuvo: del verbo tener.

Vacante: puesto disponible.
Bacante: de la mitología.

Valor: valentía, audacia.
Valor: precio, costo, total.

Vapor: gas, vaho.
Vapor: barco, buque.

Vela: para alumbrar.
Vela: lona para las naves.
Vela: acción de velar.

Verás: del verbo ver.
Veraz: sincero, verídico.

Ves: del verbo ver.
Vez: tiempo, ocasión.

Vino: bebida alcohólica.
Vino: del verbo venir.

USO DE PREPOSICIONES

Las preposiciones son los elementos gramaticales cuya función es nexual. Es decir, sirven para relacionar otros elementos gramaticales; fundamentalmente encabezando diversos complementos. De acuerdo con la Gramática de la Real Academia, estas preposiciones son las siguientes: **a, ante, bajo, cabe, con, contra, de, desde, en, entre, hacia, hasta, para, por, según, sin, so, sobre, tras**. Además, las preposiciones tienen significado y según cual sea éste, será la adecuada utilización que podemos hacer de ellas.

A

— Se aplica en el complemento directo referido a persona. Ej. He llamado **a tu primo**.

— Se aplica al complemento indirecto: He entregado el mensaje **a su destinatario**.

— Se aplica con matiz de finalidad en complementos cuya primera palabra en un infinitivo: Me estimuló **a escribir**; me invitó **a comer**.

— Se usa con el significado de dirección o el término a que se encamina alguna persona o cosa: Voy **a Valparaíso**; estos cuadernos van dirigidos **a Concepción**; este verano iré **al campo**.

— Cuando se señala el tiempo y lugar en que sucede una cosa: Regresó **a la noche siguiente**; se reunirá **a la tarde**; lo sorprendieron **a la entrada**.

— Como denotación de la distancia o el tiempo que media de una cosa a otra: De esquina **a esquina**; de mes **a mes**; de aquí **a la Navidad**.

— Se aplica al modo de hacer una cosa: El trabajo lo hizo **a mano**; el trayecto lo hizo **a pie, a semejanza** o **a diferencia de esto**.

— Se usa con el significado de **hasta**: El abrigo te llega **a la rodilla**; pasó el río con el agua **a la cintura**.

— Señala el precio de las cosas: **A dos mil pesos el metro**.

— Indica el instrumento con que se ejecuta alguna cosa: Pintado **a espátula**; lo molieron **a palos**.

— Se aplica a la costumbre o usanza; **A la chilena**; cabalgaba **a la inglesa**.

— Denota el móvil o fin de alguna acción: **A instancias** del fiscal; **¿a qué propósito?**

— A veces se utiliza por la conjunción condicional **si**: **A no ser** por él habría muerto (equivalente a **si** no hubiera sido por él habría muerto).

— También sirve para formar muchas frases y modos adverbiales: **a oscuras, a todo correr, a regañadientes, a tientas**.

ANTE

— Significa delante o en presencia de: Compareció **ante el juez**; **ante**

mí pasó la comitiva.

— Como equivalente de **antes que** o **antes de**; significando antelación o preferencia de cosas y acciones: La honradez **ante todo**; **ante** todas las cosas.

BAJO

— Indica situación inferior, sujeción o dependencia de una cosa o persona respecto de otra: Dormir **bajo techo**; hay dos grados **bajo cero**; estuvo **bajo la protección** de la policía.

CABE

— Equivale a **junto a**, **cerca de** (En la práctica ya no se usa, constituye un arcaísmo).

CON

— Significa la concurrencia y compañía de personas o de cosas: Vino **con mi madre**; Café **con leche**; salió **con sus hijos**.

— Señala el medio o instrumento con que se hace o consigue alguna cosa: **Con voluntad** todo se consigue; lo rompió **con el martillo**.

— Indica las circunstancias con que se ejecuta o sucede alguna cosa: La obra se estrenó **con éxito**; me mira **con indiferencia**; el invierno llegó **con furia**.

— En ciertas ocasiones equivale a la conjunción adversativa **aunque**: **Con haber estudiado** tanto no logró aprobar (que equivale a **aunque** había estudiado tanto, no logró aprobar).

CONTRA

— Denota oposición o contrariedad en sentido recto o figurado; pugna o repugnancia entre personas o cosas: Dio de cabeza **contra la puerta**; El trabajo es la mejor **medicina contra los vicios**.

— Vale asimismo tanto como **enfrente** o **mirando hacia**: Esta habitación está **contra el Sur**; la fachada está **contra el mar**.

DE

— Expresa propiedad o pertenencia: La casa **de mi padre**; el abrigo **del director**; las potencias **del espíritu**.

— Señala origen o procedencia: Es oriundo **de Antofagasta**; llegó **de Talca**, vienes **de los Guzmanes**.

— Indica modo o manera: Permanecieron **de pie**; vestía **de luto riguroso**.

— Considera el contenido de alguna cosa: El vaso **de leche**; tomamos unas copas **de vino**.

— Señala la materia de que está hecha una cosa: La estatua **de mármol**; me regaló una cajita **de plata**.

— Se aplica al tiempo en que sucede una cosa: La catástrofe ocurrió **de noche**.

— En el uso de una cosa cuando sólo se toma parte de ella: comió **del pastel**; venga uno **de esos panes**.

— Indica el asunto o materia de que se trata: Enseña el arte **de la pintura**; buscaba un libro **de matemáticas**.

— Referida a la naturaleza, condición o calidad de personas o cosas: Es un hombre **de valor**; esa niña tiene un corazón **de oro**.

— Se usa con infinitivos: Ya es hora **de caminar**; se trata de un asunto difícil **de resolver**; la materia es fácil **de entender**.

— Corresponde a veces a una nota de ilación o consecuencia: **De esto** se sigue; **de aquello** se deduce; **de lo dicho** hasta aquí todo resulta incomprensible.

— Precediendo al numeral **uno**, **una** expresa la rápida ejecución de alguna cosa: Acabemos **de una vez**; **De un salto** se puso en la acera; **de un trago** se bebió la medicina.

— Colócase entre distintas partes de la oración con expresiones de lástima, queja o amenaza: ¡Pobre **de mi hermano**! ¡Ay **de los vencidos**! ¡Ay **de ti**, si te encuentro en esta sala!

— También tiene equivalencia con las preposiciones:
— **con**: Se marchó **de buena gana**.
— **desde**: iré **de mi casa** a la tuya.
— **entre**: No hay relación **de uno a otro**.
— **para**: Trajo los instrumentos **de análisis**.

DESDE

— Sirve para denotar principio de tiempo o lugar: Existe **desde la creación** del mundo; la carrera será **desde Santiago** a Puerto Montt; trabajará **desde mañana**.

EN

— Indica tiempo: Escribió la novela **en dos meses**; lo hizo **en un momento**.

— Indica lugar: Le encontré **en la calle**; entró **en la iglesia**.

— Indica modo o manera: El sacerdote reza **en voz alta**; lo dijo **en broma**.

— Para señalar aquello en que se ocupa o sobresale una persona: Contestó **en inglés**; es un experto **en energía nuclear**; salió **en mangas de camisa**.

— Precediendo a ciertos adjetivos, da origen a locuciones adverbiales: **en general, en particular, en secreto, en absoluto** que equivalen a los adverbios generalmente, particularmente, secretamente y absolutamente.

— Cuando precede al infinitivo y al gerundio en locuciones como: No hay inconveniente **en concederlo; en aprobarlo** esto se pasará a otra cosa.

ENTRE

— Denota situación o estado en medio de dos o más personas o cosas: El asunto se arregla **entre hombres**; estaba **entre triste y esperanzado**; quedó colocado **entre la espada y la pared**; surgió **entre dos luces**.

— Significa también operación de dos o más personas o cosas: **entre los cuatro amigos** se comieron un asado; **entre la sequía y la guerra** se encontró arruinado.

— A veces equivale a la preposición **para**: Lo dijo **entre mí**.

HACIA

— Sirve para indicar el lugar en que, sobre poco más o menos, está o sucede alguna cosa, y para señalar a donde una persona, cosa o acción se dirige: Mira **hacia el Norte**; los guardias se dirigen **hacia aquí; hacia Temuco** llueve bastante; sin duda caminará **hacia su perdición**.

HASTA

— Denota el término de lugar, acción, número o tiempo: Llegamos **hasta la fuente** de agua; llegaremos **hasta Punta Arenas**; se ha de insistir **hasta conseguirlo**; el libro tiene **hasta quinientas páginas**; no lo veré **hasta el próximo invierno**.

PARA

— Significa el destino que se da a las cosas: Lo recaudado será **para los pobres**; esta carta es **para el correo**.

— Señala el fin que nos proponemos en nuestras acciones: Hay que estudiar **para aprobar el examen**; es necesario trabajar **para comer**.

— Indica movimiento, con el mismo valor de **con dirección a**: Emprenderemos un viaje a Punta Arenas (**para** Punta Arenas).

— Denota un tiempo o plazo determinado: La reunión la han aplazado **para otro día; para Navidad** me embarcaré.

— Establece una relación de unas cosas con otras: **Para el tiempo** que hace no están atrasadas las cosechas.

— Indica la proximidad de algún hecho: Mi hermano está **para terminar** su carrera; está **para llover**; el joven oficial está **para ascender** a capitán.

— Señala el uso que conviene a cada cosa: Es una tela buena **para camisas**; se trata de un excelente vehículo **para ir de paseo**.

POR

— Sirve para distinguir la persona agente en las oraciones de pasiva: El mundo fue hecho **por Dios**; el premio fue concedido **por las autoridades**.

— Expresa el fin u objeto de nuestras acciones: Tomó el avión **por llegar antes** (en este caso su significado está próximo al de la preposición **para**).

— Indica tiempo, formando una frase de índole adverbial: Le avisaré **por la tarde**; me ausento de Santiago **por un mes**.

— Señala lugar de tránsito: Pasa **por la calle**; anda **por los cerros**.

— Se refiere a modo: lo hace **por la fuerza**; vende **por mayor**.

— Denota medio: Se casaron **por poder**; lo llamará **por teléfono**.

— Para indicar precio o cuantía: Venderá la casa **por dinero**; lo compré **por cinco mil pesos**.

— Señala equivalencia: Es un actor que vale **por una compañía**.

— En busca de: Va **por pan**, **por leche** y mantequilla.

— En favor de: Votaron **por este candidato**.

— En lugar de: Asistiré a la reunión **por mi compañero**; Nosotros pagaremos **por él**.

— Para indicar cambio o trueque: Daría todos mis ahorros **por un poco** de tranquilidad; cambió su gorro **por el sombrero**.

— En concepto u opinión de: Pasar **por rico**; se le considera **por inteligente**.

— Equivale a **sin**: La caja está **por abrir**; la casa está **por barrer**.

— Para indicar clase o calidad: Lo tomé **por empleado**; me adoptó **por hijo**.

— Forma locuciones concesivas como éstas: **por grande** que sea no me asusta; **por mucho** que presuman no serán consideradas.

PRO

— Se usa muy poco. Significa **a** o **en favor de**: Colecta **pro fondos** del colegio; cupón **pro ciegos**.

SEGÚN

— Sirve para señalar relaciones de conformidad de unas cosas con otras, como en las expresiones: La sentencia operó **según la ley**; Obró **según las circunstancias**.

SIN

— Denota privación o carencia de alguna cosa: Estoy **sin empleo**, **sin comer**; trabaja **sin descanso**.

SO

— Esta preposición, que equivale a **bajo de**, sólo tiene ya uso con los sustantivos **capa**, **color**, **pena** y **pretexto**.

SOBRE

— Significa mayor elevación en lo material, y mayor dignidad hablando figuradamente: Dejé el libro **sobre la mesa**; el bien común está **sobre los intereses particulares**.

— También indica el asunto de que se trata: Dará una conferencia **sobre sus últimos viajes**; hablamos **sobre las noticias** del día.

— Igualmente significa **poco más** o **menos**: Ese señor tendrá **sobre cincuenta años**.

— Vale asimismo proximidad, inmediación, cercanía: La delantera va **sobre el arco rival**.

TRAS

— Significa el orden con que se siguen unas cosas a otras: **Tras la noche** viene el amanecer; **tras la fortuna** llega la adversidad.

— Equivale al significado de a**demás de**: **Tras ser**, o **tras de ser**, culpado, es el que más levanta el grito.

EXPRESIONES LATINAS DE USO FRECUENTE

Ab absurdo (Por lo absurdo): con frecuencia se demuestra en Geometría por el método ab-surdo.

Ab ovo (Desde el huevo).

Ad hoc (A esto, por esto): Esto es hecho **ad-hoc**, es decir, a propósito.

Ad honorem (Por el honor): Se emplea para designar un título o un cargo puramente honorífico.

Ad libitum (A voluntad): Ejecutar un trozo de música **ad libitum**, es decir, con el movimiento que se desea.

Ad Majoren Dei gloriam (Para la mayor gloria de Dios): Es una divisa de la Compañía de Jesús. Las iniciales **A.M.D.G.** suelen servir de epígrafe a los textos que emanan de esta orden religiosa.

Alter ego (Otro yo): Usted puede confiar en él, porque es mi **alter ego**.

A posteriori (De lo posterior): Se aplica a las conclusiones en que se va de las causas a los efectos.

A priori (De lo que precede): Se aplica a la conclusión en que se va de los efectos a las causas.

Carpe diem (Aprovecha el día): Palabras de Horacio que recomiendan aprovechar la vida por considerar que es corta.

Casus belli (Caso de guerra): Se emplea para referirse a un acto que puede ser causa de una guerra entre dos países. Por extensión se usa para señalar un motivo de disgusto entre dos particulares.

Cogito, ergo sum (Pienso, luego existo): Comprobación básica de la existencia de la persona con que Descartes después de haber puesto en duda todos los razonamientos de los filósofos, reconstruye su propio sistema.

De facto (De hecho): Se opone a la expresión **de jure** (de derecho). Se refiere a una realización que no cuenta con respaldo legal.

Errare humanum est (Errar es propio del hombre): Se usa para disculpar o atenuar una falta o error.

Ex abrupto (Bruscamente): Cuando se habla de un asunto sin una previa preparación en la disposición de los receptores.

Ex profeso (De manifiesto): Hablar de algo **ex profeso**, significa que se conoce bien para poder manifestar lo que se dice. También se emplea en el sentido de intento: hizo aquello **ex profeso**.

Habeas corpus (Que tengas el cuerpo para presentarlo ante el tribunal). Nombre de una ley inglesa que garantiza la libertad individual, obligando a presentar el cuerpo del detenido ante el tribunal para que decida la validez de la detención.

Ipso facto   (Por el mismo hecho); Tiene un sentido temporal equivalente a **en el acto**, **inmediatamente**, puesto que por lo general a raíz de un hecho o de un estímulo, la acción o reacción procede de inmediato.

Lapsus linguae   (Resbalón de la lengua): Error que por distracción se comete al momento del habla.

Magister dixit   (Lo dijo el maestro): Palabras con que los escolásticos de la Edad Media argumentaban, sin réplica, la opinión de Aristóteles (el maestro). Se aplica, por extensión, a cualquier jefe de escuela o doctrina.

Mens sana in corpore sano (Mente sana en cuerpo sano): Máxima de Juvenal.

Modus vivendi   (Modo de vivir): Arreglo, transacción a través del cual pueden soportarse mutuamente dos contrincantes.

Motu propio   (Por propio impulso): Hacer algo por **motu propio**, sin influencia de nadie.

Mutatis mutandis (Cambiando lo que ha de cambiarse): Revisar un proyecto de ley **mutatis mutandis**.

Nihil novi sub sole   (Nada de nuevo bajo el sol): Palabras de Salomón en el Eclesiastés.

Requiescat in pace   (Descanse en paz): Palabras que se utilizan en el oficio de los muertos y que suelen grabarse en las lápidas.

Sic   (Así): Adverbio que se pone en paréntesis en una cita para indicar que está de acuerdo con el original.

Sic transit gloria mundi   (Así pasa la gloria del mundo): Conclusión de tipo moral sacada de la imitación de Cristo para indicar el olvido que sigue a la gloria.

Sine qua non (Sin la que no): El trabajo es la condición **sine qua non** para un buen resultado.

Statu quo   (El estado en que se hallaban antes las cosas): Expresión frecuentemente empleada en la diplomacia, para señalar las cosas tal cual estaban antes de algún problema o conflicto.

Sui generis   (De su género): Se dice de la característica que es propia de un determinado género. El vestido que usa **es sui generis**.

Urbi et orbi   (A la ciudad —Roma— y al mundo): Palabras que forman parte de la bendición del Papa para indicar que se extiende a todo el universo. Se aplica, por extensión, para señalar una noticia que se desea sea conocida en todas partes.

Vale   (Consérvate sano): Expresión que se utiliza como una despedida familiar.

Veni, vidi, vinci   (Vine, vi, vencí): Palabras célebres con que anunció César al Senado la rapidez de la victoria conseguida sobre Farnaces, rey del Ponto. Familiarmente expresa la facilidad de un éxito cualquiera.

Verbi gratia   (Por ejemplo): Equivale a **exempli gratia**, cuya abreviatura
es **e.g.**

Vox populi, vox Dei   (Voz del pueblo, voz de Dios): Adagio según el cual se
establece la verdad de un hecho o justicia de algo sobre la
base de la opinión unánime o mayoritaria del pueblo.

SIGLA: La letra inicial de una palabra empleada como abreviatura y también el rótulo o denominación que se forma con las letras iniciales.

SIGLAS INTERNACIONALES

AA	Aerolíneas Argentinas
AAT	Administración de Asistencia Técnica (ONU)
ABC	(American Broadcasting Company) Compañía Americana de Difusión
ADN	Servicio General Alemán de Noticias
ADN	Ácido Desoxirribonucleico
AECA	Asociación Económica Centroamericana
AFP	(Asociated France Press) Asociación Francesa de Noticias
AGAAC	Acuerdo General sobre Aranceles Aduaneros y de Comercio
AID	Asociación Internacional para el Desarrollo
AIPD	Asociación Internacional de Prensa Deportiva
AIR	Acociación Interamericana de Radiodifusión
ALALC	Asociación Latinoamericana de Libre Comercio
ALAMAR	Asociación Latinoamericana de Armadores Marítimos
ALATAC	Asociación Latinoamericana de Transporte Automotor por Carreteras
ALITALIA	Líneas Aéreas de Italia
AM	Amplitud Modulada
AMB	Asociación Mundial de Boxeo
ANSA	Agencia Italiana de Noticias
AP	(Asociated Press) Agencia Internacional de Noticias
APE	Asamblea Parlamentaria Europea
ATP	Asociación de Tenistas Profesionales
AVIANCA	Líneas Aéreas de Colombia

BBC	(British Broadcasting Company) Compañía Británica de Radio-difusión
BOAC	(British Overseas Airways Corporation) Líneas Aéreas Británicas
CAF	Corporación Andina de Fomento
CBS	(Columbia Broadcasting Company) Compañía de Radiodifusión de Columbia
CBD	Confederación Brasileña de Deportes
CECA	Consejo Económico de Centro América
CECLA	Comisión Especial Coordinadora para América Latina
CEE	Comunidad Económica Europea
CELADE	Centro Latinoamericano de Demografía
CELAM	Conferencia Episcopal Latinoamericana
CEPAL	Comisión Económica para América Latina
CF	Costo y Flete
CIA	(Central of Intelligence Agency) Agencia Central de Inteligencia
CIECC	Consejo Interamericano para la Educación, la Ciencia y la Cultura
CIEN	Comisión Interamericana para la Energía Nuclear
CIES	Consejo Interamericano Económico y Social
CIF	(Cost, Insurance, Freight) Costo, Seguro y Flete
CIM	Comisión Interamericana de Mujeres
CIP	Comisión Interamericana de Paz
CIPE	Centro Interamericano para la Promoción de Exportaciones
CIPEC	Comité Intergubernamental de Países Exportadores de Cobre
CMB	Consejo Mundial de Boxeo
CMI	Consejo Mundial de Iglesias
COI	Comité Olímpico Internacional
COMSAT	Corporación de Comunicaciones con Satélites
COSATE	Comité Sindical de Asesoramiento Técnico (OEA)
CPA	(Canadian Pacific Airlines) Líneas Aéreas de Canadá
CSF	Confederación Sudamericana de Fútbol
DC	Distrito de Columbia
DEA	(Drug Enforcement Administration) Agencia para combatir el tráfico de drogas
DEG	Derechos Especiales de Giro (papel oro)
DF	Distrito Federal
DPA	(Deutche Presse Agentur) Agencia Alemana de Noticias

ECOSOC	Consejo Económico y Social (ONU)
EDUPLAN	Oficina de Planeamiento Integral de Educación
EE.UU.	Estados Unidos de Norteamérica (USA)
EFE	Agencia Española de Noticias
FAO	(Food and Agricultural Organization) Organización para la Alimentación y la Agricultura (ONU)
FBI	(Federal Bureau of investigation) Oficina Federal de Investigaciones (USA)
FEAD	Fondo Especial de Asistencia para el Desarrollo
FEDECAME	Federación Cafetalera de América
FIE	Federación Internacional de Esgrima
FIFA	Federación Internacional de Fútbol Asociado
FM	Frecuencia Modulada
FMI	Fondo Monetario Internacional
FOB	(Free On Board) Mercadería a bordo
GATT	Acuerdo General sobre Aranceles Aduaneros y Comercio
GB	Gran Bretaña
GMT	(Greenwich Meridian Time) Hora del Meridiano de Greenwich
IAF	(International Astronautic Federation) Federación Internacional Astronáutica
IATA	Asociación Internacional de Transporte Aéreo
IBM	(International Bussiness Machinery) Corporación Internacional de Máquinas
ICEA	Intercambio Cultural Estudiantil Americano
IICA	Instituto Interamericano de Ciencias Agrícolas
III	Instituto Indigenista Interamericano
IIN	Instituto Interamericano del Niño
ILAFA	Instituto Latinoamericano de Fierro y Acero
ILPES	Instituto Latinoamericano de Planificación Económica y Social
INTELSAT	Consorcio Internacional de Telecomunicaciones Vía Satélite
INTERPOL	Organización Internacional de Policía
IRO	Organización Internacional para Refugiados
ITT	(International Telephonic and Telegraphic) Internacional Telefónica y Telegráfica
JID	Junta Interamericana de Defensa
KGB	Comité de Seguridad del Estado (URSS)
KKK	(Ku Kluk Klan) Movimiento racista de USA
KLM	Compañía Real Holandesa de Aviación

LAB	Lloyd Aéreo Boliviano
LADECO	Línea Aérea del Cobre (Chile)
LAP	Líneas Aéreas Paraguayas
LÁSER	Ampliación de Luz por Emisión Estimulada de Radiación
MCCA	Mercado Común Centroamericano
MCE	Mercado Común Europeo
MP	(Military Police) Policía Militar
NASA	(National Administration Space and Aeronautic) Administración Nacional de Aeronáutica y del Espacio
NATO	(North Atlantic Treaty Organization) Organización del Tratado del Atlántico Norte (OTAN)
NBC	(National Broadcasting Company) Compañía Nacional de Radiodifusión
NU	Naciones Unidad (UN) (ONU)
OACI	Organización de Aviación Civil Internacional
OCDE	Organización de Cooperación y Desarrollo Económico
OCMI	Organización Consultiva Marítima Intergubernamental
OEA	Organización de Estados Americanos
OIC	Organización Internacional de Comercio
OIEA	Organización Internacional de Energía Atómica (NU)
OIM	Organización Internacional para las Migraciones
OIT	Organización Internacional del Trabajo (NU)
OLP	Organización de Liberación de Palestina
OMM	Organización Meteorológica Mundial
OMS	Organización Mundial de la Salud
ONUDI	Organización de las Naciones Unidas para el Desarrollo Industrial
OPEC	(Organization of Petroleum Exporting Countries) (OPEP)
OPEP	Organización de Países Exportadores de Petróleo (OPEC)
OPS	Organización Panamericana de la Salud
OTAN	Organización del Tratado del Atlántico Norte (NATO)
OVNI	Objeto Volador No Identificado (UFO)
PAKISTAN	Nombre creado en 1933 por estudiantes mahometanos en la Universidad de Cambridge: P (Penyab); A (Afgan); K (kashimir); I (Islam); S (Sind); TAN (Beluchistan)
PAM	Programa Alimentario Mundial (de la FAO)
PM	Policía Militar (MP)
PNUD	Programa de las Naciones Unidas para el Desarrollo

RAF	(Royal Air Force) Fuerza Aérea de Gran Bretaña
RAI	Radiotelevisión Italiana
RCA	(Radio Corporation of America) Corporación de Radio de América
RCMP	(Royal Canadian Mounted Police) Real Policía Montada del Canadá
RFA	República Federal de Alemania
SAS	(Scandinavian Air System) Líneas Aéreas Escandinavas
SELA	Sistema Económico Latinoamericano
SIDA	Síndrome de Inmuno Deficiencia Adquirida
SIP	Sociedad Interamericana de Prensa
S.O.S.	(Save our Souls) Petición de auxilio
TASS	Agencia Soviética Nacional Telegráfica de Noticias
TIAR	Tratado Interamericano de Asistencia Recíproca
TV	Televisión
UFO	(Unidentified Flying Object) Objeto Volador No identificado (OVNI)
UHF	Ultra Hight Frecuencia
UIT	Unión Interamericana de Telecomunicaciones
UNCTAD	(UN Conference of Trade and Development) Conferencia Mundial de las Naciones Unidas para el Comercio y el Desarrollo
UNESCO	Organización de las Naciones Unidas para la Educación, la Ciencia y la Cultura
UNICEF	Fondo de las Naciones Unidas para la Infancia
UNOID	Organización de las Naciones Unidas para el Desarrollo Industrial
UPI	(United Press International) Agencia Internacional de Noticias
UPU	Unión Postal Universal
URSS	Unión de Repúblicas Socialistas Soviéticas
USA	(United States of América) Estados Unidos de América (EE.UU.)
VIASA	Venezolana de Aviación Sociedad Anónima
VHS	Very Hight System
VIP	(Very Important Person) Persona muy Importante
WCT	(World Challenger Tennis) Escalafón Mundial de Tenis
WIPO	Asociación Mundial de Propiedad Intelectual
YMCA	Asociación Cristiana de Jóvenes (GUAY)

SIGLAS USADAS EN CHILE

ACF	Asociación Central de Fútbol
ACOP	Asociación de Corredores de Propiedad
ACHICO	Asociación Chilena de Defensa del Consumidor
ACHS	Asociación Chilena de Seguridad
AFP	Administradora de Fondos de Pensiones
AG	Asociación Gremial
ANEF	Asociación Nacional de Empleados Fiscales
AP	Asistencia Pública
APICA	Asociación de Pequeños Industriales del Calzado
ARCHI	Asociación de Radiodifusores de Chile
APROFA	Asociación Chilena de Protección a la Familia
ASFACO	Asociación de Fabricantes de Conserva
ASIGOM	Asociación de Industrias de la Goma
ASINCAL	Asociación de Industriales del Calzado
ASIMET	Asociación de Industriales Metalúrgicos
ASIVA	Asociación de Industriales de Valparaíso y Aconcagua
ASMAR	Astilleros y Maestranzas de la Armada
ASUSENA	Academia Superior de Seguridad Nacional
BEJA	Brigada contra Estupefacientes y Juegos de Azar
BH	Brigada de Homicidios
BECH	Banco del Estado de Chile
BHC	Banco Hipotecario y de Fomento de Chile
BHIF	Banco Hipotecario de Fomento Nacional
BICE	Banco Industrial y de Comercio Exterior
BRIDEC	Brigada Investigadora de Delitos Económicos
CALO	Cooperativa Agrícola y Lechera de Osorno
CAP	Compañía de Acero del Pacífico
CAPEL	Cooperativa Agrícola y Pisquera de Elqui
CAR	Certificado de Ahorro Reajustable
CCU	Compañía Cervecerías Unidas
CCHEN	Comisión Chilena de Energía Nuclear
CCHDH	Comisión Chilena de Derechos Humanos
CEPCH	Confederación de Empleados Particulares de Chile

CEREN	Centro de Estudios de la Realidad Nacional (UC)
CIEPLAN	Corporación de Investigaciones para Latinoamérica
CIM	Comando de Institutos Militares
COANIL	Corporación de Ayuda al Niño Limitado
COCH	Comité Olímpico de Chile
CODELCO	Corporación del Cobre
COFADECH	Confederación Deportiva de las Fuerzas Armadas y Carabineros
COMACH	Confederación Marítima de Chile
CMPC	Compañía Manufacturera de Papeles y Cartones
CONAF	Corporación Nacional Forestal
CONIN	Corporación de Nutrición Infantil
CONUPIA	Confederación Nacional Unida de la Mediana y Pequeña Industria, Servicios y Artesanado
CONICYT	Comisión Nacional de Investigación Científica y Tecnológica
CONPAN	Consejo Nacional para la Alimentación y Nutrición
COPEC	Compañía de Petróleos de Chile
CORFO	Corporación de Fomento de la Producción
CORMETAL	Corporación de Pequeños y Medianos Industriales Metalúrgicos
CORVI	Corporación de la Vivienda
COT	Código Orgánico de Tribunales
CPEIP	Centro de Perfeccionamiento, Experimentación e Investigaciones Pedagógicas
CSA	Cuerpo de Socorro Andino
CSAV	Compañía Sudamericana de Vapores
CTC	Compañía de Teléfonos de Chile
CUT	Central Unitaria de Trabajadores
CHILECTRA	Compañía Chilena de Electricidad
DAR	Departamento de Artes de la Representación (UCH)
DDD	Discado Directo Distante
DEYSE	(Operación) de Evacuación y Seguridad Escolar
DFL	Decreto con Fuerza de Ley
DGM	Dirección General del Metro
DIGEDER	Dirección General de Deportes y Recreación

DINE	Dirección de Inteligencia del Ejército
DINEX	Dirección de Informaciones Exteriores
DIRINCO	Dirección de Industria y Comercio
DIU	Dispositivo Intrauterino
DL	Decreto Ley
DOP	Dirección de Obras Portuarias
DT	Director Técnico
DUOC	Departamento Universitario Obrero Campesino (UC)

ECA	Empresa de Comercio Agrícola
ECOM	Empresa de Computación
EMOS	Empresa Metropolitana de Obras Sanitarias
EMPORCHI	Empresa Portuaria de Chile
EMPREMAR	Empresa Marítima del Estado
ENACAR	Empresa Nacional del Carbón
ENAMI	Empresa Nacional de Minería
ENAP	Empresa Nacional de Petróleos
ENDESA	Empresa Nacional de Electricidad
ENTEL	Empresa Nacional de Telecomunicaciones
ESAFE	Escuela de Servicio Auxiliar Femenino del Ejército

FACH	Fuerza Aérea de Chile
FAMAE	Fábrica y Maestranza del Ejército
FECH	Federación de Estudiantes de la Universidad de Chile
FENATAC	Federación Nacional de Taxistas de Chile
FEUC	Federación de Estudiantes de la Universidad Católica
FFAA	Fuerzas Armadas
FENATS	Federación Nacional de Trabajadores de la Salud
FESES	Federación de Estudiantes Secundarios
FLACSO	Facultad Latinoamericana de Ciencias Sociales
FIDE	Federación de Institutos de Enseñanza
FISA	Feria Internacional de Santiago
FONASA	Fondo Nacional de Salud
FOSIS	Fondo de Solidaridad e Inversión Social

GAT	Tratado General de Comercio y Aranceles

IANSA	Industria Azucarera Nacional S.A.
IBC	Instituto Bacteriológico de Chile
ICARE	Instituto Chileno de Administración Racional de Empresas
ICECOOP	Instituto Chileno de Educación Cooperativa
ICEA	Intercambio Cultural Estudiantil Americano
ICEH	Instituto Chileno de Estudios Humanísticos
ICREP	Instituto Chileno de Relaciones Públicas
ICHFC	Instituto Chileno Francés de Cultura
ICHNOC	Instituto Chileno Norteamericano de Cultura
ICTUS	Instituto de Teatro de la Universidad Católica
IEM	Instituto de Extensión Musical (UCH)
IFICOOP	Instituto de Financiamiento Cooperativo
IFOP	Instituto de Fomento Pesquero
IGPA	Índice General de Precios de Acciones
IHC	Instituto de Humanismo Cristiano
ILADES	Instituto Latinoamericano de Doctrina y Estudios Sociales
INACAP	Instituto Nacional de Capacitación Profesional
INDAP	Instituto de Desarrollo Agropecuario
INE	Instituto Nacional de Estadísticas
INP	Instituto de Normalización Previsional
INTA	Instituto de Tecnología de los Alimentos
IPC	Índice de Precios al Consumidor
IPM	Índice de Precios al por Mayor
IPO	Instituto Profesional de Osorno
IPS	Instituto Profesional de Santiago
IPSA	Índice de Precio Selectivo de Acciones
IREN	Instituto de Investigaciones de Recursos Naturales
IRT	Industria de Radio y Televisión
ISAPRES	Instituciones de Salud Previsional
ITUCH	Instituto de Teatro de la Universidad de Chile
IVA	Impuesto al Valor Agregado
JEMGE	Jefatura Estado Mayor del Ejército
LIT	Línea Interprovincial de Transportes
LONCOLECHE	Productos Lecheros de Loncoche

MADECO	Manufacturas de Cobre
MADEMSA	Manufacturas de Metal S.A.
MCM	Medios Masivos de Comunicación
MCS	Medios de Comunicación Social
MEJ	Movimiento Eucarístico Juvenil
MFC	Movimiento Familiar Cristiano
MIDEPLAN	Ministerio de Planificación
MINEDUC	Ministerio de Educación
MINVU	Ministerio de Vivienda y Urbanismo
MOP	Ministerio de Obras Públicas
OCAC	Oficina Coordinadora de Asistencia Campesina
ODEPA	Oficina de Planificación Agrícola
ONG	Organización No Gubernamental
PAA	Prueba de Aptitud Académica
PDBC	Pagarés Descontables del Banco Central
PET	Programa de Economía del Trabajo
PGB	Producto Geográfico Bruto
PGN	Producto Geográfico Neto
PIB	Producto Interno Bruto
PNB	Producto Nacional Bruto
PROCHILE	Instituto de Promoción de Exportaciones
RFF	(Resources for the Future) Recursos para el futuro (CEPAL)
RREE	Relaciones Exteriores
RRPP	Relaciones Públicas
RUT	Rol Único Tributario
SAESA	Sociedad Austral de Electricidad
SAFE	Servicio Auxiliar Femenino
SAG	Servicio Agrícola y Ganadero
SATCH	Sociedad de Autores Teatrales de Chile
SE	Su Excelencia
SECH	Sociedad de Escritores de Chile

SENAME	Servicio Nacional de Menores
SENCE	Servicio de Capacitación y Empleo
SENDE	Servicio Nacional de Empleo
SEMDA	Servicio Médico y Dental de Alumnos (UCH)
SERPLAC	Secretarías Regionales de Planificación y Cooperación
SERCOTEC	Servicio de Cooperación Técnica
SERNAP	Servicio Nacional de Pesca
SERNATUR	Servicio Nacional de Turismo
SERMENA	Servicio Médico Nacional de Empleados
SERVIU	Servicio de Vivienda y Urbanismo
SERNAM	Servicio Nacional de la Mujer
SIDARTE	Sindicato de Actores y Técnicos de Teatro, Radio, TV y Cine de Chile
SIDECO	Sindicato de Dueños de Establecimientos Comerciales
SIFA	Servicio de Inteligencia de la Fuerza Aérea
SII	Servicio de Impuestos Internos
SLM	Servicio Local Medido
SNA	Sociedad Nacional de Agricultura
SNM	Sociedad Nacional de Minería
SNS	Servicio Nacional de Salud
SOFOFA	Sociedad de Fomento Fabril
SOQUIMICH	Sociedad Química y Minera de Chile
SONAMI	Sociedad Nacional de Minería
SOPROLE	Sociedad Productos de Leche

NORMAS
DE
ORTOGRAFÍA
Y
PUNTUACIÓN

EDICIÓN REVISADA Y AMPLIADA

POR EL PROFESOR DE CASTELLANO

RAÚL MUÑOZ CHAUT M.L.

La comunicación es un proceso sumamente complejo y amplio. Todos los seres participan en mayor o menor medida de él. Por supuesto que de acuerdo con sus propias modalidades. El hombre utiliza varios medios para establecer esta comunicación: gestos, música, dibujos, lenguajes artificiales y, por cierto, el más importante por su alcance y tradición es el LENGUAJE VERBAL. Sin embargo, es imprescindible hacer una separación nítida entre dos dimensiones del mismo. Por una parte, está el código verbal **oral** *y, por otro lado, el código* **escrito.**

La mayor parte de las veces, los alumnos no tienen muy clara esta distinción y, por lo tanto, no se dan cuenta que cuando se habla de escritura (ortografía, acentuación, puntuación) se está hablando de conocimientos, habilidades y destrezas que se deben **aprender.** *No existe una igualdad ciento por ciento entre los dos códigos.*

Por ende, todas las reglas y normas, que obedecen a un criterio normativo y de corrección, deben **practicarse** *pensando en lo que se hace para concientemente integrar estas pautas ya establecidas.*

El alfabeto y la escritura es lo más cercano al lenguaje verbal oral que el hombre ha podido crear. Cada letra es para representar un sonido de la lengua, pero no hay correspondencia absoluta. Por eso, cuando alguien **dice** *vaca o burro lo hace con el mismo sonido, pero ortográficamente se representa distinto (por razones históricas, etimológicas o de simple tradición).*

Todas las lenguas tienen acento. La decisión es colocarlo en forma gráfica o no. Recuerden que el francés tiene tres tipos de acentos gráficos.

Siempre que se habla se hacen pausas, se nota la duda, la interrogación, la admiración, el estado de ánimo, etc. De todo ello, de alguna manera, se trata de dar cuenta a través de los diferentes signos de puntuación.

Por todas estas razones, apoyadas en el consenso social, es que resulta conveniente estar recordando —y sobre todo practicando— las diferentes reglas de nuestro idioma.

LAS SÍLABAS

Se entiende por sílaba aquella letra o conjunto de letras que se pronuncian en un solo golpe de voz. Por el número de sílabas, las palabras se pueden clasificar en:

Monosílabas *(una sola sílaba): pan, luz, paz, cien, rey, miel, tren, fin, etc.*

Bisílabas *(dos sílabas): cár-cel, te-ner, pe-lo, re-ír, Pe-dro, frí-o, etc.*

Trisílabas *(tres sílabas): rá-pi-do, pan-ta-lón, ob-te-ner, dí-me-lo, etc.*

Polisílabas *(cuatro o más sílabas): ca-tó-li-co, es-tu-dian-te, con-vo-ca-to-ria, ma-yús-cu-la, re-pe-tir-se, u-ni-ver-si-dad, etc.*

Muchas veces es necesario separar las sílabas de una palabra, tanto por el problema de la acentuación como por quedar al final de renglón. Se debe tener en cuenta lo siguiente:

1) *La separación debe hacerse por sílabas completas. Ej. rom-piente, cuali-dades, búsque-da.*

2) *Si la primera sílaba es una vocal, no se debe poner sola al final de renglón. Ejs. avia-dor. No colocar a-viador.*

3) *Los diptongos y triptongos pertenecen a una misma sílaba. Ejs. cau-to, con-fiáis, sonrien-te.*

4) *En las palabras compuestas, las sílabas se agrupan según cada una de ellas. Ejs. Sub-rayar, re-hacer, des-fallecer.*

5) *Si se juntan en una palabra tres consonantes, las dos primeras se unen a la vocal anterior y la última a la siguiente. Ejs. obs-táculo, cons-tatar, ins-peccionar.*

Las letras **ch, ll, rr,** *se consideran una sola y, por lo tanto no se separan.*

III

USO DE LETRAS MAYÚSCULAS

a) *La primera letra de todo escrito y después de punto seguido y punto aparte.*

b) *Los nombres y apellidos propios de personas. Ejemplos: Juan, Pedro, Raúl, Mónica, María Loreto, Alonso, Marisol, Gómez, Zúñiga, etc.*

c) *Los tratamientos a personas, sobre todo si están abreviados. Ejemplos: Dr. Arturo Peralta; Sr. Alcalde; Ud. caballero; Excmo. Sr. Obispo, etc. (Es importante saber que **usted** y **don,** sin abreviarlos, van en minúsculas).*

ch) *Los sustantivos y adjetivos que forman parte del nombre de una institución, organismo, cuerpo o establecimiento. Ejemplos: Universidad de Chile, Club de Golf, Escuela de Ingenieros Industriales, Corporación de Ayuda al Niño Limitado.*

d) *Los sustantivos y adjetivos que forman el título de una obra. Ejs. "Geografía Universal", "La Araucana", "El ingenioso Hidalgo don Quijote de la Mancha", etc.*

e) *Después de dos puntos en todo escrito, ya sea una carta, un documento público o una cita. Ejemplos: Estimado amigo: Después de algún tiempo; Muy señor nuestro: Acuso recibo de su carta...; El artículo dice así: Toda la producción agropecuaria se encuentra...*

USO DE LETRAS

Uso de B

Se escriben con **b:**

—*Aquellas palabras que llevan la combinación* **mb:** *combo, alambre, ámbar, etc.*
Todos los verbos terminados en **bir,** *excepto vivir, servir, hervir y sus compuestos: escribir, recibir, cubrir, percibir, etc.*
—*Los verbos terminados en* —**aber,** *con excepción de precaver: Haber, saber, deber, caber, etc.*
—*Las palabras que tengan la combinación* **br:** *brocha, cabra, broma, etc.*
—*Las palabras que tengan la combinación* **bl:** *blusa, blanco, cable, etc.*
—*Las terminaciones* **bilidad, bundo, bunda:** *debilidad, nauseabundo, furibundo, etc.*
—*Los pretéritos de todos los verbos terminados en* —**ar:** *cambiaban, saltaban, amaban, jugaban, estudiaban, llorábamos, caminabas, etc.*
—*El pretérito imperfecto del verbo* **ir:** *iba, ibas, íbamos, ibais, iban.*

Uso de la V

Se escriben con **v:**

—*Las palabras que tengan la combinación* **nv:** *enviar, envidia, envase, etc.*
—*Después de las letras* **b** *y* **d:** *subvención, advenimiento, advertir, etc.*
—*Los verbos terminados en* **servar:** *conservar, preservar.*
—*Las palabras que empiezan con* **villa** *y* **vice:** *vicecampeón, villano, etc.*

V

Uso de la C, K y Q

En muchas ocasiones estas tres letras tienen el mismo sonido. Se escriben con **c** *delante de las vocales* **a, o, u:** *casa, costa, curar, etc.*
—*Se escribe* **qu** *delante de* **e, i:** *quepa, quise.*
—*Al final de palabra y de sílaba se pone* **c:** *frac, recto, directo.*
—*Son muy pocas las palabras que se escriben con* **k** *en español: kiló-metro, kimono, kiosco, etc.*

Uso de la S

Se escriben con **s:**
—*Los adjetivos que terminan en* **-aso, -eso, -oso, -uso:** *graso, espe-so, perezoso, confuso, etc.*
—*Las terminaciones* **ísimo, -ísima:** *grandísimo, bellísima, riquísimo, etc.*
—*En las voces iniciales* **des-** *y* **dis-:** *deshacer, discurrir, desquiciar, etc.*
—*Las terminaciones* **-ésimo** *de la numeración ordinal a partir de vi-gésimo, trigésimo, cuadragésimo, etc.*

Uso de la H

Se escriben con **h:**
—*Las palabras que comienzan con* **helio-, hemi-, hidr-, hiper-, hipo-, histo-, homo-:** *heliografía, hemiciclo, hidrógeno, hipertrofia, hipotenusa, historia, homologar, etc.*
—*Las palabras que comienzan con diptongo y cuya primera vocal es* **i - u:** *hierro, hueco, huida, hueso, hielo, huevo, etc.*
—*Las formas de los verbos* **haber** *y* **hacer** *con sus respectivos com-puestos: hubo, deshaciendo, rehicimos, habrán, etc.*
—*Las palabras* **he, ha, has,** *llevan* **h** *cuando van seguidas de pala-bras terminada en* **ado** *o* **ido,** *o cualquier participio pues entonces son formas del verbo* **haber:** *he caminado; has saltado; ha llovido, etc.*

Uso de la M

Se escriben con **m:**
—*Las palabras que tengan la combinación* **mp** *y* **mb:** *limpio, cambio, campo, etc.*
—*Siguiendo a la* **n** *en algunas palabras compuestas: inmortal, inmemorial, etc.*
—*Precediendo a la* **n:** *gimnasio, solemne, etc.*

Uso de la N

Se escriben con **n:**
—*Los siguientes comienzos de palabras,* **trans-, cons-, circuns-, circun-:** *transferencia, construir, circunstancia, circunferencia, etc.*
—*Las palabras que posean la combinación* **nv:** *invento, envolver, tranvía, etc.*

Uso de la R y de la RR

Se escriben con **r:**
—*El comienzo de las palabras: ratón, rosa, risa, rumiar, remo, etc.*
—*Las palabras en que siguen a* **n, s, l:** *enriquecer, israelita, alrededor, etc.*

Se escriben con **rr:**
—*Las palabras que tengan el sonido entre dos vocales: carro, perro, ultrarrápido, virrey, etc.*

Uso de la G y la J

Se escriben con **g:**
—*Las palabras que comienzan con* **geo-, gem-, gen-:** *geometría, gemido, gente, etc.*
—*Las palabras que terminan en* **-genio, -gen, -gía, -gio, -gión, -ogía, -ógica, -ígena, -ógeno:** *ingenio, origen, logia, pedagogía, lógico, indígena, hidrógeno, etc.*

Se escriben con **j:**

—*Las formas verbales en cuyo infinitivo no hay* **g** *ni* **j:** *de traer, traje; de decir, dije, etc.*

—*Las palabras terminadas en* **-aje, -eje, -jería:** *coraje, hereje, bruje-ría.*

—*En los verbos cuyos infinitivos terminan en* **ger, gir** *cambian la* **g** *en* **j** *para conservar su sonido delante de las vocales* **a -o:** *de proteger, protejo; de recoger, recoja, recojo; de elegir, elijo, elijamos, etc.*

Uso de la X

Se escriben con **x:**

—*Las palabras que tengan* **hexa** *y* **extra:** *hexágono, extraoficial, ex-tranjero.*

—*La partícula* **ex,** *cuando se antepone a un nombre u oficio que ya pasó y que ya se ejerció: ex alumno, ex campeón, ex presidente, ex com-batiente, etc.*

Uso de la Y

—*En muchas formas de verbos cuyo infinitivo termina en* **uir:** *huya-mos, huya, huyeron, del verbo* **huir:** *disminuyamos, disminuyeron, del verbo disminuir.*

—*Cuando es conjunción para unir dos palabras: Miguel y Arturo, lá-piz y papel, etc.*

Uso de Z

Se escriben con **z:**

—*La terminación aumentativa* **-azo:** *portazo, puñetazo, etc.*

—*Las terminaciones* **-izo, -iza:** *mestizo, paliza, castizo, caballeriza, etc.*

—*Los sustantivos derivados que terminan en* **-anza, -eza, -ez:** *con-fianza, corteza, cabeza, pez, vejez, madurez, etc.*

LA ACENTUACIÓN

Por acento se entiende el mayor grado de fuerza que hacemos recaer en determinada sílaba de una palabra. En nuestro idioma el acento es importante para el significado de las palabras.

*Se llama **acento prosódico** al mayor grado de fuerza que hacemos al pronunciar una sílaba y **acento ortográfico** es aquél que se escribe mediante una rayita encima de la vocal acentuada. En todas las palabras existe un acento prosódico, pero sólo en algunas se usa el acento ortográfico. Esto último está determinado por ciertas normas al respecto.*

CLASIFICACIÓN DE LAS PALABRAS POR EL ACENTO

Palabras agudas: *Son aquéllas que llevan acento en la* **última** *sílaba. Ejemplos:* espera**ré**, pa**pel**, cora**zón**.

Acentuación de las palabras agudas: *Se acentúan todas las palabras agudas, en la última sílaba, siempre que terminen en* **vocal** *o en las consonantes* **N** *o* **S:** so -**fá**, to -**mé**, rom -**pí**, ju -**gó**, bam -**bú**, come -**zón**, com-**pás**.

Palabras graves o llanas: *Son las que llevan acento en la penúltima sílaba: Ejemplos:* **Car**-men, **pla**-za, ca-**rác**-ter, pan-**ta**-no, *etc.*

Acentuación de las palabras graves: *Se acentúan gráficamente aquéllas terminadas en consonante, menos* **N** *o* **S**. *También se exceptúan las terminadas en vocal:* cés-ped, dé-bil, al-cá-zar, már-tir, Fer-nán-dez, *etc.*

Palabras esdrújulas y sobreesdrújulas: *Son las que llevan acento en la antepenúltima sílaba y la antepenúltima sílaba.*

Acentuación de las palabras esdrújulas y sobreesdrújulas: *Se acentúan todas estas palabras sin importar la terminación. Ejemplos:* lám-pa-ra, dí-me-lo, ár-bo-les, re-gí-me-nes, co-mién-do-se-lo, pá-sa-me-lo.

Acentuación de los monosílabos: *En general no se acentúan ni se rigen por las reglas generales. Ejemplos: Vio, dio, fue, fui, fe, etc.*

Se acentúan algunos monosílabos en casos especiales:

—*Cuando entre dos palabras tienen doble significado para diferenciarlas entre sí. Ejemplos: te (pronombre) de* **té** *(sustantivo, bebida), mas (conjunción, sinónimo de pero) de* **más** *(adverbio de cantidad).*

—*Mí, tú, él, éste, ésa, ése, aquél, con sus femeninos y plurales se acentúan cuando son pronombres. Ejemplo: "él no ha salido, tú sí". Cuando estas palabras van determinando a un sustantivo o adjetivo no se acentúan. Ejemplo: "tu lápiz es bonito", "esta niña llegó tarde".*

—*Las palabras qué, cómo, cuándo, dónde y quién, se acentúan cuando se usan en tono de pregunta o de admiración.*

Casos especiales de acentuación:

—**Solo / Sólo:** *Se acentúa esta palabra cuando equivale al adverbio* **solamente**. *Ejemplo: "Sólo el ganador tiene premio". En tanto que con el significado de "soledad" no lleva acento ortográfico. Ejemplo: "Estoy solo en mi oficina".*

—**Aun / Aún:** *Se acentúa este vocablo cuando equivale a* **todavía**. *Ejemplo: "Pedro aún no llega del colegio". Cuando tiene el significado de* **hasta** *no se acentúa. Ejemplo: "Aun en los más graves momentos tuvo calma".*

—**Las construcciones enclíticas:** *Consiste en posponer a las formas verbales, pronombres personales pasando a formar una sola palabra: sentó-se, respondió-le. Los pronombres personales que se pueden usar en este tipo de construcciones son:* **me, te, se, le, lo, la, nos, os, les, los, las.** *La construcción enclítica siempre favorece el acento, de manera que si el verbo tenía acento y que al entrar en la composición debiera perderlo, lo conserva. Ejemplos: la llamó= llamóla, se miró= miróse, me invitó= invitóme, etc.*

En cambio, si los verbos no tenían acento y entran en la construcción enclítica, caen bajo alguna ley acentual y se debe respetar. Ejemplos: Díjole (se convierte en una palabra esdrújula y es necesario el acento, me lo trae = tráemelo, felicítalos, etc.

X

—Las palabras compuestas: *Las palabras compuestas se escriben sin guión interior cuando los elementos que la integran han perdido su unidad conceptual. Si decimos hispanoamericanos, resulta imposible separar lo hispano de lo americano en tal persona. Existen, en cambio, palabras en que esa independencia se mantiene: Conferencia afro-asiática, guerra franco-prusiana.*

Las palabras compuestas sin guión llevan el acento que les corresponde de acuerdo con las leyes generales, pero si el primer elemento llevaba acento lo pierde. Ejemplos: así + mismo = asimismo, balón + pie = balonpié, décimo + sexto = decimosexto, etc.

Las palabras compuestas con guión llevan el acento que les corresponda de acuerdo con las normas generales. Ejemplos: agrícola-ganadero, histórico-cultural, económico-social, teórico-práctico, etc.

Las palabras terminadas en mente: *Los adverbios terminados en* **mente** *conservarán la acentuación de las palabras que provengan. En consecuencia, si la palabra tiene acento gráfico, el adverbio también deberá llevarlo; en caso contrario se escribirá sin él. Esto equivale a decir que la terminación* **mente** *no se toma en cuenta para la acentuación gráfica. De este modo, rápidamente sigue siendo palabra esdrújula, útilmente es grave terminada en l y ferozmente es aguda terminada en z. De hecho estos adverbios tienen un doble acento, pues la terminación mente siempre lleva acento prosódico. Ejemplos: tranquilo = tranquilamente, veloz = velozmente, última = últimamente, cortés = cortésmente, hábil = hábilmente, etc.*

—Las palabras extranjeras: *Los nombres propios que provengan de otra lengua y que no llevan acento en su origen podrán acentuarse a la española siempre que su pronunciación y grafía les permita amoldarse a nuestras normas ortográficas. Ejemplos: Hámlet, Nóbel, Mózart, Wíndsor, Zolá, etc.*

—Finalmente, en castellano las mayúsculas llevan acento gráfico, cuando les corresponde. En los textos impresos no aparece escrito, porque las máquinas no lo poseen, pero usted debiera usarlo.

LA PUNTUACIÓN

Tal como ya se advirtió, el código escrito trata de ser una aproximación o un reflejo de lo que es el código oral. Cuando hablamos hacemos pausas, utilizamos la entonación para indicar dudas, afirmaciones, preguntas, etc. En suma, entregamos todo un caudal comunicativo que es sumamente necesario en nuestra vida diaria.

La puntuación consiste en una serie de elementos gráficos que pretenden dar cuenta de todas esas variaciones. De ahí su importancia capital.

Utilización de la coma

La coma (,) se emplea para indicar una breve pausa en la lectura.

Su utilización corresponde a los siguientes casos:

*—Después de un **vocativo** (una palabra o frase que sirve para llamar la atención) cualquiera sea su colocación en la frase u oración. Ejemplos: "Diego, ven"; "Aló, estará mi mamá"?; "Ven aquí, Fernando", etc.*

—Para separar términos análogos o de igual jerarquía dentro de una oración. Ejemplo: "Fui al mercado para comprar frutas, verduras, carne, huevos", etc.

*—Para encerrar una **expresión** o **frase explicativa**. Sobre todo si al omitirse ella no se ve alterado en forma sustancial el sentido de la oración. Ejemplo: "Pedro, el corredor de autos, está enfermo"; "Rancagua, capital de la Sexta Región, se ubica al sur de Santiago", etc.*

*—Se escriben entre comas, cuando corresponda, una serie de expresiones conjuntivas como **Esto es, es decir, en fin, sin embargo, no obstante, por último, por lo tanto, por el contrario, por lo general,** etc. Ejemplos: "La vida del hombre en este mundo es, por lo general, una vida de trabajo"; "Las cosas tardaron, sin embargo, en aclararse"; "Me gustan las rosas, los claveles, las calas, es decir, todas las flores", etc.*

—Antes de las conjunciones **porque, pues, aunque, pero, luego,** etc. Ejemplo: *"Pienso, luego existo"; "Vaya, pero vuelva pronto"*, etc.

—En caso de **hipérbaton** *(es decir, cuando hay una alteración a lo que se estima un orden regular en la oración). Ejemplo: "Terminada la comida nos despedimos", en lugar de "nos despedimos terminada la comida"; "Según mi opinión, esto debería..." en vez de "esto debería... según mi opinión"*, etc.

Utilización del punto y coma (;)

Éste es un signo que expresa una pausa mayor que la de la coma.

Se usa en los siguientes casos:

—Antes de las conjunciones adversativas **mas, pero, aunque, luego,** etc., *cuando la cláusula no es muy corta. Ejemplo: "Según la Geometría, la línea recta es la más corta; pero según la Estética, es la más fea y triste".*

—Para separar oraciones yuxtapuestas *(proposiciones colocadas una al lado de la otra) Ejemplo: "El que deserta su opinión por miedo es un cobarde; el que la reniega por interés un truhán"; "El odio nada engendra; sólo el amor es fecundo"*, etc.

Utilización del punto (.)

Este signo indica que una idea está terminada en su expresión.

—Se habla de **punto seguido** *cuando se indica una pausa mayor que los signos precedentes, pero también se continúa con el sentido del párrafo. Ejemplo: "Así nacen y así mueren las escuelas literarias. Así ha nacido la poesía de hoy. Así morirá".*

—El **punto aparte** *se reserva para indicar que dentro de un escrito se ha pasado de un tema a otro totalmente diferente.*

—**Se usa punto final** *para terminar cualquier escrito.*

Utilización de los dos puntos (:)

—*Se usan los dos puntos cuando la oración que sigue es explicación, consecuencia o resumen de la primera. Ejemplo: "No está aquí: se fue a Temuco".*

—*Después de los tratamientos o vocativos que se utilizan en cartas, discursos, documentos oficiales. Ejemplos: "De mi consideración: "Señoras y señores"; "Querida mamá:", etc.*

—*Después de una proposición que anuncia una cita textual o una enumeración Ejemplos: "Y Dios los bendijo diciendo: —Creced y multiplicaos"; "Cuatro cosas nacen de la esperanza: la alegría del cuerpo, la salud del alma, el alivio de los trabajos y la larga vida", etc.*

Utilización de los puntos suspensivos (...)

Los puntos suspensivos indican que se calla algo, dejándolo en suspenso.

Se usan en los siguientes casos:

—*Para indicar que no se completa el pensamiento porque se sobreentiende. Ejemplos: "Dime con quién andas y..."; "Si no te portas bien, te...", etc.*

—*Cuando se quiere dejar el sentido de la oración en suspenso o cuando se quiere expresar duda, temor, asombro o para sorprender al lector con algo inesperado. Ejemplos: "Al encontrarse se reían, se abrazaban... y ya pueden imaginarse el cuadro"; "No sé... estoy casi seguro... pero es mejor callar", etc.*

Utilización del paréntesis ( )

—*Se usa para encerrar frases y oraciones aclaratorias o que guardan alguna relación con el resto. Ejemplo: "El discurso parecía interesante (aunque yo estaba muy aburrido) en el acto del lunes".*

Utilización de las comillas ('')

—Se usan al principio y al final de una palabra o cláusula sobre la cual se quiere llamar la atención. Ejemplos: Debemos estar alertas porque "camarón que se duerme se lo lleva la corriente".

—Se colocan para encerrar una cita textual, es decir, las palabras exactas de un discurso ajeno. Ejemplo: Jesús dijo a sus discípulos: "Amaos los unos a los otros como yo os he amado".

Utilización de los guiones (—)

Los guiones son de dos tipos: uno corto y el otro largo. El corto separa letras, sílabas o palabras. Ejemplos: A-m-o-r; a-mor; boca-calle ex-presidente, etc.

El largo tiene varios usos:

—En las frases explicativas enfáticas. Ejemplo: Napoleón —el gran emperador francés— murió en el siglo XIX.

—En los diálogos, para indicar la parte que corresponde a cada interlocutor:

José: —¿Dónde estoy?
Ana: —En mi casa.
José: —¿Desde cuándo?
Ana: —Ya van dos días, etc.

—En los sumarios de capítulos, cuadros de resúmenes, para separar clasificaciones, etc.

Utilización de los signos de interrogación (¿?) y de exclamación (¡!)

Se usan para preguntar lo que se ignora y para denotar sorpresa, exclamación y admiración. Ejemplos: "¿Qué día es hoy?"; "¡Cuánto he vivido en tan poco tiempo!"; "¿Desdén? Sí. ¡Desdén! y nada más encuentro en esas actitudes", etc.

Es importante recordar que en **nuestro idioma** ambos signos se utilizan al comienzo y al final de la frase que expresa lo señalado anteriormente.

ANOTACIONES:

_____

_____

_____

_____

_____

_____

_____

_____

_____

_____

_____

_____

_____

_____

_____

ANOTACIONES:

ANOTACIONES:
_____
_____
_____
_____
_____
_____
_____
_____
_____
_____
_____
_____
_____
_____
_____

ANOTACIONES:

_____

_____

_____

_____

_____

_____

_____

_____

_____

_____

_____

_____

_____

_____

_____

_____

ANOTACIONES:

_____

_____

_____

_____

_____

_____

_____

_____

_____

_____

_____

_____

_____

_____

_____

ANOTACIONES:

ANOTACIONES:

ANOTACIONES:

_____

_____

_____

_____

_____

_____

_____

_____

_____

_____

_____

_____

_____

_____

_____

_____

ANOTACIONES:

_____

_____

_____

_____

_____

_____

_____

_____

_____

_____

_____

_____

_____

_____

ANOTACIONES:

_____

_____

_____

_____

_____

_____

_____

_____

_____

_____

_____

_____

_____

_____

_____

ANOTACIONES:

_____

_____

_____

_____

_____

_____

_____

_____

_____

_____

_____

_____

_____

_____

_____

ANOTACIONES:

ANOTACIONES:

_____

_____

_____

_____

_____

_____

_____

_____

_____

_____

_____

_____

_____

_____

ANOTACIONES:

ANOTACIONES:

_____

_____

_____

_____

_____

_____

_____

_____

_____

_____

_____

_____

_____

_____

ANOTACIONES:

_____

_____

_____

_____

_____

_____

_____

_____

_____

_____

_____

_____

_____

_____

_____

ANOTACIONES:

_____

_____

_____

_____

_____

_____

_____

_____

_____

_____

_____

_____

_____

ANOTACIONES: